Il est sans masque...

Elle est sans peur...

— Vous m'avez donné votre parole, Archer, je ne la mettrai pas en doute.

C'était la vérité. Mais pas toute la vérité.

— Je ne m'enfuirai pas.

Le tissu laineux de la redingote d'Archer effleura le marbre dans un doux murmure lorsqu'il se tourna pour lui faire face. Elle lui rendit son regard, vulnérable pendant un bref moment de désarroi. Il la considéra avec chaleur. Il comprenait. Après une courte inspiration, il prit la parole d'une voix sourde et frémissante.

— Vous n'avez pas idée de l'effet que vous me faites.

Les mots l'atteignirent en plein ventre. Elle ferma les yeux et déglutit.

— Si vous entendez par là avoir l'impression de naviguer dans des eaux inconnues, sans savoir si l'on va ou si l'on vient…

Elle baissa les yeux sur sa chemise, observa que son souffle s'accélérait.

— Dans ce cas, milord, j'ai bien peur que vous ayez le même effet sur moi.

Un silence paisible les enveloppait, troublé uniquement par le léger halètement de leurs souffles mêlés. Très lentement, il leva la main et, à la pensée qu'il puisse la toucher, elle sentit une vague de chaleur déferler sur elle. Mais sa main alla se poser sur le masque rigide qui lui recouvrait le visage. Le masque se détacha dans un léger craquement et le chuintement du souffle libéré d'Archer. La lumière se répandit sur ses traits, et Miranda se figea.

Éloges pour *Tout feu tout flamme*

«Un roman fantastique, sombre et envoûtant! Callihan est une nouvelle auteure pleine de talent.»

> — Larissa Ione, auteure de *Immortal Rider*,
> best-seller du *New York Times*.

«Une histoire, à la fois sombre et délicieuse, de secrets, de meurtres et d'amour, joliment mise en scène dans les ténèbres du Londres de l'époque victorienne.»

> — Hannah Howell, auteure de *If He's Dangerous*,
> best-seller du *New York Times*

«Un roman d'aventures inventif, au style incisif, mettant en scène des personnages complexes et pleins d'esprit. Callihan vous fera croire à la force du destin et du grand amour.»

> — Shana Abé, auteure de *The Time Weaver*,
> best-seller du *New York Times*

«Un premier roman sexy et splendide, avec un héros délicieusement torturé, un mystère surnaturel inventif et une tension sexuelle torride, qui se développe avec lenteur d'une page à l'autre. Je suis impatiente de voir ce que le prochain roman de Kristen Callihan nous réserve.»

> — Meljean Brook, auteure de *The Iron Duke*,
> best-seller du *New York Times*

«Un premier roman éblouissant, sexy et excitant. Callihan figure désormais sur la liste de mes auteurs préférés.»

> — Anya Bast, auteure de *Charme malicieux*,
> best-seller du *New York Times*

TOUT FEU
TOUT FLAMME

TOUT FEU TOUT FLAMME

LES TÉNÈBRES DE LONDRES

Kristen Callihan

Traduit de l'anglais par
Janine Renaud

Éditeur : François Doucet

Traduction : Janine Renaud

Révision linguistique : Féminin pluriel

Correction d'épreuves : Nancy Coulombe, Catherine Vallée-Dumas

Conception de la couverture : Matthieu Fortin

Photo de la couverture : © Gene Mollica

Mise en pages : Sébastien Michaud

ISBN papier 978-2-89733-655-4

ISBN PDF numérique 978-2-89733-656-1

ISBN ePub 978-2-89733-657-8

Première impression : 2014

Dépôt légal : 2014

Bibliothèque et Archives nationales du Québec

Bibliothèque Nationale du Canada

Éditions AdA Inc.

1385, boul. Lionel-Boulet

Varennes, Québec, Canada, J3X 1P7

Téléphone : 450-929-0296

Télécopieur : 450-929-0220

www.ada-inc.com

info@ada-inc.com

Diffusion

Canada :	Éditions AdA Inc.
France :	D.G. Diffusion
	Z.I. des Bogues
	31750 Escalquens — France
	Téléphone : 05.61.00.09.99
Suisse :	Transat — 23.42.77.40
Belgique :	D.G. Diffusion — 05.61.00.09.99

Imprimé au Canada

Participation de la SODEC.

Nous reconnaissons l'aide financière du gouvernement du Canada par l'entremise du Fonds du livre du Canada (FLC) pour nos activités d'édition.

Gouvernement du Québec — Programme de crédit d'impôt pour l'édition de livres — Gestion SODEC.

À mon mari, Juan. Ta foi indéfectible m'a donné des ailes.
Sans toi, rien de tout ceci n'existerait.

À Rachel. Tu sais pourquoi. Je ne pourrais
avoir de meilleure amie.

Et à Maya et Alex. Toujours.

Remerciements

Certaines personnes ont la chance de bénéficier du soutien de gens exceptionnels, dont le talent les rend meilleures. Je me considère très chanceuse.

D'abord et avant tout, je tiens à remercier les deux personnes qui m'ont permis de réaliser mon rêve : mon agente, Kristin Nelson, pour m'avoir encouragée et poussée à continuer, et pour s'être dévouée de tout son cœur ; et mon éditeur, Alex Logan, dont le brillant savoir-faire éditorial et la générosité ont fait de ma première incursion dans le monde littéraire un véritable plaisir. Je remercie les astres chaque jour de vous avoir auprès de moi.

Merci à Lauren Plude, adjointe à la rédaction, pour son soutien et son enthousiasme contagieux. À Christine Foltzer, pour la conception de l'époustouflante page couverture. À Lynne Cannon Menges, relectrice-correctrice. Et à Amy Pierpont et à tous les membres de l'équipe talentueuse des éditions Forever/Grand Central.

Mon infinie gratitude va aux amies et aux compagnes d'écriture les plus extraordinaires dont on puisse rêver : Claire Greer, Jennifer Hendren, Susan J. Montgomery et Rachel Walsh, qui m'ont tenu la main, encouragée et cajolée jour après jour, depuis celui où j'ai eu l'idée de ce livre jusqu'à celui où je l'ai achevé. Vous m'avez aidée plus que je ne saurais le dire. Je vous aime à jamais.

Une litanie de remerciements aux lecteurs de la première heure, Deniz Bevan, Rihanonn Morgan, Kait Nolan, Precie Schroyer et Carol Spradling.

Un grand merci à Diana Gabaldon, qui m'a donné le goût d'écrire et a été sans le savoir mon mentor. À Jo Bourne, l'une des personnes les plus douées pour transmettre son savoir que je connaisse, pour avoir répondu à mes nombreuses interrogations de novice. Aux formidables auteurs qui fréquentent le forum de discussion du CompuServe Books and Writers; impossible de tomber sur une assemblée d'écrivains plus accueillante et plus aidante.

À mon équipe personnelle : à mes sœurs Karina et Liz, pour avoir écouté sans défaillir mon insupportable bavardage d'auteure et m'avoir apporté un indéfectible soutien fraternel. À mes amies, Christine Child, Eileen Cruz Coleman, Kerry Sheridan et Amy Smith, pour les mêmes raisons. À Jim et Christine Mollenauer, pour avoir veillé sur mes bébés sans compter leurs heures afin que je puisse écrire. Et aux trois êtres les plus chers à mon cœur : Juan, Maya et Alex, pour avoir accepté que je m'enferme dans mon bureau, pour m'avoir inspirée, pour m'avoir convaincue que cela valait la peine.

Enfin, merci à Hilde et Herb, mon père et ma mère, qui m'ont appris à aimer les livres, m'ont enseigné l'art de raconter des histoires et m'ont donné la vie.

Prologue

> « *C'est ce masque qui a conquis ton esprit,*
> *Et puis fait battre ton cœur[1].* »
>
> — W. B. Yeats

Londres, novembre 1878

L e fait de savoir qu'il mettrait bientôt fin à une vie offensait l'âme d'Archer à chacun de ses pas. Le mécréant en question était, au mieux, un menteur et un voleur. Que la totalité de la maigre fortune de l'homme repose désormais au fond de l'Atlantique n'éveillait pas la sympathie d'Archer. Au contraire, sa fureur s'en trouvait attisée. Un voile rouge aveuglait Archer lorsqu'il pensait à ce qui avait été perdu. Il avait failli être sauvé. Mais son salut lui avait échappé parce que les pirates d'Hector Ellis avaient fait main basse sur le navire d'Archer et s'étaient emparés de ce qui aurait pu le guérir pour le dissimuler dans leur maudit clipper destiné au naufrage.

Une brume épaisse comme de la boue recouvrait le sol, refusant de se dissiper en dépit de la fraîche brise nocturne.

---

1. N.d.T. : Traduction de Jacqueline Genet.

Elle ne disparaissait jamais tout à fait, pesant continuellement sur Londres, comme la mort, les taxes et la monarchie. L'ourlet de la cape d'Archer lui cinglait les mollets, fouettait les tourbillons de l'infecte vapeur jaunâtre, tandis que sa bouche s'emplissait des relents acides de charbon, de crasse et de décomposition qui composaient le goût de Londres.

Archer tourna le coin, délaissant la lueur des lampes éclairant la rue pour s'enfoncer dans les ténèbres. Le bruit saccadé de ses pas résonnait sur les pavés des rues désertées. Au loin, sur la Tamise, une corne de brume lança son cri d'avertissement. Mais, ici, c'était le silence. Le fracas constant des voitures à cheval et l'appel épisodique du gardien de nuit signalant les heures s'étaient estompés. Sa silhouette se fondait dans l'obscurité, comme toujours, ce qui le rassurait tout en lui rappelant ce qu'il était devenu.

Il déambulait dans un quartier ancien, mais cossu. Comme dans tous les endroits abritant ceux bénis par la fortune, les rues étaient vides et mornes, leurs habitants étant depuis longtemps déjà blottis dans leurs lits douillets.

Ellis habitait tout près. Archer arpentait les rues de Londres depuis suffisamment longtemps pour se déplacer sans hésitation dans son réseau aberrant de ruelles tortueuses et d'impasses. Le goût froid et métallique de l'anticipation glissa sur sa langue. Mettre fin à une vie, voir l'étincelle incandescente d'une âme déserter sa demeure — il appelait ce moment, il en avait *soif*. L'horreur de cette soif le frappa au cœur, et il ralentit le pas. *Ne jamais faire de mal.* Tel était le *credo* de tous les médecins, son *credo*. C'était avant qu'il eût renoncé à l'existence qui était la sienne. Archer inspira profondément et se concentra sur sa rage.

Un jardin s'étendait devant lui, vaste et entouré de murs, ses beautés réservées à l'usage exclusif de ceux en détenant la clé. L'enceinte de plus de deux mètres se dressait devant lui. Elle aurait pu aussi bien n'avoir qu'un mètre. Il sauta par-dessus d'un bond léger et retomba sans un bruit sur l'herbe touffue.

Il se redressa, résolu à accomplir sa mission, mais s'immobilisa en entendant le bruit de l'acier contre l'acier. Curieux. Les duels à l'épée étaient passés de mode depuis des lustres. Les dandys londoniens réglaient désormais leurs différends à coups de lois et de procès. Il regrettait un peu le temps de sa jeunesse, où les griefs prenaient naissance dans un soufflet et s'achevaient à la première goutte de sang. Il porta son regard sur le jardin et vit deux hommes qui, l'épée à la main, s'agitaient sous le faible halo des lampes à gaz se dressant dans les angles de la cour principale.

— Allez ! persifla celui qui avait des cheveux blonds. Ne pouvez-vous pas faire mieux ?

Ils n'étaient encore que des garçons. Archer se dissimula près du mur, dans l'ombre épaisse, et les observa, les distinguant, en raison de sa vue anormale, aussi clairement que s'il avait été aux premières loges. Le jeune homme n'avait sans doute pas plus de dix-huit ans ; pas encore tout à fait un homme. Ses membres conservaient les disproportions propres à l'adolescence, mais il était néanmoins de haute taille et sa voix était grave. Manifestement, c'était lui le chef, et l'autre garçon peinait à le suivre sur le court d'ardoise situé au centre du jardin.

— Relevez le bras, conseilla-t-il en s'élançant de nouveau sur le jeune garçon.

Le jeune garçon était presque aussi grand que son compagnon, mais beaucoup plus délicat. Ses jambes, visibles sous sa redingote trop grande, n'étaient que des bâtons. Un chapeau melon ridicule lui tombait sur les yeux, si bien qu'Archer ne voyait qu'un bout de mâchoire blanche tandis que les deux garçons ferraillaient sans ménager leur peine.

Archer s'adossa au mur. Il n'avait jamais vu de combat aussi énergique. Le jeune homme était bon. Très bon. Il avait visiblement bénéficié des enseignements d'un maître d'armes. Mais le jeune garçon finirait par le dépasser. Pour le moment, il était plus léger et plus court, ce qui le désavantageait, mais lorsque le jeune homme blond, profitant du fait que le garçon se trouvait dans une situation difficile, tenta une botte, le petit se dégagea d'un bond avec une telle rapidité qu'Archer tendit le cou pour ne rien manquer, éprouvant un plaisir qu'il n'avait pas ressenti depuis des décennies. Ils rompirent puis reprirent le combat.

— Vous devrez faire mieux que cela, Martin.

Le jeune garçon éclata de rire, et sa lame étincela comme un rayon de lune dans la nuit violine.

Le regard de Martin exprimait à la fois de la fierté et de la détermination.

— Ne soyez pas arrogant, Pan.

Martin chargea, frappant d'estoc et de taille. Le garçon, Pan, esquiva les coups en bondissant vers la droite. À la grande joie d'Archer, il sauta ensuite sur la balustrade de fer forgé entourant la cour et, dans une petite démonstration de témérité, glissa sur une bonne longueur avant de remettre pied sur le sol juste derrière Martin. Il toucha le jeune homme au flanc de la pointe de son épée avant de s'écarter en sautillant.

— Je *suis* le dieu Pan, chantonna-t-il d'une voix aussi haut perchée que celle d'une fille. Et si vous n'y prenez garde, j'enfoncerai ma flûte dans votre cul rebondi, ah…

Le jeune idiot tomba à la renverse dans la haie de buis que, tout à son triomphe, il n'avait pas remarquée. Archer eut un grand sourire.

Le rire de Martin déferla sur le jardin. Le jeune homme rit si fort qu'il finit plié en deux et laissa tomber sa rapière pour se tenir le ventre. Le jeune Pan tenta de se relever, en maintenant en place son chapeau ridicule et en râlant dans sa barbe contre les haies anglaises.

Martin en eut pitié et l'aida à se remettre sur ses pieds.

— Sommes-nous quittes ?

Il lui tendit la main en gage de paix.

Le jeune garçon maugréa un peu avant de serrer la main tendue.

— Je n'ai guère le choix, je suppose. Prenez l'épée, voulez-vous ? Père a failli la trouver l'autre jour.

— Et nous ne le souhaitons pas, hein ? fit Martin en taquinant le nez du garçon.

Ils se séparèrent, chacun se dirigeant vers des sorties opposées du jardin.

— Bonne nuit, Martin.

— Bonne nuit, Pan !

Le jeune homme blond regarda en souriant son jeune ami quitter le jardin, puis sortit à son tour.

Archer, toujours dans l'ombre, se dirigea vers la porte empruntée par Pan. Des fourmillements dus à un certain malaise couraient sur sa peau. Habile ou non à l'épée, le garçon était trop fragile pour déambuler seul et sans arme au cœur de la nuit. Le divertissement dont il avait régalé Archer, ce qui lui arrivait trop rarement, lui valait de rentrer chez lui sain et sauf.

Archer, tout en demeurant dans l'ombre et en gardant ses distances, le suivit aisément. Le garçon, qui se déplaçait sans crainte dans la nuit d'une démarche allègre, presque arrogante, quitta le trottoir pour s'engager dans une venelle.

De ce fait, Archer sentit le cri d'alarme résonner plus fortement lorsque deux garçons, plus vieux et crasseux, sortirent de l'ombre et barrèrent le chemin du jeune garçon.

— Hé, qui va là ?

Le type était une grosse brute, large et courte sur pattes. Le genre d'individu à toujours chercher querelle, songea tristement Archer, car il ne se sentait pas d'humeur à tordre le cou à des gamins.

— Bonsoir, dit Pan en reculant d'un pas. Ne vous souciez pas de moi. Je ne fais qu'une petite balade.

Le plus grand des deux s'esclaffa, exposant du coup un large espace entre ses dents.

— Une petite balade, répéta-t-il d'un ton railleur. Pour qui tu te prends ? Pour le prince Bertie ?

Pan se ressaisit rapidement.

— Quoi ? Un homme peut pas jacter comme la reine de temps en temps ? gronda-t-il en glissant vers la langue des rues aussi facilement que dans du beurre. Surtout quand i' veut se dégotter une chatte ?

Le jeune Pan les contourna et s'approcha mine de rien de l'arrière d'une grande propriété. Archer comprit qu'il s'agissait d'un lieu sûr. De la demeure du jeune garçon.

C'était aussi celle d'Ellis, se rendit-il compte avec stupeur. Qui était ce jeune garçon?

— Les greluches aiment qu'on jaspine doux, poursuivit le garçon.

Archer ne put qu'admirer la façon dont le jeune maîtrisait la langue populaire; il ne saisissait pas grand-chose. Mais, à son avis, le garçon en faisait trop. Les deux brutes s'en rendaient compte, elles aussi.

— Tu nous prends pour des imbéciles? aboya l'un d'eux.

Voyant les deux lourdauds tenter de l'encercler, le garçon recula.

— Inutile d'en faire tout un plat…

— T'es pas très futé, hein?

Le plus grand des deux lourdauds asséna une petite tape sur la tête du garçon. Le chapeau de celui-ci tomba, et le cœur d'Archer s'arrêta de battre. Une masse soyeuse couleur de feu cascada, tel de l'or en fusion, jusqu'à la taille du garçon. Archer en eut le souffle coupé. Ce n'était pas un garçon, c'était une fille. Et elle n'avait pas treize ans, mais à peu près dix-huit ans. Une jeune femme.

Il contempla la masse de cheveux d'or sombre. Il n'avait jamais vu de chevelure aussi fine et éclatante. D'aucuns l'auraient qualifiée de roux flamboyant. Cette nuance sublime entre l'or et le vermeil qui fascinait les peintres et les poètes.

— Reculez!

Le son d'une voix haut perchée sortit Archer de sa rêverie. Son garçon manqué adopta une attitude défensive en voyant les deux brutes, soudainement intéressées, se tendre. Eux aussi avaient été surpris, mais s'étaient vite ressaisis et cherchaient maintenant à profiter de cette occasion inespérée.

— Ah, allons, cocotte. T'énerve pas. On savait pas que t'étais une catin.

Ils s'avancèrent et Archer sentit ses cheveux se dresser sur sa nuque. Un grondement enfla dans sa gorge. Il fit un pas en avant, puis un deuxième. Ils n'avaient pas encore décelé sa présence ; il était trop silencieux, sa silhouette se fondait trop dans l'ombre.

— Montre-nous ton petit lot, hein ? dit le plus court, et forcément le premier qui aurait l'honneur de faire la connaissance du poing d'Archer.

Curieusement, la jeune fille ne semblait pas aussi effrayée qu'elle l'aurait dû. Elle les défiait, les poings levés et les yeux braqués sur eux. C'en était risible.

— Partez, dit-elle, et sa petite voix avait le tranchant de l'acier.

Les deux voyous éclatèrent d'un rire affreux et méprisant.

— Ouais, partez, qu'elle dit.

— Écoute, princesse, gronda le grand, si t'es gentille, on t'esquintera pas.

Ses yeux verts lancèrent des flammes sous ses sourcils auburn délicatement arqués comme les ailes d'un ange.

Ils étaient verts, n'est-ce pas ? Archer plissa les paupières, sa vue anormale captant le peu de lumière ambiante. Oui, ils étaient d'un vert cristallin bordé d'un anneau émeraude, tel un raisin Chardonnay coupé en deux. Mais il aurait juré y avoir vu l'étincelle dorée d'une flamme.

— Partez maintenant, ordonna-t-elle sans broncher, ou je vous transforme tous les deux en pâtée pour chats.

Archer se sentit gagné par l'hilarité et, incapable de se contenir, éclata de rire. Son rire se répercuta sur la pierre des maisons et les briques de la ruelle. Les jeunes hommes pivotèrent. Leurs visages exprimaient clairement de la frayeur. Ils n'étaient guère disposés à croiser le fer avec un homme fait, encore moins avec un homme errant dans les rues à une telle heure. Archer connaissait ce genre d'individus, des lâches qui s'en prenaient aux faibles, mais s'enfuyaient au premier signe de danger. Il s'approcha juste assez pour leur permettre de voir sa silhouette et la pointe de ses bottes montantes, préférant rester dans l'ombre le plus longtemps possible.

— Barrez-vous! C'est pas vos affaires, déclara le grand avec une assurance feinte.

— Si vous restez une seconde de plus dans cette ruelle, rétorqua Archer, votre séjour en ce monde connaîtra une fin rapide.

Sa voix n'était pas vraiment la sienne. Les blessures récoltées lors de son dernier combat, et qui auraient dû le laisser muet, l'avaient transformée en souffle rauque. Mais il allait s'en remettre. Bientôt.

Ils perçurent aussitôt qu'il n'était pas normal — les voyous vivant dans les rues le sentaient toujours — et restèrent plantés devant lui, bouche bée comme deux poissons morts.

Il fit craquer ses jointures.

— Mais peut-être pas aussi rapide que cela. J'aime m'amuser avec mes proies.

Sans demander leur reste, les deux acolytes prirent leurs jambes à leur cou, et le martèlement précipité de leurs pas se fit entendre jusque sur les pavés de la ruelle suivante.

Ils étaient partis, mais pas la fille. Debout, clouée sur place, semblait-il, elle continuait de brandir ridiculement les poings.

Sous sa peau d'albâtre, son ossature était d'une exquise délicatesse. Elle avait les pommettes hautes et joliment galbées, une mâchoire à la ligne gracieuse, et un nez fin et droit. Michel-Ange aurait aimé sculpter ce visage. Et le poing d'un homme aurait pu détruire cette beauté en un clin d'œil.

— Rentrez chez vous, lui dit-il.

Elle tressaillit légèrement, mais, quoique abasourdie, demeura sur ses gardes et se balança un peu sur ses jambes.

Il soupira.

— Filez, avant que je me persuade de la nécessité de vous donner une leçon.

Ces mots la firent sortir de son hébétude. Elle tourna les yeux vers le mur dans son dos, derrière lequel se trouvaient sa demeure et la sécurité, puis vers la ruelle à côté d'elle. Elle ne voulait pas lui révéler qu'elle habitait là, mais n'avait guère envie de s'enfuir par la ruelle. Était-elle une domestique ? Non, ses mains n'étaient pas celles d'une servante. D'ailleurs, Ellis n'avait pas les moyens de s'offrir des domestiques. Mais il avait des filles. Trois, à la connaissance d'Archer, dont une seule encore à la maison. *Miranda*. Il fit tourner le prénom sur sa langue, le savourant comme un grand vin.

— Partez, couina-t-elle. Je rentrerai ensuite chez moi.

Il se mordit les lèvres pour retenir un sourire. Existait-il attitude de défi plus intrigante ? Jeunesse plus envoûtante ?

Elle était assez âgée pour prendre un époux. Il cilla, écartant de son esprit cette folle pensée. Elle respirait l'innocence. Il ne devait pas voir en elle une femme séduisante. Quoiqu'elle le deviendrait — un jour. Cette bouche demeurerait-elle aussi pulpeuse ? Ses joues, qui conservaient encore quelque peu les rondeurs de l'enfance, finiraient-elles par se creuser délicatement ?

Il la contempla, momentanément fasciné par les longues boucles d'or qui encadraient telles des flammes sa figure anguleuse.

— Qui êtes-vous ? lança-t-elle.

Cette question lancée d'une voix tranchante le ramena sur terre. Il s'inclina avec courtoisie.

— Un sujet inquiet de Sa Majesté.

Elle parut offusquée, mais ne baissa pas les poings. Incroyablement, elle fit un pas en avant. Il recula dans l'obscurité et heurta le mur de la venelle. Le profond capuchon de sa cape dissimulait le masque qu'il portait. Malgré cela, il ne voulait pas l'effrayer. Une idée ridicule, considérant le fait qu'elle le traquait tel un faucon, s'approchait, sentait son hésitation et tirait profit de cette faiblesse. Il se sentit envahi d'admiration.

— Retirez votre capuchon. Laissez-moi voir votre visage.

Il devait partir. La quitter.

— Non.

Une énergie d'une chaleur presque palpable dans l'air froid l'enveloppait. La fureur l'embellissait, lui conférait de la puissance.

— Je pourrais vous remettre à votre place.

Il sourit dans l'ombre. Son assurance sans faille le stupé-fiait et, en même temps, le… grisait.

— Une perspective intéressante. Vous devriez peut-être tenter votre chance.

S'il avait été un homme normal, il n'aurait pas vu son geste, vif comme l'éclair. Malgré cela, il fut étonné de la rapidité avec laquelle elle se jeta sur lui et lui enfonça d'une main ferme la pointe d'une dague dans les côtes. Il était de son devoir de lui donner une leçon propre à la dissuader de s'en prendre en pleine nuit à un homme bizarre et de forte carrure, mais son parfum doux et frais comme des herbes sauvages le déconcentra, et, par ailleurs, il était curieux de voir ce qu'elle ferait.

— Tournez-vous, ordonna-t-elle d'une voix ferme. Les mains sur le mur.

Voyant que, amusé, il ne bronchait pas, elle rougit.

— Je me soucie peu de votre identité à la condition que vous partiez. Cependant, avant de vous laisser partir, je vais vérifier si vous êtes armé.

Petite sotte. Il devait vraiment lui donner une leçon.

— Cela va de soi, dit-il.

L'humidité des briques traversa ses gants tandis qu'elle passait ses bras autour de lui pour lui parcourir rapidement la poitrine de la main. Dès qu'elle le toucha, tous ses sens s'éveillèrent. Un léger frisson le parcourut. Il le réprima, s'efforçant de penser à la reine, à des anguilles marinées, ou… au fait qu'aucune femme ne s'était trouvée si près de lui depuis des années. Il en eut le vertige pendant un moment.

— Des vêtements de qualité. Imprégnés du parfum de la mer. De la mer et de…

Elle termina sa phrase par un bruit étranglé, qui incita Archer à se demander ce qu'elle avait décelé. Se pouvait-il que son anormalité dégage une odeur?

— Vous êtes venu harceler mon père.

Il releva brusquement la tête, et elle claqua la langue avec mécontentement.

— Vous n'êtes pas le premier ni ne serez le dernier à vous couler dans cette ruelle au milieu de la nuit.

Sa main glissa sur son ventre. Les entrailles d'Archer frémirent à lui faire mal.

— Je suppose qu'il vous doit de l'argent. Eh bien, il n'y en a plus. Il ne reste rien. On ne peut pas tirer du sang d'une pierre, et je ne vous laisserai pas prendre son sang en guise de remboursement.

Il tressaillit en percevant la fêlure dans sa voix, en pensant à ce qu'elle devait endurer en raison des actes de son père. Cela n'y changeait rien. Si ce n'est qu'il désirait l'éloigner de la mort inévitable de son père. La tendresse disputait la place à la profonde colère qui lui serrait la poitrine et l'accompagnait constamment.

— Que puis-je dire? demanda-t-il. Si je nie, vous m'accuserez de mentir. Si j'avoue, vous me trancherez la gorge.

Tout en enfonçant un peu plus la pointe de sa dague, elle lui murmura à l'oreille de sa voix douce.

— Je pourrais faire les deux.

Il ne pouvait qu'en rire.

— Vous m'en voyez honoré. Vous gardiez ce couteau destiné aux porcs dans votre botte et c'est contre moi que l'avez tourné.

— Je n'ai pas eu l'occasion de m'en servir contre ces imbéciles. Parce que vous m'avez mis les bâtons dans les roues. Mais ne vous y trompez pas. Je l'aurais fait.

Elle lui tapota les flancs sans ménagement. Son toucher avait beau être impersonnel, il le rendait fou. Sa chair, anticipant le contact, se tendait avant chaque tapotement.

— Ils vous auraient peut-être montré davantage de respect si vous aviez sorti votre poignard sans tarder.

Il la sentit secouer la tête.

— Pas ce genre d'individus, rétorqua-t-elle avec un sourire sous la froideur professionnelle de sa voix. Ils auraient bondi sur l'occasion. Ils voulaient se battre.

Archer devait reconnaître qu'elle avait raison.

— Par ailleurs, déclara-t-elle vivement en laissant courir sa main tout le long de son bras tendu avant de s'agenouiller pour inspecter sa botte, je n'aime pas particulièrement la violence.

Ha !

— Vous y excellez pourtant.

Son souffle chaud lui caressait la cuisse, et les quadriceps d'Archer se contractèrent.

— Vos flatteries ne vous sauveront pas.

Il feignit de soupirer.

— Cela m'apprendra à me porter au secours d'une enfant.

— Une enfant, railla-t-elle. J'ai dix-neuf ans. Je suis plus âgée que la plupart des débutantes de Mayfair que l'on met aux enchères. Pas ce qu'on appelle une enfant.

Ah, certes, comme s'il ne le savait pas.

Elle lui palpa prudemment la jambe droite, puis la gauche. Curieusement, elle ne fouilla pas ses poches. Elle ne toucha pas à sa bourse remplie de pièces.

— Veuillez m'excuser, *madame*[2].

---

2. N.d.T. : En français dans le texte original.

Il baissa les yeux sur le sommet de son crâne qui remuait tel un casque de cuivre tout près de sa cuisse. À cette vue, un vague torride de pensées illicites déferla dans son esprit. Il lutta pour conserver un ton léger.

— Cependant, pour quelqu'un ayant vécu aussi long-temps que moi, dix-neuf années ne sont guère plus qu'un clin d'œil.

— Vous ne seriez donc qu'un vieux pervers ? dit-elle d'une voix amusée.

Le fait est qu'il envisageait sérieusement d'en devenir un. Si, par exemple, elle déplaçait sa main de quelques centimètres vers la gauche... Il se racla la gorge.

— Suffisamment vieux.

— Menteur, rétorqua-t-elle en soufflant par le nez et en entreprenant de lui palper la hanche droite. Votre constitution n'est pas du tout celle d'un vieillard.

Si elle avait su.

— Votre musculature est plutôt...

Il fut conscient de l'instant précis où tout bascula — de la tension subtilement accrue de sa main, de la petite hésitation dans sa façon efficace de bouger, de son souffle régulier et résolu se faisant soudainement léger et haletant. Sa réaction fut une excitation immédiate et douloureuse. Pendant un moment, il fut incapable de penser. Il y avait si longtemps qu'on avait vu l'homme en lui qu'il n'en conservait pour ainsi dire aucun souvenir. Mais sa chair... sa chair, elle, se rappelait fort bien le plaisir d'être touchée.

Lentement, la jeune fille lissa de sa main fine la courbe de ses fesses, s'y attardant plus que nécessaire. Stupéfait, il manqua s'étrangler de rire et un grognement étouffé provoqué par cette caresse indiscrète s'échappa de sa gorge contractée. La petite *coquine* profitait de la situation. Il fut tenté de pivoter pour lui permettre de se remplir la main. Seigneur, c'était de la folie.

Le souffle de la jeune fille se fit haletant, audible et si semblable à celui d'une femme prise par un homme qu'Archer en eut le vertige, et tout son sang reflua vers sa verge palpitante et douloureuse. Son front heurta la brique avec un bruit sourd. Il se raccrocha au mur comme à une bouée et des miettes de mortier tombèrent comme de la poussière sur ses poignets.

Des doigts inquisiteurs lui griffèrent l'intérieur de la cuisse, évaluant sa fermeté et sentant assurément le tremblement qui l'agitait. Sa verge se gonfla, devint si tendue et si brûlante qu'elle frémit. *Doux Jésus.* Cette fois, il ne put retenir le grognement sourd qui l'envahissait. Cela eut pour effet de rompre le charme. Elle inspira brusquement et retira vivement la main comme si elle s'était brûlée.

Il s'obligea à pivoter, se félicitant de porter une cape. Elle le considéra, bouche bée, comme si elle ne saisissait pas tout à fait ce qui s'était passé. Une roseur charmante colorait ses joues et sa chevelure flamboyante ondulait dans le vent froid. Elle s'écartait déjà, reculant dans le clair de lune. L'émoi qui avait envahi Archer s'apaisa, lui laissant sous le sternum une sensation de vide bien connue. Sa gorge se serra.

— Pas d'armes, murmura-t-elle.

— Non.

Il serra les poings pour se contraindre à ne pas lui tendre les bras.

— Puisque c'est ainsi, je vous remercie, dit-elle en reculant encore d'un pas. De vous être porté à mon secours. C'était inutile, mais courtois.

— Attendez.

Elle s'arrêta.

Hébété, il la regarda pendant un moment, ne sachant que faire. Voyant qu'elle allait se remettre en mouvement, il fouilla dans ses poches. *Donne-lui quelque chose. Retiens-la.*

— Prenez.

Dans sa main tendue, la pièce étincela sous la faible lumière.

Elle n'hésita pas. La pièce passa de la main d'Archer à la main de la jeune fille en un clin d'œil. Il la regarda l'examiner en fronçant ses fins sourcils bien dessinés.

— Le West Moon Club?

— Ce n'est pas une monnaie ayant cours, dit-il en voyant qu'elle sourcillait davantage. Ce n'est qu'une babiole façonnée par des hommes n'ayant rien de mieux à faire de leur temps. Elle ne m'est plus utile.

En effet, puisqu'il avait été banni. En lui, le vide se transforma en souffrance. Il détestait cette pièce et tout ce qu'elle représentait. De tous les objets qu'il aurait pu prendre dans son empressement, pourquoi avait-il choisi celui-ci?

Elle releva l'un de ses sourcils roux en le considérant d'un air interrogateur.

— C'est de l'or.

Il jacassait comme une jeune fille. Il se sentit gagné par l'irritation. Il la réprima.

— Vous pouvez la fondre au besoin.

Cette idée lui apporta une certaine joie.

La jeune fille replia les doigts sur la pièce.

— Vous me jugez trop fière pour l'accepter ?

Les lèvres d'Archer se crispèrent.

— Au contraire. Je vous crois suffisamment pragmatique pour en faire bon usage.

Il ne lui avait pas offert la liasse de billets de banque qu'il avait dans sa poche. Offrir un présent était une chose. Faire la charité en était une autre.

Elle leva ses yeux verts vers lui.

— Vous avez la langue bien pendue. Mais vous vous trompez. Je n'accepte pas de présent d'inconnu.

Il ouvrait la bouche dans le but de protester lorsqu'elle eut un mouvement vif du poignet. Sa dague fendit l'air et alla se ficher tout près de lui dans le mur.

— Mais un troc, oui.

Oh, comme il aimait cette fille. Sans la quitter des yeux, il retira la dague sans effort. Le manche noir et fin conservait la chaleur de sa main. Qu'elle lui fasse suffisamment confiance pour lui laisser sa dague suscitait en lui un espoir inhabituel, comme si le prochain lever de soleil risquait pour une fois d'être un spectacle réjouissant.

— Alors, ce sera un troc, répondit-il d'une voix éraillée.

— Maintenant, partez. Je ne bougerai que lorsque vous serez parti.

Délicieusement péremptoire. Le ventre d'Archer se serra et s'enflamma.

Venez avec moi. Il aurait voulu l'emmener dans une taverne, lui offrir de la bière et du pain, la taquiner pour l'unique plaisir d'entendre sa voix, la contempler toute la nuit et se délecter de la façon dont elle imposait sa volonté à ceux qui gravitaient dans son orbite. Oui, mais alors, elle le verrait. Et s'enfuirait. Le poids dans sa poitrine se fit écrasant.

— Vos désirs sont des ordres.

Elle tressaillit. Elle n'avait pas cru qu'il lui obéirait et cela le fit glousser. Dieu, il n'avait pas autant souri depuis des années. Les muscles de sa poitrine étaient endoloris à la suite de son récent éclat de rire. À quand remontait son dernier rire? Il ne s'en souvenait pas.

Un désir ardent quoique désespéré l'envahit de nouveau, car dans sa façon de le regarder sans broncher, de s'adresser à lui sans réticence, il vit le reflet de son propre salut. Un homme non plus rejeté dans l'ombre, mais exposé à la vue. S'il existait en ce monde don plus précieux, il ne le connaissait pas. Archer n'était pas assez imbécile pour tourner le dos à un tel cadeau du ciel.

La fille d'Hector Ellis. L'homme serait donc épargné. Un nouveau plan prit forme dans l'esprit d'Archer. Une offre qu'Ellis accepterait, car un homme tel que lui était prêt à tout pour sauver sa peau. Archer n'avait besoin que d'un peu de temps.

Inspirant profondément, il s'obligea à prononcer les mots appropriés.

— Je vous souhaite une bonne nuit, joli Pan.

Chapitre 1

Londres, septembre 1881

— Non, non, plus bas... Oui, celui-là... là !

La satisfaction étira les lèvres de Miranda.

— Ah, charmant.

L'homme au comptoir rougit de plaisir. Son regard erra sur les lèvres souriantes et s'y attarda au-delà des convenances.

— Le plus charmant du monde, mademoiselle.

La peau claire de son crâne légèrement dégarni se teinta encore une fois de rouge. Miranda se pencha davantage vers lui. Sous ses coudes, la surface vitrée du comptoir grinça doucement, et le commis déglutit, son regard affolé allant de sa bouche au renflement de ses seins gonflant son corsage. Il crispa la main sur le bracelet de rubis qu'il tenait.

Il était si facile, en vérité, de séduire un homme en cambrant simplement les reins. Une femme aurait dû retirer une certaine satisfaction de cette réaction. Miranda, pour sa part, se sentait comme elle se sentait habituellement : sale, fautive, vide.

— Posez-le, murmura-t-elle avant de se racler délicatement la gorge. Je veux le voir sous le bon éclairage.

Doucement, il reposa le bracelet parmi les quelque douzaines de colliers et de bracelets éparpillés sur le petit comptoir. Une quantité de marchandises bien supérieure à ce qu'aurait permis la prudence ou les convenances. Et une erreur que seul un commis à l'esprit embrouillé pouvait commettre.

Miranda cala son menton sur sa main, geste par lequel son bras se pressa contre son sein, exposant encore davantage celui-ci aux regards. Le commis, manquant s'étrangler, poussa un petit cri, les yeux rivés sur ce soudain et inespéré étalage de chair. Miranda frémit. Mais elle ne broncha pas, se contentant de le regarder avec un petit sourire complice. *Nous sommes tous deux conscients que nous ressentons l'un pour l'autre un désir inavouable,* laissait entendre ce sourire. Sa main libre se posa avec la légèreté d'une plume sur le rang de perles qui se trouvait près de ses côtes.

— N'importe lequel de ces bijoux vous mettrait en valeur, mademoiselle.

Elle accrocha du doigt le rang de perles. *Lentement. Lentement.* Elle avait fait cela un nombre incalculable de fois, pourtant chaque fois lui semblait être la première. Et, chaque fois, elle se sentait envahie de terreur. *Ne le montre pas.*

Elle feignit une moue blessée.

— Les *bijoux* me mettraient en valeur, monsieur ?

Il rougit et ses lèvres minces s'agitèrent.

— Je me suis mal exprimé. Ils font pâle figure à côté de votre beauté. Si j'étais un rubis, je n'entretiendrais pas l'espoir d'être remarqué en votre présence.

Un sourire sincère tirailla les lèvres de Miranda. Aussi pénible et timide fût-il, le jeune homme n'en était pas moins doté d'une âme romantique et d'un langage presque poétique. C'était son teint de lait et sa propension à s'empourprer qui l'avaient incitée à jeter son dévolu sur cette boutique à la limite de la respectabilité. La petite boutique proposait des bijoux de qualité mis au clou par des aristocrates dont la fortune s'émiettait. Un endroit où les nouveaux riches achetaient des babioles pour les maîtresses qu'ils entretenaient. Un endroit où une jeune femme sans escorte pouvait entrer et prétendre se procurer des bijoux nettement au-delà de ses moyens afin de faire les yeux doux au jeune commis qui avait su attirer ses regards.

C'était le rôle qu'elle jouait. Elle avait fait en sorte qu'il la voie passer devant sa vitrine une fois par semaine. L'avait regardé dans les yeux avant de se détourner en rougissant. Avait enfin trouvé le courage d'entrer. Elle pencha la tête en rougissant.

— Vous êtes trop aimable, monsieur, murmura-t-elle.

Son cœur se brisa en le voyant littéralement rayonner de bonheur. Un garçon trop gentil pour mériter d'être ruiné. Car il serait ruiné lorsque son maître découvrirait ce qui s'était produit par sa faute. Toutefois, elle ne pouvait repartir les mains vides. Cela faisait trop longtemps. Elle hurla au fond d'elle-même. *C'est ma vie et je l'abhorre. Je l'abhorre.* Elle lui rendit son sourire.

La sonnette de la boutique retentit, et le jeune homme sursauta comme si on le prenait la main dans le sac. Deux matrones bien en chair entrèrent en le saluant d'un hochement courtois de la tête. Tout comme Miranda, elles étaient vêtues de robes légèrement passées de mode et soigneusement raccommodées. Toutefois, contrairement à ce qui s'était produit à l'entrée de Miranda, le commis ne leur accorda pas la moindre attention ni ne se précipita pour les servir.

Miranda se caressa le cou de son doigt ganté.

— Aim… aimeriez-vous en essayer un? demanda-t-il.

Elle se lécha la lèvre inférieure, un petit bout de langue rose qui le fascina.

— Je crois que je ne devrais pas.

Elle réussit sans effort à faire trembler ses lèvres. À vrai dire, elle avait envie de pleurer.

— Bonté divine!

Ils tournèrent tous deux la tête en entendant l'exclamation de la matrone. La femme la plus âgée avait la main pressée sur la poitrine et, de l'autre, agrippait sa compagne.

— Oh, Jane, regardez qui est là!

Son amie blêmit et tenta de la soutenir.

— Qui, Margaret?

— L'affreux Lord Archer! Sa voiture descend la rue!

— Non!

Les deux femmes tendirent leurs cous flétris et jetèrent un coup d'œil entre les lettres dorées ornant la vitrine de la boutique. Miranda parvint à grand-peine à ne pas lever les yeux au ciel. *Quelle paire!* Ses doigts se tendirent d'eux-mêmes vers l'objet de sa convoitise, mais elle résista. *Lentement. Lentement.* Les pigeons le sentaient toujours lorsqu'on pressait le mouvement. C'était instinctif.

— Je l'ai vu, siffla Margaret. Un soir, tard, alors que je rentrais du théâtre. Il déambulait sur Piccadilly comme s'il en avait le droit. Je vous jure, j'ai failli m'évanouir de frayeur.

— Ma pauvre chérie. Dans quel monde vivons-nous pour qu'on laisse des hommes tels que lui errer dans les rues ?

Miranda n'avait jamais entendu pareilles sornettes malveillantes. .

— Ma chère, c'est un aristocrate, déclara Margaret, et il est riche comme Crésus. Qui oserait le remettre à sa place ? Je me suis laissé dire qu'il avait envoyé au moins quatre hommes à l'hôpital sous le prétexte qu'ils l'avaient regardé d'un œil mauvais.

L'attelage arrivait à la hauteur de la boutique. Miranda entrevit le haut-de-forme et la cape noirs du cocher et la voiture, noire également, dont la portière portait un blason blanc.

— Dieu du ciel, il m'a regardée…

Jane frissonna, gémit et ses yeux roulèrent dans leurs orbites.

— Jane !

Son amie tenta de retenir sa compagne qui s'affaissait.

— Là ! Là ! s'écria le commis qui, se levant d'un bond, se précipita pour attraper l'écervelée.

Il fallait parfois remercier les femmes frivoles. Miranda réagit promptement, glissa le collier dans la poche de sa jupe et, dans son empressement à se porter au secours de la femme, balaya *accidentellement* plusieurs des colliers étalés sur le comptoir.

— Oh là là, s'exclama-t-elle en s'efforçant frénétiquement d'attraper les bijoux et en parvenant à les mettre en tas.

Un enchevêtrement d'or et de pierres précieuses tomba sur le sol dans un désordre affligeant.

Le commis hésita entre aller lui donner un coup de main ou se porter au secours de la matrone allongée par terre.

— Qu'ai-je fait! fit Miranda en portant une main tremblante à son front. Je suis désolée. Vous en avez plein les bras!

Elle gagna la porte, le cœur battant. Il battait à tout rompre chaque fois. Chaque fois.

— Attendez, mademoiselle!

Le commis, désemparé, allongea la main comme s'il allait la tirer en arrière.

Sa main se crispa convulsivement sur le bouton de la porte, et Miranda adressa au commis un sourire contrit.

— Au revoir. Je suis désolée.

Les mots du commis furent étouffés par la sonnette de la porte.

Dehors, la voiture en question s'était volatilisée, avalée par le mouvement de la rue et les volutes de brouillard. Les piétons, bouche bée, se remettaient tout juste en marche. Des murmures troublés coururent dans la rue avant d'être étouffés par le fracas habituel des fiacres, des omnibus et des voitures cahotant sur les pavés. Miranda décida qu'elle n'avait pas envie de voir à quoi ressemblait le malheureux Lord Archer. Elle avait vu assez d'horreurs durant sa courte existence.

Tandis qu'elle retournait chez elle, il lui sembla que l'objet pourtant léger dans sa poche pesait une tonne. Miranda hésita avant de s'arrêter lorsqu'elle aperçut la rutilante voiture à deux banquettes, semblable à un cercueil, arrêtée devant le portique de sa demeure. Dans le soir, le brouillard s'élevait en épaisses volutes d'un vert jaunâtre depuis l'allée pavée, s'accrochant tels des spectres aux rayons des hautes roues de la voiture et s'enroulant comme des serpents autour des jambes grêles de la paire de Frisons noirs qui attendaient placidement.

L'effroi lui noua les entrailles. Elle était révolue depuis longtemps, l'époque où leur allée était remplie de landaus, de calèches et de phaétons appartenant aux nobles et aux bourgeois venus acheter les marchandises de son père.

La voiture fit demi-tour dans un bruit d'attelage et de sabots, et le blason sur sa portière étincela dans la lumière déclinante. L'écu blanc coupé d'une grosse croix noire portait les mots *Sola bona quae honesta*[3]. Quatre pointes de flèche balafraient les quartiers blancs. Le duvet de ses bras se dressa et elle comprit la raison de son trouble. *L'affreux Lord Archer.*

La voiture passa tout près d'elle et une silhouette, rien de plus que la forme de deux épaules larges et noires et un bout de bras, apparut derrière la vitre. Tandis que la voiture s'éloignait, Miranda sentit un doigt glacé lui parcourir l'échine, car quelqu'un la regardait.

— Je ne le ferai pas !

Son cri se répercuta sur les murs de pierre nus de la cuisine sombre et étroite. Un cri aigu et plutôt faible, très différent de la voix habituelle de Miranda. Elle s'efforça de baisser le ton.

Son père tournait autour de la table de bois abîmée qui les séparait. Ses petits yeux bruns étincelaient.

— Tu le feras ! lança-t-il en abattant le poing sur la table. C'est moi qui commande ici !

— Foutaises !

---

3. N.d.T. : L'honnêteté avant tout.

À son tour, elle abattit sa cuillère de bois sur la table, projetant du ragoût de mouton sur le pudding.

— Vous avez perdu toute autorité sur moi le jour où vous avez vendu Daisy au plus offrant.

La figure ridée de son père devint aussi pâle qu'une toile de lin irlandais.

— Comment oses-tu !

Il leva la main dans l'intention de la frapper, mais, voyant qu'elle ne bronchait pas, il la garda en l'air tremblante.

— Je vous en prie, essayez, répliqua-t-elle calmement.

Elle soutint son regard, et on aurait cru que l'air autour d'elle s'épaississait, se réchauffait et vibrait dans une attente frémissante.

— Je vous en supplie.

La main de son père tressaillit puis s'abaissa lentement.

— Je n'en doute pas, ma fille.

De la salive s'amoncela aux commissures de ses lèvres tremblantes.

— Tu veux me voir me tordre de douleur et me consumer.

Miranda s'agita, les entrailles dévorées par un feu et une souffrance ne demandant qu'à s'échapper.

— Tu fais toujours appel au feu pour te protéger.

Il avança d'un pas et plongea en elle un regard brûlant.

— Peu importe le prix.

Telle une flamme dans un courant d'air, le feu en elle s'éteignit et, du coup, l'assurance de son père paru se dilater.

— Le pire est que je fais cela pour toi, l'amadoua-t-il en s'inclinant vers elle. Tu n'es plus une jeune fille. Depuis de nombreuses années déjà. Pensais-tu demeurer sous mon toit à jamais?

— Non, je...

Elle referma vivement la bouche. Elle n'avait guère réfléchi à son avenir, se contentant de vivre au jour le jour. De survivre. À quoi bon quitter un enfer connu pour un enfer inconnu?

— Je pense que c'est ce que tu crois. Tu as effrayé tous les jeunes hommes qui se sont approchés de toi depuis cet idiot de Martin...

Il ravala ses paroles, conscient pour une fois qu'il allait peut-être trop loin. Mais il se ressaisit rapidement et ses sourcils broussailleux formèrent un «V» blanc.

— Il n'a pu t'échapper que ce repas était le meilleur que nous ayons eu depuis des mois.

Sa main burinée balaya leur maigre repas composé d'un ragoût de mouton et d'un modeste pudding de pain brun que Miranda était en train de préparer.

— À ton avis, qui a payé ce repas?

— J'ai cru que vous aviez sans doute vendu la laine...

Son rire sec fendit l'air.

— Considérant le prix extrêmement bas de la laine et la somme de mes dettes, nous serions chanceux de dîner d'un ragoût de têtes de poisson. Mes créanciers saisiront cette maison avant la fin de l'année, dit-il tranquillement. Et tu n'auras plus de foyer.

Un foyer? Elle faillit éclater de rire. Elle n'avait plus de foyer digne de ce nom depuis des années. Pas depuis le départ de ses sœurs.

— Il n'est pas difficile d'imaginer la fortune que représente une beauté comme la tienne, poursuivit-il. Mais lorsqu'elle se sera flétrie ? Facile de prévoir ce que tu deviendras.

— Oh, ça suffit ! lança sèchement Miranda. Vous peignez certes un tableau très sombre de la situation. Le même qui est suspendu au-dessus de ma tête depuis des années.

— Sacrebleu !

Le pudding se répandit sur le sol dans un mélange de bouillasse brune et de vaisselle brisée.

— Tu m'es redevable, Miranda ! cria-t-il, rouge de rage en la pointant du doigt. N'eût été cet incendie, je posséderais toujours la moitié de ma fortune ! Bon sang, tu as détruit mon putain d'entrepôt !

— Et je répare ce tort depuis des années ! cria-t-elle à son tour. Mais cela ne vous suffit pas. Eh bien, c'est terminé.

Elle fendit l'air de la main, comme si ce geste pouvait couper court à leur conversation.

— Vous ne pouvez pas m'obliger à faire cela !

Les lèvres de son père se tordirent dans un rictus de mépris.

— Non, je ne peux pas, reconnut-il en retrouvant soudainement son calme. Le contrat stipule que tu dois y consentir, sinon il devient nul et non avenu.

Il fit un pas en avant, s'appuyant de tout son poids contre la table de bois et pointant un doigt tremblant vers elle.

— Mais comprends bien ceci : si tu refuses, tu devras partir.

La gorge de Miranda se serra, une douleur brûlante y formant un gros nœud. Ne pas avoir de foyer était une chose. Ne plus avoir de toit en était une autre.

— Vous ne parlez pas sérieusement…

Elle déglutit.

Le blanc jauni de ses yeux étincela sous la lueur de la lampe.

— J'en ai assez de toi. Je ne t'aurais pas gardée aussi longtemps si je n'avais espéré ce moment. Bon, tu as connu une déception avec Martin. Je m'en réjouis ! J'ai été fou d'y croire. Certaines promesses sont trop dangereuses…

Il déglutit bruyamment.

— D'une façon ou d'une autre, tu feras tes bagages, lança-t-il.

On en était donc rendu là. Les lèvres de Miranda tremblèrent, mais elle les mordit vigoureusement. Il n'y avait pour ainsi dire plus aucun lien d'affection entre eux. Mais il était son père et voilà qu'il était prêt à la jeter en pâture aux loups. Une douleur vive lui transperça la poitrine et alla se ficher dans ses os.

Le regard de son père était vide. Mort. Elle connaissait ce regard. Sa décision était prise. Malgré cela, elle tenta de nouveau sa chance.

— Je n'arrive pas à croire que vous…

— Tu vas épouser Lord Archer ! cria-t-il, son calme volant en éclats comme du verre. Diable, cet homme est l'un des nobles les plus riches du royaume. Comment peux-tu être assez stupide pour refuser ? De toutes les sacrées têtes de mule…

— Enfin, pourquoi ?

Un sanglot étranglé lui échappa avant qu'elle puisse le ravaler. Elle détestait l'idée de se montrer faible en sa présence.

Il se tut et la regarda en cillant.

— Quoi, pourquoi ?

— Pourquoi souhaite-t-il m'épouser?

Elle se passa la main sur la bouche.

— Je ne suis rien. Je n'avais jamais entendu parler de cet homme avant aujourd'hui. Comment se fait-il qu'il me connaisse?

Le visage de son père se figea un long moment, puis il éclata d'un rire incrédule.

— Je suis peut-être un raté, Miranda Rose. Mais mes coffres recèlent encore un joyau.

Il fit le tour de la table, la mine presque affectueuse. Elle recula et se retrouva acculée au plan de travail. Son père s'immobilisa, mais continua d'afficher un sourire satisfait.

— Lord Archer possède de la fortune, du pouvoir et des terres. Un homme comme lui ne recherche pas une épouse issue de la noblesse. La consanguinité a peuplé leurs rangs de rejetons sans menton et aux yeux comme des têtes d'épingle. Toi, ma chère, tu es un diamant dans un océan de verre pilé.

Une lueur familière s'alluma dans le regard de son père, l'étincelle due à une transaction habile.

— La plus jolie plume de son panache.

Pendant un moment, elle vit rouge.

— J'irai chez Poppy ou chez Daisy.

Un silence effroyable tomba entre eux, et l'expression assurée de son père s'altéra. Son teint devient aussi pâle que de la crème.

— Elles ne te veulent pas. Elles ne t'ont jamais voulue.

— Elles me l'ont déjà offert.

À vrai dire, ses sœurs l'en avaient suppliée. Et elle avait refusé, s'imaginant à tort avoir une obligation morale à l'endroit de son père. S'imposant cette pénitence, en fait, parce qu'elle était celle qui l'avait précipité sur la pente de la ruine. Comme il était réjouissant de savoir qu'elle avait finalement atteint les limites de sa culpabilité. Mais elle ne voulait pas de la pitié de ses sœurs ni devenir un fardeau pour elles. Cette seule idée lui retournait les entrailles.

Son père leva la main dans un geste de dégoût.

— Il a versé une forte somme pour t'avoir, Miranda. Si tu rejettes cette entente, je pars.

Il tira sur son gilet en loques et lissa ses cheveux en désordre.

— Je te suggère de faire de même. Crois-moi, Lord Archer n'aime guère être trompé.

— Oh, je vous crois.

Quelque chose lui disait que le fait que son père l'ait déjà trompé lui valait de se retrouver dans cette situation.

Ils se regardèrent pendant un long moment. Miranda pianotait machinalement des doigts sur le plan de travail, tandis que son père attendait dans un silence glacial. Elle haïssait ce Lord Archer qui l'avait achetée comme une vulgaire marchandise. Quoiqu'il se soit comporté comme presque tous les gentilshommes d'Angleterre. Le mariage était une affaire. Toute jeune fille sensée le savait. Mais lorsqu'ils avaient dégringolé l'échelle sociale, elle avait osé espérer pouvoir faire un mariage d'amour.

À côté d'elle, la sauce brune et épaisse du ragoût bouillonna dans la marmite, et son estomac gronda. Elle rêvait de manger régulièrement, de ne plus voler, de ne plus se sentir coupable. Une vague de honte déferla en elle si soudainement qu'elle en eut le souffle coupé. Lord Archer avait conclu cet accord de bonne foi. Mais il risquait de figurer au nombre des nombreuses victimes des malversations de son père, et elle en serait la complice.

Jamais. Elle ne deviendrait pas comme son père. À compter de ce jour, elle vivrait dans l'honneur et marcherait la tête haute.

Entre vivre dans les rues ou opter pour une existence honorable, le choix était clair. Malheureusement, cette certitude n'empêcha pas son estomac de se retourner lorsqu'elle se força à prononcer les mots fatidiques.

— Entendu.

L'image de la stupide matrone évanouie sur le sol de la boutique lui traversa l'esprit et un moment de terreur absolue lui rompit le corps. Elle déglutit.

— Entendu. Je le ferai.

Il la regarda, bouche bée, n'en croyant pas ses oreilles. Voyant qu'elle se contentait de lui rendre son regard, un sourire lui étira les lèvres.

— Fort bien.

Satisfait, son père prit une épaisse tranche de pain sur le plan de travail.

— Au matin, donc.

Elle rejeta la tête en arrière.

— Quoi !

Il se tourna à demi, la bouche déjà pleine.

— Il a insisté pour t'épouser demain, articula-t-il à travers le pain lui emplissant la bouche. Les arrangements sont pris. Lord Archer a obtenu une autorisation spéciale qui élimine tout empêchement et le dispense d'attendre.

La flamme sous le brûleur s'éleva soudainement l'espace d'un moment. On avait acheté, vendu et conclu sa vie fort proprement. *Maudits hommes.*

Son père déchira un autre morceau de pain de ses dents et tourna les talons dans l'intention de sortir.

— Attendez !

Miranda plongea la main dans sa poche et en tira son butin.

— Prenez !

Le rang de perles frappa la table.

— Et conservez-le précieusement, car c'est la dernière chose que je volerai jamais pour vous. Nous sommes plus que quittes désormais, père. À compter de ce jour, plus rien ne nous unit.

Chapitre 2

———∽∽∽———

Son éventuel mariage avait été pour Miranda un événement heureux dont elle avait rêvé fillette, mais qu'elle avait promptement abandonné en grandissant. Elle connaissait fort bien le visage qu'elle voyait dans le miroir chaque matin. Elle n'était pas assez bête pour prétendre qu'elle n'était pas belle. La vanité était un péché, mais le mensonge aussi. Elle possédait un visage et un corps agréables, mais elle connaissait beaucoup de jeunes filles plus jolies qu'elle.

Cependant, n'ayant ni fortune ni titre, elle avait reçu peu de demandes en mariage. Les plus fermes lui avaient été adressées sous forme de taquineries par les vendeurs du marché de Covent Garden, qu'elle parcourait chaque matin. Comment expliquer alors, se demandait-elle le lendemain matin tandis que Daisy piquait des roses blanches dans ses cheveux, qu'elle en soit arrivée là ?

Elle rêvait peut-être. La femme dans le miroir ne lui ressemblait en rien. Elle était trop pâle. Sa robe rose, l'une des nombreuses fournies par les deniers de Lord Archer, gonflait et froufroutait autour d'elle telle une pâtisserie. Miranda se détourna dédaigneusement. C'était l'image d'une jeune fille naïve. Elle n'était ni jeune ni naïve. Pourtant, *il* l'avait choisie. Pourquoi ?

Malgré les prétentions ridicules de son père, elle ne croyait pas que c'était en raison de sa beauté. Il y avait tant de jeunes beautés, filles de nobles ruinés, et de ce fait désespérés, sur lesquelles un homme fortuné pouvait jeter son dévolu. Alors, que cherchait-il ? *Dans quel monde vivons-nous pour qu'on laisse des hommes tels que lui errer dans les rues ?* Des gouttes de sueur perlèrent sur sa lèvre supérieure. Encore que Lord Archer ne savait pas tout à fait ce qu'il acquérait en prenant Miranda pour épouse, n'est-ce pas ?

Faire naître le feu par la seule force de sa pensée. Une fable digne d'une légende. Elle avait découvert son don par hasard. Son père et sa mère leur avaient interdit d'en parler à quiconque et surtout, en ce qui concernait Miranda, de s'en servir de nouveau. Poppy s'était contentée de se rendre à la bibliothèque en quête d'une explication, qu'elle n'avait pas trouvée. Seule Daisy avait été impressionnée, quoique vexée de ne pas posséder un pouvoir surnaturel du même acabit. Miranda, pour sa part, n'avait jamais cessé de s'interroger : était-elle un monstre ? À la fois une belle et une bête assujettie à la même force imprévisible ? En dépit de son envie de savoir, elle redoutait encore davantage de poser la question à quelqu'un et de le voir se détourner d'elle à l'instar de Martin. Elle avait donc gardé le secret. Elle n'en parlerait certes pas à son futur époux. Mais savoir qu'elle n'était pas sans défense la réconfortait.

Poppy et Daisy, qui méprisaient leur père, s'éloignèrent lorsque celui-ci vient prendre Miranda par le coude, freinant ainsi toute velléité de fuite. Lorsqu'ils prirent la direction de la petite chapelle familiale près de la rivière, leur bavardage devint un vague murmure pour Miranda, et la main de son père aussi légère sur son bras que celle d'un fantôme.

Le révérend Spradling les accueillit à la porte. Les sillons entourant ses lèvres charnues se creusèrent tandis que ses yeux allaient de Miranda à son père.

— Lord Archer est…

Il inclina la tête et tira sur le col de sa soutane enserrant son cou bien en chair.

— Il attend dans la sacristie.

— Formidable, répondit le père de Miranda avec un sourire niais.

— Il souhaite s'entretenir privément avec mademoiselle Ellis, coupa le révérend comme le père de Miranda faisait mine de la suivre. Je lui ai dit que ce n'était pas convenable, mais il a insisté.

Les deux hommes se tournèrent vers Miranda. On lui demandait donc son avis maintenant ? Elle en aurait ri, mais elle craignait trop d'éclater en sanglots.

— Fort bien.

Elle ramassa ses jupes. Ses doigts s'étaient transformés en glaçons depuis un bon moment et les volants lui échappèrent. Elle raffermit sa prise.

— Je reviens tout de suite.

Lentement, elle s'avança vers la porte de la sacristie qui se dressait devant elle. Elle allait enfin voir l'homme qui deviendrait son époux, l'homme qui envoyait des brutes à l'hôpital et faisait s'évanouir de terreur les femmes.

Il se tenait droit comme un soldat à l'autre bout de la petite pièce de pierre. *Les femmes*, songea-t-elle en le parcourant du regard, *peuvent être si stupides.*

Elle referma la porte et attendit qu'il prenne la parole.

— Vous êtes venue, dit-il d'une voix profonde sans pouvoir dissimuler entièrement son étonnement.

— Oui.

Il était de haute taille et de forte carrure, mais sans une seule once de graisse. Son allure costaude était due à ses épaules larges, aux muscles puissants que son costume de jour gris foncé — aussi bien taillé soit-il — ne parvenait pas à dissimuler et à ses jambes, longues et fortes, enveloppées d'un pantalon de laine. Ce n'était pas là la silhouette élégante et racée d'un homme du monde, mais celle rude et solide d'un débardeur. Bref, Lord Archer était doté de cette allure virile propre à attirer et à retenir le regard de plusieurs femmes — si on faisait exception d'un détail évident.

Elle leva les yeux vers son visage, du moins vers l'endroit où il aurait dû y en avoir un. Un masque rigide et noir, semblable à ceux que l'on porte durant le carnaval, dans lequel était taillé un sourire à la Joconde, la contemplait. Derrière le masque, sa tête était entièrement et étroitement recouverte de soie noire, qui ne dévoilait pas la moindre parcelle de peau. Ce déguisement était à la fois immoral et troublant, mais elle n'avait pas l'intention de s'évanouir.

— J'ai jugé préférable, déclara-t-il après lui avoir laissé le temps de l'étudier, que vous contractiez cette union en toute connaissance de cause.

Ses doigts gantés de noir tripotèrent le pommeau d'argent de sa canne.

— Comme vous serez ma femme, il serait ridicule de ma part de tenter de vous dissimuler mon apparence.

Il s'exprimait avec un tel calme qu'elle ne put s'empêcher de le considérer avec stupéfaction. Un souvenir jaillit devant ses yeux, telle une flamme peinant sous le vent, le souvenir d'un autre homme, dans un autre endroit. Un homme qui se tenait également dans l'ombre, dont le corps magnifique et puissant avait hanté ses rêves pendant des mois, lui faisant désirer des choses qu'elle ne pouvait nommer alors, des choses qui lui brûlaient la peau dans la nuit glaciale. Elle avait eu honte de la façon dont elle avait désiré le sombre inconnu. Mais Lord Archer n'était pas cet homme. L'inconnu avait une voix de l'ombre, grinçante et faible, tandis que celle de Lord Archer était forte, grave et grondante.

— Regardez bien, mademoiselle Ellis !

La canne frappa le sol de pierre avec un bruit sec et Miranda sursauta.

— Souhaitez-vous poursuivre ? demanda-t-il plus calmement.

Elle avança d'un pas et l'homme se raidit.

— Qui êtes-vous ? Un comédien ?

Sa fureur enfla comme du feu sous l'effet de l'air.

— S'agit-il d'une plaisanterie concoctée par mon père dans le but de me tourmenter ? Si tel est le cas, je vous avertis…

— Je suis Lord Benjamin Archer, répliqua-t-il avec une telle aigreur qu'elle se figea sur place.

Ses yeux étincelaient sous le masque.

— Et il ne s'agit pas d'une plaisanterie.

Ses doigts se crispèrent sur la canne.

— Quoiqu'il m'arrive certains jours de le souhaiter.

— Pourquoi portez-vous un masque ?

— Il faudrait poser cette question à la femme dont la beauté pourrait également être un masque.

— *Je vous demande pardon ?*

Le masque noir immobile, flottant telle une terrible effigie au-dessus des larges épaules, lui retourna simplement son regard.

— Qu'est la beauté ou la laideur, sinon une façade trompeuse à laquelle un homme risque de se fier sans chercher plus loin ? Regardez-vous, continua-t-il en désignant la figure de Miranda d'un geste de la main. Aucune imperfection, aucune ride ne gâchent cette beauté parfaite. J'ai déjà vu votre visage, mademoiselle. Il y a trois cents ans, Michel-Ange l'a sculpté dans le marbre froid, créant de sa main divine ce que les hommes adoreraient.

Il s'avança d'un pas.

— Dites-moi, mademoiselle Ellis, votre beauté n'est-elle pas une armure tenant le monde à distance et empêchant quiconque de déceler votre véritable nature ?

— Bâtard, cracha-t-elle.

Elle avait été battue une ou deux fois, forcée de voler et de mentir, mais jamais personne ne l'avait mise à nu à ce point.

— En effet, je suis aussi cela. Il est préférable que vous le sachiez dès maintenant.

Elle ramassa sa traîne, mais le lourd tissu soyeux lui glissa des mains.

— Je suis venue ici de mon plein gré, mais je ne tolérerai pas que l'on se montre cruel à mon endroit, déclara-t-elle en se ressaisissant enfin. Adieu, Lord Archer.

Il fit un pas, mais s'immobilisa aussitôt, semblant craindre de trop s'approcher. Un gargouillement mourut dans sa gorge.

— Que vous faudra-t-il ?

Le ton pressant quoique parfaitement maîtrisé de sa voix la fit se retourner.

— Si mon caractère et mon apparence vous déplaisent à ce point, dit-elle entre ses dents, pourquoi alors avez-vous demandé ma main ?

La tête noire eut un léger soubresaut.

— Je suis le dernier de ma lignée, dit-il avec moins d'assurance. Bien que j'aime la reine et mon pays, je ne souhaite pas que les terres de mes ancêtres retournent à la Couronne. J'ai besoin d'une épouse.

L'idée qu'elle devrait procréer avec cet homme ne lui avait pas traversé l'esprit. Cela lui sembla inimaginable.

— Pourquoi n'épousez-vous pas l'une de vos nobles ? demanda-t-elle, les lèvres sèches.

Il leva un peu le menton.

— Peu de pères accepteraient de donner leur fille, un patrimoine possédant une belle valeur marchande, à un homme tel que moi.

Elle se rendit compte avec irritation que ses paroles lui serraient le cœur de regret.

Lord Archer inclina la tête et l'évalua avec la cordialité que mettrait un homme à examiner un cheval qu'il prévoyait acheter.

— Votre apparence m'importe peu, mais lorsque mon héritier devra faire son entrée dans le monde, votre beauté éblouissante lui facilitera grandement la tâche.

Elle ne pouvait contester le fait qu'il se montrait sensé. Néanmoins…

— Pourquoi portez-vous un masque ? demanda-t-elle de nouveau.

Le masque soutint son regard.

— Êtes-vous malade ? Votre peau est-elle sensible à la lumière ? souffla-t-elle.

— Sensible à la lumière, persifla-t-il avant d'éclater d'un rire sarcastique. Je suis difforme, continua-t-il en relevant la tête.

Le fait que cet aveu le blessait dans sa fierté ne lui échappa pas.

— J'ai été victime d'un accident. Il y a longtemps.

Elle hocha bêtement la tête.

— Je suis conscient que mon apparence n'a pas de quoi séduire une ravissante jeune femme en quête d'un époux. Toutefois, je peux lui procurer la fortune et une existence confortable...

Il n'alla pas plus loin, comme si ses propres paroles le blessaient, puis il transféra son poids d'une jambe à l'autre.

— Eh bien, mademoiselle Ellis ? Qu'en dites-vous ? Cela se joue entre nous désormais. Quelle que soit votre décision, votre père pourra conserver la petite somme qu'il n'a pas encore gaspillée sans craindre de représailles de ma part.

— Et si je refuse ? Que ferez-vous ? Avez-vous une autre jeune fille en vue ?

Elle n'aurait pas dû s'en soucier, mais elle ne put réprimer la curiosité qui lui était naturelle.

Il tressaillit, un mouvement imperceptible, mais qui, venant de lui, sembla aussi marqué que s'il avait été frappé.

— Non. Il n'y a que vous.

Il inspira brusquement et se raidit comme un soldat.

— À vrai dire, je n'ai pas d'autre choix. Si vous refusez, je continuerai de vivre seul. Bref, j'ai besoin de vous. De votre aide, en fait. Si vous me l'accordez, mademoiselle Ellis, vous ne manquerez de rien.

L'homme au masque noir semblait solitaire, isolé de tout. Miranda savait reconnaître la solitude lorsqu'elle la croisait. Son esprit erra de nouveau vers un souvenir, un souvenir qu'elle s'efforçait de réprimer. Elle se revit, debout dans cet angle précis de la sacristie, regardant Martin rompre leurs fiançailles et s'en aller. Elle avait eu mal. Terriblement mal. Si mal que l'idée d'infliger cette souffrance à quelqu'un lui donnait la nausée.

Lord Archer s'était montré vulnérable, lui avait offert la possibilité de mettre un terme à leur accord. Il s'était mis à sa merci. L'homme était visiblement assez intelligent pour savoir ce qu'il faisait. Elle ne s'attendait pas à ce qu'il lui fasse une offre aussi équitable.

Néanmoins, c'était sans importance. Seule une femme stupide renoncerait à sa liberté par sympathie. À vrai dire, ni la sympathie ni la promesse d'une certaine puissance ne motivèrent sa décision ; elle ressentait quelque chose en présence de cet homme étrange, un délicieux frisson dans le ventre, la sensation de s'élancer en avant bien que son corps demeure immobile. Il s'agissait d'un sentiment qui sommeillait en elle depuis trop longtemps, celui qu'on éprouvait à se saisir d'une épée, à errer avec insolence dans les ruelles obscures à l'heure où les jeunes filles convenables étaient au lit. Le sentiment de se jeter dans l'aventure. Lord Archer, avec sa prestance sombre et sa voix grave, représentait l'aventure, un défi. Elle ne pouvait que relever le gant, sinon elle le regretterait à jamais. Peut-être pourrait-elle ainsi leur rendre service à tous deux. L'idée d'aider plutôt que de détruire lui allégea quelque peu le cœur.

Miranda ramassa la fichue traîne dans laquelle elle risquait à tout moment de se prendre les pieds et se redressa.

— Nous avons suffisamment fait attendre mon père et mes sœurs, Lord Archer.

Elle s'arrêta à la porte pour l'attendre.

— Nous y allons ?

Chapitre 3

La cérémonie avait été brève et dépourvue de sentimentalité. On avait prononcé quelques mots, et Miranda Rose Ellis avait disparu. Elle baissa les yeux sur son alliance, une étincelante pierre de lune à la rondeur parfaite surmontant un mince anneau d'or. En ce moment, en tant que Lady Miranda Archer, elle allait dans un élégant carrosse en face de son nouveau mari. Un coup de tonnerre colérique éclata au-dessus de leur tête, suivi d'un éclair bleuté. Pendant un moment, le masque noir de Lord Archer brilla, et ses pommettes hautes de même que ses orbites rondes sortirent de la pénombre. Le cœur de Miranda sauta un battement.

Alors qu'ils traversaient un petit ravin, les filets de pluie argentés envahirent la vitre, leur voilant la vue. Miranda s'inclina, mais son souffle chaud embua la vitre. Elle l'essuya, sans se soucier de salir ses gants en chevreau, et en fut récompensée en apercevant, au tournant d'une longue allée, sa nouvelle demeure.

Haute de trois étages, elle s'élevait au sommet d'une pente douce tel un rocher escarpé. Des éclairs zébraient le ciel au-dessus du toit d'ardoises luisant de pluie, accentuant contre le ciel tumultueux le relief des pignons acérés et des nombreuses cheminées.

Elle posa la paume bien à plat sur la vitre glacée. La demeure de style gothique était presque aussi large que haute. Elle dominait les terres environnantes, les toisant de haut telle une énorme et formidable bête. De grandes fenêtres en saillie arrondies luisaient, semblables à de pâles pierres précieuses serties dans une couronne, mais ne laissaient voir ni lumière ni signe de vie à l'intérieur. Seule la petite lumière solitaire du portique guidait les voyageurs vers leur foyer.

La voiture s'arrêta dans un frémissement, et le martèlement régulier de la pluie sur le toit diminua. Lord Archer sauta vivement de la voiture et lui saisit promptement le coude. Elle se mordit les joues et se redressa tout en montant les marches de marbre froid. *Je ne pleurerai pas.*

Le vent rugissait sous le portique, et la lanterne de cuivre suspendue très haut oscillait. Derrière eux, les quatre chevaux noirs, imperturbables malgré la pluie ruisselant de leurs crinières touffues et la vapeur s'échappant par bouffée de leurs naseaux, attendaient sans broncher que le garçon d'attelage descende le sac de voyage de Miranda.

Une pression plutôt impérieuse sur le bras de Miranda obligea celle-ci à se tourner. Manifestement, elle ne pourrait pas courir se réfugier dans la voiture. L'imposante et haute porte à doubles battants qui se dressait devant elle s'ouvrit finalement sur la silhouette d'un homme d'âge mûr, découpée par la faible lueur d'une lampe. Encore une vision négative.

Ils franchirent le seuil de la porte et pénétrèrent dans... la lumière. Et dans la chaleur. À la vue du vaste hall s'ouvrant devant eux, elle se sentit défaillir. Au moins aussi large et profond que son ancienne demeure, le hall regorgeait non pas comme elle l'avait craint de toiles d'araignée et de lambris sombres et humides, mais de lumière et de beauté. Le sol de carreaux de marbre blanc et noir disposés en damier brillait de tous ses feux sous ses pas. Les boiseries étaient peintes d'un blanc éclatant et les murs, laqués de noir. Cette teinte aurait normalement dû avoir pour effet d'assombrir l'endroit, mais les murs luisaient comme du jais sous la lumière des candélabres de cristal et de l'élégant lustre de cristal taillé rehaussé de fils d'or. Russe sans doute, songea-t-elle en levant les yeux vers lui ; un objet aussi merveilleusement façonné l'était nécessairement.

Lord Archer l'observait apprécier les lieux.

— Vous attendiez-vous à autre chose ?

— Je… oui, reconnut-elle. La demeure m'a paru rébarbative depuis l'allée y conduisant.

— Nous sommes arrivés durant l'orage.

La plainte soudaine du vent derrière la porte ponctua ses dires.

— Peu de demeures paraissent accueillantes en de telles circonstances, particulièrement lorsqu'elles sont étrangères.

— En effet.

— Mais vous vous attendiez tout de même à autre chose, dit-il en l'observant comme si elle avait été un insecte sous un microscope.

Elle ignorait comment il avait deviné. Bien avant que l'orage n'éclate, son imagination débridée s'était représenté des couloirs sombres, des pièces lugubres et des murs couverts de poussière et de toiles d'araignée.

Son regard pénétrant ne faiblissait pas.

— Mon foyer est mon refuge. Ne devrais-je donc pas en faire un lieu confortable ?

— Cela va sans dire.

Désespérée, elle regarda le gentilhomme d'âge mûr qui se tenait raide comme un piquet à moins de deux pas. À leur entrée, il s'était emparé du manteau et du chapeau de Lord Archer avec une telle efficacité tranquille que Miranda doutait que ce dernier s'en soit rendu compte.

Voyant dans quelle direction se portait son regard, Lord Archer se raidit.

— Bonsoir, Gilroy. Je ne vous avais pas remarqué. Tout est prêt ?

— Bonsoir, milord. Oui, milord.

Enfouis au cœur d'un fin réseau de rides, les yeux d'un brun profond de Gilroy brillaient aimablement. Miranda le salua d'un hochement de tête tandis que Lord Archer la débarrassait de sa mante.

— Voici Lady Archer, fit-il en tendant la mante à Gilroy.

— Gilroy est notre maître d'hôtel, ou notre majordome si vous préférez, l'informa-t-il comme si cette histoire de titres l'agaçait un peu.

— Je suis honoré, milady, dit l'homme en inclina légèrement le buste. Au nom de tous les domestiques, je tiens à vous assurer que nous ferons de notre mieux afin de vous servir comme il se doit.

— Je n'en doute pas, répondit-elle en tentant d'imiter sa dignité tranquille.

L'idée d'avoir des domestiques était suffisante en soi pour la pousser à regagner la voiture en courant. Mais Lord Archer la tirerait assurément en arrière.

Lord Archer lui saisit le coude une fois de plus, et ils traversèrent le hall sur toute sa longueur, passant devant des tableaux montrant des scènes pastorales et des portraits de dames et de gentilshommes portant perruque.

— Avez-vous un valet? demanda Miranda en se tournant vers Lord Archer alors qu'ils passaient devant un petit salon situé en façade, paré de jaune citron et de blanc et orné d'un délicat mobilier de style grec.

— Non. Je suis assez vieux pour me vêtir et me raser moi-même. Gilroy s'occupe des imprévus, dit-il en agitant distraitement la main.

Pauvre Gilroy.

Lord Archer lui jeta un regard pénétrant comme s'il avait entendu sa critique silencieuse.

— Ce n'est pas comme si j'avais à me soucier de lacets et de coiffure, ajouta-t-il.

Les sermons que lui avait prodigués sa mère durant son enfance lui revinrent à l'esprit. *On ne parle jamais de sa toilette personnelle. Un gentilhomme ne mentionne jamais la toilette d'une femme.* Il faut dire que Miranda avait jugé ces sermons très ennuyeux.

— J'en suis étonnée, dit-elle tout en apercevant du coin de l'œil une bibliothèque remplie de canapés recouverts de velours bleu et de bergères en cuir. J'ai toujours pensé que le fait d'avoir un valet constituait pour les nobles une marque de distinction. Mon père affirmait que s'ils le pouvaient, les gens comme vous engageraient un domestique pour leur essuyer le…

Elle rougit furieusement et n'alla pas plus loin.

Lord Archer lui lança un regard oblique.

— Continuez donc, Lady Archer.

Elle s'écarta afin d'aller jeter un coup d'œil dans une vaste pièce bleu poudre, souhaitant presque que le sol s'ouvre sous ses pieds et l'engloutisse. Que lui avait-il pris de s'exprimer aussi grossièrement ? Elle avait délibérément tenté d'agacer Lord Archer.

— Le salon des dames, murmura-t-il alors qu'elle levait les yeux vers le plafond représentant un ciel d'été orné de nuages floconneux et de rayons de soleil.

La demeure était décorée à l'ancienne. Elle était trop dépouillée pour satisfaire l'amateur de modernisme. Les murs n'étaient pas chargés d'ornements, et les pièces ne débordaient pas de napperons, de broderies et de bibelots. Du lin blanc, des portes surmontées de corniches corin-thiennes aux denticules dorés à la feuille. Des bustes en marbre et des miroirs convexes ornaient les manteaux de cheminée d'une grande sobriété. Une architecture de style gothique, un intérieur de style géorgien, un décor de style régence… tout cela donnait l'impression de remonter doucement le cours du temps.

— Je vous ferai visiter convenablement la propriété demain, dit-il en se dirigeant vers l'imposant escalier de marbre blanc. Pour l'instant, vous avez besoin de repos.

Miranda n'aurait pas dédaigné flâner toute la journée dans une telle demeure. Mais elle se laissa conduire jusqu'à sa chambre, ses pieds s'enfonçant sans bruit dans l'épaisse carpette du premier étage.

Les murs étaient cramoisis. Des candélabres dorés garnis de bougies et des palmiers en pot égayaient le long couloir, mais l'absence de domestiques lui sembla étrange.

— Où sont les domestiques ? chuchota-t-elle.

Il en fallait assurément un grand nombre pour entre-tenir une telle demeure.

— J'en ai peu. Mon intimité m'importe grandement. Vous ferez la connaissance de la plupart d'entre eux demain.

Se sentant désemparée, elle tendit la main et lui toucha le bras. Il s'écarta avec un sifflement et elle s'empourpra.

— Je suis désolée.

Elle s'en voulait de l'avoir touché, d'en avoir éprouvé le besoin.

Lord Archer inspira profondément.

— Non. C'est moi qui le suis.

Il jura entre ses dents.

— L'accident… le côté droit de mon corps. Je n'aime pas que l'on touche le côté droit de mon corps.

Il s'immobilisa, puis leva le bras gauche et le lui offrit.

— Je vous ai offensée, et cette seule pensée m'emplit de honte. Appuyez-vous sur mon bras gauche. Il est intact. Je vous en prie, ajouta-t-il, voyant qu'elle hésitait.

Ses yeux étaient gris, d'un gris tourterelle, et ombragés d'épais cils noirs propres à faire l'envie des dames. Elle trouvait étrange de les fixer ainsi, mais n'arrivait pas à détourner le regard. Son cœur battait comme un métronome, et la puissance palpable de la volonté et du corps de Lord Archer lui donnait presque le vertige. Elle posa délicatement la main sur son bras, notant sa fermeté et la façon dont ses muscles tressaillaient à son contact.

Son époux hocha la tête avec satisfaction et l'entraîna à sa suite. Il s'arrêta devant une succession de portes, où une femme d'âge mûr attendait.

— Voici Eula, notre gouvernante, déclara-t-il en guise de présentation. J'imagine que vous souhaiterez vous entretenir avec elle de la gouverne de la maison.

En voyant le regard sans aménité que lui adressait la femme, Miranda s'interrogea sur leur future coopération.

— Fort bien, je vous reverrai donc au dîner, déclara Lord Archer qui se tenait avec raideur entre les deux femmes.

Il s'inclina maladroitement devant Miranda et la laissa seule avec la femme à la mine renfrognée.

La femme fluette, que Miranda dépassait d'une bonne tête, se tenait très droite et posait sur la jeune femme un regard d'aigle. Miranda lui rendit son regard sans broncher et sentit ses cheveux se dresser sur sa nuque. Le chignon hirsute de la femme avait la froide couleur de l'ivoire. La peau de son visage raviné était profondément ridée, mais soutenue par une ossature solide. Son examen de Miranda lui révéla sans doute quelque chose méritant son assentiment. L'une des commissures de ses lèvres décolorées se releva légèrement.

— Bon, vous n'êtes pas une souris. Grâce au ciel. Une souris n'a rien à faire dans la tanière d'un lion.

Constatant que Miranda se contenait de soutenir son regard, elle arqua un sourcil gris.

— Suivez-moi. Son Honneur m'a demandé de vous préparer une collation. J'imagine qu'une maigrichonne telle que vous souhaitera se sustenter.

Par-dessus l'épaule d'Eula, Miranda aperçut une soupière et une montagne de petits pains dorés débordant d'une corbeille de porcelaine. Son estomac faillit en gronder de bonheur.

Eula tourna les talons et entra en se traînant les pieds dans la chambre de Miranda, laissant dans son sillage une odeur de camphre et de draps poussiéreux.

— Il viendra vous chercher en personne pour le dîner, lança-t-elle par-dessus son épaule. Et n'essayez pas de quitter vos appartements sans escorte.

— Pourquoi donc ?

À vrai dire, Miranda ne nourrissait nullement l'intention d'aller vagabonder cette nuit-là, mais l'attitude autoritaire d'Eula l'énervait.

— Ici, toutes sortes de péchés se tapissent dans les ténèbres. Comment savoir quelles horreurs vous pourriez croiser dans un quelconque recoin obscur.

Eula disparut dans le couloir avec un rire moqueur et grinçant. Miranda, le cœur battant à tout rompre, se laissa tomber sur un canapé duveteux. Pas de doute. Cette femme diabolique ne cherchait qu'à l'effrayer. Miranda se mordit les lèvres, les yeux fixés sur l'embrasure vide de la porte, car une pensée l'ennuyait davantage que toutes les autres : elle souhaitait le retour de Lord Archer.

Chapitre 4

Archer, pareil à un écolier effrayé, descendit le couloir quasiment au pas de course. Souffrait-il donc d'une satanée maladie l'incitant à se comporter comme un âne au moment le plus inapproprié ? Forcément, sinon comment expliquer qu'il ait failli la perdre avant même de la posséder ? Avec un juron, il ouvrit brusquement la porte réservée aux domestiques. Une bonne qui montait l'escalier poussa un cri de frayeur et manqua laisser échapper la pile de linge de maison qu'elle portait. Sally, n'est-ce pas ? Une nouvelle. Elle apprendrait.

Il gravit l'escalier étroit. Sur le palier suivant, un valet de pied, habitué aux soudaines apparitions du maître dans l'escalier de service, se rangea sur le côté. Archer escalada l'escalier quatre à quatre et se mit à tirailler sa cravate en montant les dernières marches.

Il franchit sans ralentir la porte située au sommet de l'escalier et la referma d'un geste violent qui fit trembler les carreaux vitrés au-dessus de sa tête. La solitude. Il sentait déjà son trouble refluer.

La serre. Un petit bijou de verre perché à l'abri des regards sur le toit de la demeure. La pluie cinglait le verre, y laissant de longues traînées et de grosses gouttes qui lui masquaient le reste du monde. L'air y était plus doux, chaud et humide. L'endroit regorgeait d'arbres fruitiers en pot et de rosiers aux fleurs veloutées et au parfum aussi lourd que l'air ambiant.

D'abord, le masque. Il l'arracha de son visage, puis retira la cagoule et inspira la première goulée d'air frais à laquelle il avait droit depuis des heures. L'air humide frappa sa peau ruisselante de sueur et ses nerfs tressaillirent. Il ébouriffa vigoureusement ses cheveux aplatis et se gratta le cuir chevelu pour l'unique plaisir de sentir le sang circuler sous sa peau. Il se dépouilla rapidement de ses vêtements. Après quoi, il se dirigea vers le robinet fiché à bonne hauteur dans le mur et l'ouvrit.

Dieu que c'était froid. Bien. Il en avait besoin. Se retrouver coincé dans la voiture en sa compagnie avait mis ses nerfs à dure épreuve. Archer ferma les yeux et laissa l'eau ruisseler sur sa tête et sur son torse en feu. Et, pour seule récompense, il revit en esprit ce foutu révérend qui, à l'église, l'avait regardé et avait attendu qu'il embrasse Miranda — un comble ! Cet homme pouvait-il s'imaginer à quel point Archer l'avait désiré ?

Et sa voix. Elle avait perdu ses inflexions aiguës de fillette pour se faire chaude et douce — tel du miel sous le soleil. Archer tressaillit. Cette voix l'avait hanté pendant trois ans. Il prit une inspiration frémissante, ferma le robinet et attrapa une serviette.

La pluie s'était tarie et n'était plus qu'une brume légère lorsqu'il gagna le lit de camp installé contre l'une des parois de verre. Il s'y allongea avec un soupir et posa les yeux sur une grappe de roses de couleur pêche en pleine floraison.

Ce n'est pas ainsi qu'il s'était imaginé leurs retrouvailles, lui toujours emprisonné sous son masque, s'adressant sèchement à elle tel un bâtard arrogant uniquement parce que, pour la première fois depuis des années, il s'était senti embarrassé par son apparence. Que pensait-elle de lui ?

Son avant-bras retomba sur ses paupières. Ah Dieu, et tout ce blabla infect sur le fait qu'il voulait qu'elle lui donne un héritier. Bien sûr, alors qu'il ne pouvait même pas lui montrer qui il était. *Ce* qu'il était. Les mots lui avaient manqué lorsqu'elle lui avait demandé une explication. La vérité était absurde et totalement égoïste. Parce qu'il la désirait, en dépit de tout bon sens, de toute prudence. Même s'il lui était impossible d'être entièrement avec elle, il avait besoin de sa proximité. Et maintenant ? Sa proximité ne lui suffisait plus.

Comment pourrait-il lui dissimuler à jamais ce qu'il était ? Son rire chagrin résonna à son oreille comme celui d'un étranger. Impossible. Ce qu'il souhaitait était impossible.

Pas impossible. Simplement rempli d'espoir.

Archer sourit, les lèvres serrées, en entendant la voix dans sa tête.

— Ah, Elizabeth. Si seulement c'était toi.

C'était un jeu auquel il jouait, lui parler ainsi comme si elle se trouvait à ses côtés. Il se demandait parfois si le fait de s'entretenir avec un souvenir constituait la dernière étape avant la folie. Ou la seule chose préservant son équilibre mental.

Tu as droit au bonheur, Benjamin.

C'était ce qu'il voulait entendre. Mais était-ce vrai ?

Une larme de rosée roula sur le pétale velouté d'une rose. Arrivée au bord, elle y resta suspendue un bref instant, étincelante tel un diamant, avant de tomber sur sa tempe puis de glisser sur son sourcil comme un doigt caressant. Il n'arrivait pas à se rappeler la dernière fois où un être humain l'avait volontairement touché.

C'était faux. Miranda l'avait touché ainsi. Elle l'avait touché comme on touche un homme. Depuis, ces moments l'avaient soutenu, lui avaient donné la force d'aller de l'avant lorsque la solitude menaçait de le submerger et de l'engloutir. Il n'avait pas souhaité demeurer si longtemps séparé d'elle. Ce qui à l'origine ne devait durer qu'une année en avait pris trois.

Il inspira profondément. L'air ambiant était immobile, humide et lourd. Sous le délicat parfum des roses montait celui, entêtant, des orchidées, ces plantes exotiques et étranges qu'il avait acquises lors de ses voyages en Amazonie. Toujours en quête d'une cure. Son regard se porta sur une grappe de fleurs d'un rose flamboyant semblables à des plumeaux. Celles-ci avaient coloré son urine de rouge pendant une semaine. À cause de leurs graines pourpres extraites d'un trou obscur du Brésil, capables de tuer un homme normal, il avait vécu l'enfer pendant vingt-quatre heures, recroquevillé sur lui-même à demander grâce. Tant d'expériences. Tant de voyages en des lieux ignorés de tous. D'élixirs étranges concoctés par des guérisseurs. Autant d'échecs. Mais il avait failli réussir.

Daoud, son valet, son fidèle allié, avait finalement trouvé. Son écriture nette brillait en lettres de feu dans la mémoire d'Archer.

Milord, nos soupçons étaient fondés. Alexandrie détient la clé. J'ai trouvé la réponse. Elle vous parviendra au lieu convenu.

Les espérances et le salut d'Archer avaient donc été glissés dans un coffret laqué et confiés à son vaisseau le plus rapide, le *Karina*, pour malheureusement tomber entre les mains des pirates d'Hector Ellis, puis au fond de l'océan. Deux jours plus tard, on avait retrouvé le corps de Daoud, la gorge tranchée, réduit à jamais au silence. Archer s'était à son tour rendu en Égypte dans l'espoir de découvrir ce que Daoud avait trouvé, mais en vain.

La frustration lui écorchait la peau.

— Malédiction, siffla-t-il entre ses dents.

La voix d'Élizabeth lui emplit l'esprit.

Mais tu l'as, elle, désormais. Tout ira bien.

— Qui se montre optimiste maintenant ? dit-il en levant les yeux vers le toit de verre.

Tout espoir n'était cependant pas perdu. Ses informateurs lui avaient laissé entendre que le coffret ne se trouvait peut-être pas au fond des mers, mais bien en Angleterre. Il était donc rentré et n'avait pu s'empêcher de demander sa main.

Un rayon de soleil creva les nuages gris. Des rais de lumière frappèrent la serre et y déferlèrent. Et lorsque les premiers rayons touchèrent sa peau, un frémissement familier la parcourut. Il inspira brusquement, sentant sur-le-champ la vague, la chaleur — et un amer sentiment d'échec —, car il n'avait pu se résoudre à fuir la lumière. Il lui sembla que son corps ronronnait sous l'effet de la lumière le pénétrant. Que le ciel ait pitié de lui, il était faible. Il songea à Miranda et serra le poing. Il lui fallait se montrer plus fort. Pour elle.

Dans ce cas, redescends et va la retrouver, poltron.

L'espace d'un moment, il lui sembla entendre un doux rire. Puis, ce fut le silence.

Chapitre 5

Sir Percival Andrew, deuxième baronnet de Doddington, tenait, malgré son âge avancé, à ce que sa sieste de l'après-midi obéisse à un certain rituel. Premièrement, sa femme Béatrice devait l'embrasser, puis fermer les lourdes draperies de brocart et l'aider à enfiler une chemise de nuit avant de se retirer dans ses appartements en vue de sa propre sieste. Mark, son valet, aurait pu se charger de ces tâches, mais, comme le taquinait souvent Béa, son baiser était loin d'être aussi doux.

Deuxièmement, il dégustait un verre de porto, assis dans son fauteuil favori devant la cheminée. Ainsi en alla-t-il en ce jour. Il s'installa en soupirant d'aise, ses vieux os douloureux réconfortés par la chaleur de l'âtre, et s'empara de l'édition matinale du *Times*. Seuls le crépitement du feu et le froissement du journal troublaient le silence. Un moment paisible que vint rompre l'exclamation incrédule qui s'échappa de ses lèvres à la lecture de l'annonce du mariage de Lord Benjamin Aldo Fitzwilliam Wallace Archer, cinquième baron Archer d'Umberslade, et de mademoiselle Miranda Rose Ellis.

— Fils de pute !

Il reposa brusquement le journal dans une manifestation de colère dont il n'était pas coutumier. Ce bâtard. Rentré en Angleterre alors qu'il avait promis de ne plus y remettre les pieds. Après tout ce que Percival avait fait pour calmer les esprits, les innombrables fois où il avait couvert ses incartades, afin de préserver leur réputation à tous. Tous ces efforts mis en péril parce qu'Archer avait la verge qui lui démangeait. Foutrement impertinents, les Archer. Tous autant qu'ils étaient. Bon sang, ça ne se passerait pas ainsi. Il fallait remettre fermement cet impudent à sa place.

Un courant d'air froid lui effleura le dos, caresse glaciale imputable à une fenêtre ouverte. Son esprit préoccupé n'enregistra pas l'étrangeté de la chose jusqu'à ce qu'un bras lui ceigne brutalement la poitrine et le cloue à son fauteuil. Le cœur au bord des lèvres, il entrevit du coin de l'œil un masque noir.

— Archer ? s'écria-t-il d'une voix rauque.

Le sang lui battait aux oreilles. Sa vessie s'était relâchée et l'odeur saumâtre et lourde de l'urine monta dans l'air froid tandis que sa chaleur se répandait sur sa peau.

— Veuillez me pardonner, répondit une voix dont le timbre familier poussa Percival à se tordre dans son fauteuil. Mais j'ai besoin que vous transmettiez un message.

L'éclair blanc de l'acier étincela dans la lumière diaphane. Une brûlure acérée transperça la gorge de Percival. Il s'étrangla ; le sang chaud éclaboussa ses mains tremblantes, le manteau de marbre blanc et le daguerréotype à demi-effacé de Béa, pris lors de son quarantième anniversaire. Il râla, et sentit un goût de sel et de sang sur sa langue. *Béa.*

— Vous êtes installée ?

Lord Archer conduisait Miranda vers une table assez longue pour accommoder une vingtaine de convives, et dont le centre interminable était garni d'une succession de candélabres d'argent. La table lambrissée de miroirs était recouverte d'une quantité de nourriture digne d'un grand festin. La vue de plusieurs plats de service recouverts de cloches d'argent la rendit perplexe, car la table n'était dressée que pour une personne. On avait disposé un unique et bien solitaire couvert tout à côté de l'extrême bout de la table.

Il tira la chaise devant le couvert et l'invita à y prendre place.

— Oui, merci.

Elle considéra les plats d'un œil stupéfait tandis qu'il commençait à en soulever les cloches lui-même. Des nuages de vapeur s'élevèrent des plats, accompagnés d'un parfum de mets riches et chauds dont les effluves, trop abondants pour qu'on puisse les différencier, se fondaient en un arôme si délectable qu'elle en saliva.

— Vous ne mangez pas ?

— Hélas, je ne peux dîner avec vous, répondit-il avec une certaine rudesse tant la raison en était évidente. J'ai dîné plus tôt.

Elle détourna le regard du masque, se demandant avec chagrin s'ils dîneraient ensemble un jour.

— Alors, ce festin est pour mon seul bénéfice ?

— Si je ne me trompe, on vous a quelque peu refusé le plaisir de déguster de tels mets, fit-il en tendant la main vers son bol à soupe. Potage aux huîtres ou soupe au poulet ?

— Aux huîtres, s'il vous plaît.

Un sourire de bonheur lui étira les lèvres. Elle ne s'était pas régalée de potage aux huîtres depuis des années.

Lord Archer versa une louche de bouillon blanc et parfumé dans le bol et reposa celui-ci.

— Bien que j'aie eu la chance de jouir d'une infinie abondance, je n'ai toutefois pas eu celle de la partager avec quiconque, conclut-il en lui tendant un petit plat d'argent rempli de craquelins destinés expressément à accompagner le potage aux huîtres.

— Mais je n'arriverai jamais à manger tout ceci.

— J'espère toutefois que vous y goûterez. Ce repas a été planifié avec grand soin, ajouta-t-il d'un ton léger. Cela m'ennuierait qu'il soit gaspillé en raison d'un manque d'effort.

— Souhaiteriez-vous donc m'engraisser?

— Mmm.

Des yeux gris caressèrent sa silhouette.

— Que raconte le conte de fées? dit-il en posant le coude sur l'accoudoir de son fauteuil. Ah j'y suis, je vous ai attirée dans ma délicieuse demeure faite de friandises et de pain d'épice afin que vous vous gaviez de sucre. Et lorsque vous serez bien dodue, je vous mangerai.

Une bouffée de chaleur palpable coula sur sa peau comme une vague. Le ton de sa voix était à peine rieur, pourtant l'intensité de son regard la fit se détourner. Son ventre palpita, mais elle s'obligea à demeurer impassible.

— Je suppose que vous avez oublié que Gretel s'est montrée plus maline que la vieille sorcière : finalement, c'est elle qui l'a fait griller.

Il eut un petit rire, pareil au roulement sourd du tonnerre avant l'orage.

— Quelle horreur !

— En effet, acquiesça Miranda avec un sourire.

Mais c'est qu'il était charmant. Un fait inattendu, mais indéniable.

— Fort bien, je ferai de mon mieux. Mais qu'adviendra-t-il des restes ?

— Ils iront aux domestiques, répondit-il en lui jetant un regard quelque peu amusé. Cela vous rassure-t-il ?

— Cela me rassure.

Le potage onctueux, regorgeant d'huîtres dodues et de noisettes de beurre dorées, avait le goût du ciel descendu se poser sur une cuillère. Elle en aurait grogné de plaisir, mais s'efforça de manger lentement, consciente que Lord Archer la contemplait avec un intérêt ravi.

— Du vin ?

Il le versa avec l'aisance d'un serviteur chevronné.

— Est-ce ainsi que nous dînerons normalement ?

Le service ne ressemblait en rien à ce qu'elle avait vu auparavant. Il s'apparentait sous certains aspects à un repas servi *à la française*[4], toutefois les plats n'étaient pas présentés successivement. Ils se trouvaient tous sur la table, y compris l'immense plateau de fruits débordant de figues veloutées, de poires lustrées et de pommes croquantes, déjà défaites en quartiers et saturées de couleur.

— Non.

Un soupçon d'humour perçait dans sa voix tandis que ses yeux ne la quittaient pas.

— Considérez ceci, dit-il en balayant la table d'un geste de la main, comme une légère extravagance de ma part. Je tenais à vous offrir en quelque sorte un festin de noces.

---

4. N.d.T. : En français dans le texte original.

Elle abaissa sa coupe, son regard croisa le sien et une curieuse sensation semblable à du désir l'envahit. Sans doute le sentit-il, car il détourna le regard et se mit à jouer avec une salière d'argent de ses longs doigts gantés.

Un valet de pied apparut comme par magie, la débarrassa de son bol et s'en fut tandis que Lord Archer entreprenait de soulever de nouvelles cloches.

— Nous n'avons pas à nous montrer protocolaires, dit-il. Je n'ai jamais compris pourquoi l'on devait d'abord manger la soupe, puis le poisson, puis la volaille ou la viande.

Elle éclata de rire.

— Ou des mets qui ne sont pas trop épicés. À tout le moins, quand on est une lady.

Il rit à son tour.

— Certes. Et tout ceci servi dans les règles. Pourquoi ne pourrions-nous pas manger ce que bon nous semble quand bon nous semble ?

Il s'empara de son assiette.

— Quoique, maintenant que j'ai regardé, puis-je vous recommander la sole ? Mon cuisinier est plutôt doué, à vrai dire.

— Oui, je vous en prie.

— La nourriture anglaise figure au nombre des choses qui ne m'ont pas manqué lors de mes voyages.

Il lui remit son assiette et s'assit.

— Je crois que je serais très malheureux de devoir prendre part à un repas anglais.

— Notre cuisine est-elle vraiment si épouvantable ?

— Oui, lorsqu'on a goûté aux autres cuisines du monde. Je conviens toutefois que nos petits déjeuners sont spectaculairement bons.

Miranda lança un coup d'œil à son mari. Elle prit alors conscience que pour estimer l'âge d'une personne, il fallait voir sa peau. La tenue de Lord Archer ne le lui permettant pas, elle ne pouvait que deviner son âge. Sa voix ne lui était d'aucun secours ; riche et grondante, elle pouvait appartenir tant à un homme de vingt-cinq ans qu'à un homme de soixante ans. Compte tenu de sa forme physique, il ne pouvait avoir plus de quarante-cinq ans. Mais sa façon vive et légère de se mouvoir donnait une impression de jeunesse. La trentaine, peut-être ? Sans doute, car il se maîtrisait trop bien pour être au début de la vingtaine.

— Êtes-vous demeuré à l'étranger tout ce temps, Lord Archer ?

Il s'adossa, le bras posé sur son fauteuil.

— Je n'ai pas vécu en Angleterre pendant plusieurs années. J'y suis revenu il y a trois ans, mais en suis reparti presque aussitôt faire le tour du monde.

— Cela semble épuisant.

— Ce l'est parfois. Quoique je me sois établi en Amérique une dizaine d'années avant de reprendre la mer.

Miranda reconnut l'étincelle qui brilla dans ses yeux.

— Vous avez aimé cela, là-bas, n'est-ce pas ?

— Je préfère ici, répondit-il doucement, et Miranda sentit sa peau brûler et frémir.

Ils se regardèrent, les yeux dans les yeux, pendant un moment long comme l'éternité, puis il se racla la gorge et reprit la parole d'une voix plus légère.

— J'aime les Américains. Ils ne pensent pas comme nous. Un homme est le propre artisan de son destin et, s'il se fait un nom, la façon dont il y est parvenu suscite l'admiration des Américains. Ces gens honorent les actes, non le passé. Cette idée m'a séduit.

Elle lui lança un regard entendu.

— Et vous êtes devenu un industriel.

— J'ai en effet investi dans le pétrole et dans l'acier, dit-il.

Oubliant la nourriture, elle s'inclina en avant, se sentant à la fois effrayée et contrainte de lui poser la question.

— À combien s'élève votre fortune ?

Les yeux de Lord Archer se tournèrent rapidement vers les siens.

— Selon les derniers documents comptables, elle s'élève à cinquante-deux millions de dollars.

Il eut un petit rire.

— Dix années passées en Amérique m'ont habitué à chiffrer l'argent en dollars. Hum… Je n'ai pas pris en compte mes revenus en Angleterre. Ma fortune tourne sans doute davantage autour des soixante-dix millions…

L'entendant s'étrangler, il lui jeta un regard inquiet.

— Vous sentez-vous mal ?

— Bonté divine, réussit-elle à articuler.

La pièce tourna brièvement. Elle pressa de la main sa joue brûlante.

— Non… je ne me sens pas mal, répondit-elle en levant les yeux sur lui. Soixante-dix millions ? Je n'arrive même pas à me figurer ce que représente une telle somme.

— C'est assez intimidant.

Il lui versa du vin blanc puis s'écarta.

— Je tiens toutefois à vous rassurer, notre fortune est fort loin de se comparer à celles de certains de mes associés. Par exemple, M. Rockefeller et M. Carnegie se montrent nettement plus voraces dans leur quête de la richesse.

Son désir de minimiser sa réussite la fit sourire.

— Quoi qu'il en soit, j'ai décidé de me départir de mes investissements en Amérique.

Il hésita.

— Bah, cette vente accroîtra quelque peu notre patrimoine, déclara-t-il d'une voix ironique.

Elle éclata d'un rire légèrement hystérique.

— Quelque peu ? Vous pourriez être Crésus.

Elle lui lança un regard acéré.

— *Notre* patrimoine ?

— Bien entendu, le *nôtre*. Vous êtes ma femme, dit-il en la saluant d'une légère inclinaison de la tête. Ce qui m'appartient vous appartient.

Il se raidit.

— Mais vous grimacez, remarqua-t-il.

Elle pressa de nouveau sa joue.

— Je grimaçais ?

— L'idée que nous soyons unis à ce point vous déplaît-elle ?

Miranda secoua la tête pour retrouver ses esprits.

— À vrai dire, ma situation me semble fort intéressée. J'estime injuste de jouir de votre fortune en vertu du seul mérite d'avoir prononcé quelques vœux dans une église.

Elle avala une gorgée de vin acide.

— Je crois que vous avez hérité du petit bout du bâton dans cette affaire.

Il rejeta la tête en arrière et éclata de rire.

— Je crois bien que vous êtes la première femme de l'Histoire à penser ainsi.

Il rit encore.

— Et vous vous leurrez.

Leurs yeux se croisèrent, et cette même sensation à la fois brûlante et acérée la transperça de nouveau. La conscience. Il lui fallut un moment pour le comprendre, mais c'était cela. Elle était terriblement consciente de sa présence. De la largeur de ses épaules, de sa respiration profonde et régulière, de son regard intense. Bon sang, elle mourait d'envie de le toucher, de palper ses épaules puissantes.

— Si vous continuez à vous montrer ne serait-ce qu'à demi aussi divertissante que vous l'êtes ce soir, dit-il d'une voix pareille à de la crème chaude, c'est moi qui tirerai le meilleur profit de cette affaire, Miranda.

Se sentant rougir inexplicablement, elle reporta son attention sur l'agneau.

— Je crois que vous avez perdu la raison, mais je ne peux que m'incliner si telle est votre façon de voir les choses, Lord Archer.

— J'aimerais que vous cessiez de m'appeler ainsi.

Sa voix, toujours aussi douce, exprimait cependant une légère tension.

Elle leva les yeux et constata qu'il fixait la nappe vide devant lui.

— Quoi ? Lord Archer ? demanda-t-elle, surprise.

— Oui.

Il voulut se toucher le sourcil, mais au contact du masque, il abaissa brusquement la main.

— C'est trop protocolaire. Vous êtes ma femme, et non une vague connaissance. Mari et femme sont des partenaires de vie, n'est-ce pas ? La seule personne qui vous soutient quand tout espoir semble perdu.

Il cilla soudainement, comme s'il n'avait pas nourri l'intention de parler de ces choses à voix haute, puis il se redressa.

— C'est du moins ce que l'on prétend.

L'émotion lui nouait la gorge. *Des partenaires.* Elle avait toujours été seule. Un sentiment tendre et précieux enfla dans sa poitrine et elle dut résister au désir de poser la main sur son cœur afin de mieux le sentir.

— Eh bien, en ce cas, dit-elle lorsqu'elle retrouva l'usage de la parole, je suppose que je devrai trouver une appellation plus appropriée.

Elle pinça les lèvres, soucieuse, en se creusant la tête. Elle devrait sans doute l'appeler Benjamin. Mais c'était trop intime, trop tendre.

— Milord ? avança-t-elle, mi-figue mi-raisin.

— Bonté divine, non.

Elle retint un sourire.

— Mon époux ?

Elle prit une gorgée de vin.

Il grogna.

— Serions-nous des quakers ?

Miranda reposa si vivement son verre qu'elle faillit le choquer contre la table. Le coin des yeux de Lord Archer était plissé, signe indéniable qu'il souriait. Elle s'adossa.

— Archer, alors.

Un sentiment curieux l'envahit. Un verrou avait été forcé, comme si le fait de prononcer son nom avait libéré en elle un instinct sauvage. Elle mourait d'envie de le répéter. Ne serait-ce que pour éprouver de nouveau ce léger frémissement du cœur.

Il garda le silence un moment.

— Archer est doux sur vos lèvres.

Elle s'empressa de prendre une bouchée de cari d'agneau. Peut-être avait-elle trop bu de vin.

Derrière lui, le feu crépita sèchement, et ses flammes chauffèrent les bras nus de Miranda. Archer aurait dû trouver insupportable d'en être si près, mais cela ne semblait pas l'importuner. Son long corps s'étira discrètement vers la cheminée, tel un chat savourant la caresse du soleil.

Le feu : à la fois le plus grand réconfort de Miranda et sa plus grande honte. La grosse bûche centrale se rompit soudainement en deux, et les flammes montèrent brièvement. Lord Archer poussa sur-le-champ un soupir presque inaudible, et ses épaules se relâchèrent un peu. Oui, il aimait la chaleur du feu. Cela créait entre eux un étrange lien de parenté.

En effet, à son souvenir, elle ne s'était jamais sentie aussi... non pas confortable — sa présence la bouleversait trop pour qu'elle s'autorise à se détendre —, mais en sécurité. Elle avait l'impression de pouvoir dire n'importe quoi sans courir le risque d'être ridiculisée ou de devoir justifier son existence ou son utilité. Cette sensation était semblable à un souffle d'air pur au cœur de l'épais brouillard de Londres.

— Me regarder manger vous divertit-il ? murmura-t-elle en le sentant poser son regard sur elle.

— Oui. Vous y mettez un tel abandon hédoniste, fit-il, le regard brûlant. C'est plutôt excitant. Peut-être devrais-je vous mettre au défi de ne pas utiliser les couverts, ne serait-ce que pour voir de quelle façon vous emploierez vos mains.

Elle laissa échapper un rire haletant.

— Je crois que vous aimez me troubler.

Elle n'était toutefois pas disposée à reconnaître qu'il y parvenait fort bien.

Le coin de ses yeux se plissa.

— Je veux cerner votre esprit. Le meilleur recours pour cela est de vous obliger à vous défendre.

L'homme avait indéniablement du culot. Si elle faisait mine de défaillir devant son audace, il l'écraserait sous son pouce en un éclair. La fourchette de Miranda heurta la porcelaine lorsqu'elle la reposa.

— Je garderai cette tactique à l'esprit.

Tout en soutenant son regard, elle tendit la main vers un épais quartier de poire. La chair tendre s'enfonça sous ses doigts, elle pressa le fruit frais et juteux contre ses lèvres. Archer remua sur sa chaise, et elle mordit dans le fruit. Il éclata dans sa bouche, avec un goût de soleil et de sucre. Avec un petit grognement de plaisir, elle avala, puis se lécha lentement les lèvres afin de récupérer une goutte de jus qui s'était échappée.

Avec la vivacité d'un chat fondant sur sa proie, il se pencha en avant et lui saisit le poignet.

— Tout doux, belle Miranda.

Archer glissa doucement son pouce sur le pouls affolé de Miranda, tandis qu'elle le contemplait, la bouche ouverte et le cœur battant.

— Sachez qu'il n'est guère avisé de tenter le diable.

Son regard glissa sur sa main, toujours enfermée dans son poing, aux doigts luisants de jus de poire. Sa voix grave se fit rauque.

— Si je ne portais ce masque, je risquerais de perdre l'esprit et de sucer jusqu'à la dernière goutte ce jus sur vos doigts.

Chapitre 6

Dieu, qu'avait-elle fait? Miranda se maudissait de sa stupidité tandis qu'Archer, après avoir décrété abruptement que le dîner était terminé, la reconduisait à sa chambre. Elle avait poussé l'homme à la regarder comme une femme. Et la nuit de ses noces, de surcroît. Qu'avait-elle pensé?

Elle savait ce qui se passait d'ordinaire durant la nuit de noces; mais, toute à son plaisir de croiser le fer avec Archer, elle l'avait oublié. Jusqu'à présent. Un désir pressant de s'enfuir en courant dans l'autre direction la saisit. Elle osa lui jeter un regard, et entrevit du coin de l'œil son épaule large, son torse puissant. Elle avait flirté avec lui, se désola-t-elle. Pourquoi s'était-elle comportée ainsi? L'attirance. Elle trébucha, puis parvint à se ressaisir.

Daisy l'avait pourtant avertie que l'attirance physique n'avait ni rime ni raison. Ainsi, un homme courtaud et chauve de cent vingt kilos pouvait vous laisser pantelante et habiter toutes vos pensées. C'était alors l'animal à l'intérieur de soi qui commandait, et non la raison. Miranda avait ri et demandé à Daisy qui elle fréquentait.

Morbleu, elle ne riait plus. Certes, il avait un corps magnifique et il était de compagnie agréable, mais il ne fallait pas oublier le masque. Qu'y avait-il dessous? Cela importait-il?

Non, cela n'importait pas, parce qu'ils se trouvaient en cet instant devant sa porte et qu'elle n'avait d'autre choix que d'affronter son sort.

Archer baissa les yeux sur elle pendant un moment, apparemment aussi incertain qu'elle.

— J'ai omis de vous demander, dit-il en rompant le lourd silence. Vos appartements vous conviennent-ils?

— Ils sont tout à fait charmants, répondit-elle en sentant ses épaules contractées se détendre un peu.

Ses vastes appartements comprenaient un petit salon au coin du feu, un immense dressing et une salle de bain moderne. Élégants, grandioses et pourtant confortables, ils semblaient sortir d'un rêve.

— Je vous remercie, Archer.

Il hocha lentement la tête.

— Et la teinte?

Elle sourit au souvenir du papier peint damassé d'or, du mobilier drapé de soie ivoire et des draperies de cachemire ivoire bloquant l'intrusion du froid.

— Ivoire et or, dit-elle en levant les yeux vers son regard impénétrable. J'ai toujours rêvé d'un tel décor. Comment le saviez-vous?

— J'ai eu de la chance, sans doute, dit-il. Ou, ajouta-t-il d'une voix sourde, peut-être vous avais-je imaginée dormant dans un lit de crème et d'or...

Le regard d'Archer la parcourut telle une caresse.

— J'aimerais vous contempler ainsi.

La bouche de Miranda s'assécha, et Archer fit un pas en avant. Miranda agrippa la poignée de la porte si fortement qu'elle sentit la peau de ses jointures se tendre. La main d'Archer se referma sur la sienne, lourde et chaude en dépit du gant épais. Avec un regard inébranlable, il tourna lentement la poignée, et le verrou s'ouvrit avec un bruit sec.

Il se pencha vers elle, et les genoux de Miranda se dérobèrent sous elle. Ils se tinrent immobiles un moment, séparés par une mince bande d'air palpable, frémissant et brûlant. Elle gardait les yeux sur les plis de sa cravate noire, le sang lui battant aux tempes. Le corps d'Archer ne touchait pas le sien, mais elle en sentait toute la dureté, comme si les terminaisons nerveuses de sa peau y étaient reliées par de minuscules crochets dont les tiraillements lui infligeaient une douleur exquise.

Il expira, sa large poitrine se souleva, et le souffle de Miranda épousa le sien. Seigneur, il était grand, et fort, et son odeur était délicieuse. Fraîche, indescriptible, elle la faisait pourtant se consumer, saliver et lui tournait la tête. Elle prit une autre inspiration frémissante, et une vague de chaleur déferla sur sa peau et alla se loger entre ses cuisses. Ses doigts se crispèrent sur la poignée. Sa raison s'effondrait comme de vieilles ruines. Seigneur, elle devenait folle.

Il se pencha à peine en laissant échapper un gémissement. Miranda resserra les cuisses. Il s'immobilisa à quelques centimètres d'elle, son corps visiblement tendu. Elle baissa les paupières et vacilla. Attendit.

La voix grave d'Archer gronda à son oreille.

— Bonne nuit, belle Miranda.

Elle ouvrit vivement les yeux. Il avait déjà parcouru la moitié de la distance le séparant de sa propre chambre.

Dans l'âtre, les flammes rouges se tordaient et tourbillonnaient, ondulantes et sinueuses sur les bûches cendreuses, telles de minuscules danseuses l'invitant à s'approcher. Archer était assis devant la cheminée. Respire, s'intima-t-il une fois de plus. Inspire. Expire. *Contente-toi de respirer. Ne pense pas à elle.*

Lentement, péniblement, les battements de son cœur retrouvèrent leur cadence normale. Elle avait flirté avec lui. *N'est-ce pas?* Il s'essuya le front. Trop étourdi de désir, il n'arrivait plus à réfléchir clairement. Trop tenté d'ouvrir cette porte interdite, d'entrer et d'exercer ses droits d'époux. Bon sang.

Il détourna les yeux de la porte communicante. Ce mouvement attira son attention sur le plateau d'argent posé sur la table à proximité de sa main tremblante. Gilroy y avait laissé le courrier du jour. Placée tel un présent sur les divers rapports et lettres se trouvait une petite boîte de carton nouée d'une boucle argentée. À la vue de la petite boîte en apparence inoffensive, son cœur s'arrêta puis se remit aussitôt à battre à grands coups. Le diable avait posé la main sur ce colis.

Son fauteuil craqua sous lui lorsqu'il s'avança légèrement vers elle. Le colis ne pesait presque rien, mais cette légèreté, cette impression de déséquilibre sur sa paume, lui glaça le sang. Une odeur douceâtre de pourriture morbide s'échappa de la boîte lorsqu'il dénoua lentement le ruban. Une épaisse enveloppe de vélin crème. Et quelque chose dessous. Il pouvait sentir cette chose rouler au fond de la boîte. Il souleva la carte de ses doigts tremblants et jeta un coup d'œil sur ce qu'elle recouvrait. Luisant, en dépit de sa surface jaunâtre, oblong et strié de rouge, l'objet aurait pu être pris pour un œuf à la coque pourri — à la condition toutefois que l'on n'aperçoive pas l'écheveau sanguinolent de veines émergeant de l'une de ses faces. Archer déglutit avec difficulté, ses doigts se glacèrent et un sang brûlant lui battit aux tempes. Pour avoir assisté à plus d'une autopsie, il savait fort bien ce qu'était ce présent hideux. Un œil. Un œil humain.

Ses doigts gourds déchirèrent l'enveloppe de vélin, l'effroi et la colère grandissant en lui à parts égales tandis qu'il lisait la note faite de lettres d'imprimerie découpées dans divers journaux, puis collées comme s'il s'était agi d'un bricolage d'enfant : *Vous n'auriez pas dû faire cela.*

Ce n'est qu'alors qu'il vit le petit article qui était tombé de la carte sur ses genoux. Trempée de sang coagulé qui la rendait presque illisible se trouvait l'annonce du mariage de Lord Benjamin Aldo Fitzwilliam Wallace Archer, cinquième baron d'Umberslade, et de mademoiselle Miranda Rose Elllis.

La pièce disparut sous une lumière d'un blanc pur, d'un froid mordant et d'un éclat aveuglant, pareille à l'œil d'un blizzard. Elle s'insinua, forte et juste, dans ses membres rigides, avec une vigueur et une puissance telles qu'il ressentit clairement ce qu'il adviendrait bientôt de lui. L'espace d'un moment odieux, il lui fit bon accueil. Puis, il se leva et écrasa dans son poing la carte aux bords tranchants. Il la jeta au feu. La regarda se consumer. Que le ciel protège le fils de pute qui la lui avait envoyée.

À cet instant, une pensée prit naissance dans son cerveau, et les doigts glacés de l'épouvante escaladèrent son échine et lui étreignirent le cœur. Il s'affaissa dans son fauteuil. Qui était l'expéditeur ? Et à qui avait appartenu l'œil ?

Œil pour œil. Ces mots surgirent dans son esprit telle une bouée remontant brusquement à la surface. C'était l'expression favorite de Rossberry. Archer se tripota pensivement le menton tout en contemplant le feu qui grondait. Rossberry. Un homme que le baiser sans pitié du feu avait poussé au bord de la folie. Archer déglutit avec difficulté, le cœur assez brûlant pour réchauffer ses jambes allongées. Mais Rossberry était enfermé depuis des années. Ils y avaient veillé. Un petit grognement s'échappa de ses lèvres ; ils avaient également éloigné Archer et pourtant il était encore là.

Il sursauta violemment en entendant un petit coup à sa porte. Il se passa la main dans les cheveux.

— Oui ?

Gilroy entrouvrit à peine la porte.

— Je vous prie de pardonner cette intrusion, milord, mais un gentleman vous demande.

— Mais enfin, Gilroy, nous sommes au milieu de la nuit. Pourquoi diable ne l'avez-vous pas renvoyé ?

Tout en prononçant ces mots, il vint à l'esprit d'Archer que Gilroy était trop compétent pour laisser entrer un importun à cette heure indue.

— De qui s'agit-il, Gilroy ?

Le domestique se tenait raide comme la justice.

— L'inspecteur Winston Lane du Bureau des enquêtes criminelles.

Chapitre 7

La main de Miranda glissa sur les bouchons de cristal. La lueur des flammes jouait sur leurs prismes, parsemant sa peau et les flacons d'éclats multicolores. Un peu d'alcool lui calmerait les nerfs et lui permettrait peut-être de dormir sans rêver à des hommes masqués ni à une certaine voix aussi décadente que du chocolat noir. Elle s'immobilisa devant la carafe d'une parfaite sobriété, un objet élégant en forme de larme. Son col portait une plaque d'argent sur laquelle était gravé le mot « Bourbon ». Du whisky américain. Elle se rappelait vaguement avoir entendu son père déclarer y avoir goûté autrefois.

De toutes les carafes, c'était celle dont le niveau était le plus bas. Sans doute l'alcool favori d'Archer, devina-t-elle. Le bouchon s'en détacha avec un joli tintement et l'arôme à la fois sucré et fumé de l'alcool s'en échappa.

Elle s'en versa une mesure, se détendant au doux glou-glou de la carafe libérant son nectar et au crépitement du feu de bois — et non de charbon — qui flambait dans la cheminée derrière elle. Pas étonnant que les hommes soient friands du rituel consistant à déguster un verre d'alcool et qu'ils en privent les femmes. Le butin revient toujours au vainqueur.

Caramel, et fumée et chaleur, le bourdon brûlant s'écoula lentement et délicieusement dans sa gorge. Miranda ferma les yeux de plaisir. Et les rouvrit aussitôt, alarmée, en entendant la voix d'Archer se joindre à celle d'un autre homme dans le couloir. Un bruit de pas venant dans sa direction retentit, et elle se crispa.

À l'idée de revoir si vite Archer, son estomac se contracta.

— Entrons discuter ici, inspecteur.

Inspecteur ?

— Comme bon vous semble, milord.

Sur sa nuque, ses cheveux se dressèrent d'effroi. Elle reconnaissait cette voix. C'était celle de Winston Lane, que l'on avait récemment nommé inspecteur au Bureau anglais des enquêtes criminelles. Winston Lane, le très cher époux de sa sœur aînée, Poppy, et le très cher beau-frère de Miranda. Elle ne souhaitait certes pas se trouver en présence de Winston et d'Archer décoiffée et vêtue d'une robe de chambre défraîchie, ni leur expliquer pourquoi elle avait éprouvé le besoin de se servir un verre, comme un homme, au milieu de la nuit.

Jetant un regard affolé à la ronde, elle évalua les possibilités s'offrant à elle. La poignée de la porte tourna, et Miranda se décida. Une décision qui laissait toutefois à désirer, reconnut-elle en se jetant derrière l'imposant paravent chinois qui se dressait dans un angle de la pièce. Elle se trouvait désormais prise au piège comme une souris.

Par les fentes séparant les panneaux, elle entrevit une tranche de la figure de son beau-frère : une figure pâle et étroite dont la lèvre supérieure était surmontée d'une longue moustache d'une teinte rappelant la paille. Ses cheveux, de la même teinte, étaient soigneusement coiffés en arrière. Il n'avait pas retiré son pardessus de tweed, mais tenait son chapeau melon à la main. Une fois dans la pièce, il posa le chapeau sur une petite table jouxtant l'un des fauteuils. Un geste curieusement audacieux de sa part, car il exprimait ainsi son intention de prendre tout le temps voulu.

Miranda se tendit et recula dans son coin tandis que Winston inspectait lentement la pièce. Il faisait comme elle l'avait fait, examinant son contenu, en quête d'indices susceptibles de lui révéler ce que contenait la tête du tristement célèbre Lord Archer.

C'est alors que l'homme lui-même apparut dans son champ de vision. Elle s'aperçut avec horreur que, tandis que Winston inclinait la tête vers lui, Archer pour sa part considérait le bar. Elle pouvait presque sentir son regard se poser sur son verre abandonné et presque vide.

— Inspecteur Lane, dit-il enfin en se retournant, de telle sorte qu'elle ne vit plus que son bras. Quelle terrible nouvelle êtes-vous venu m'annoncer?

— Lord Archer, pardonnez-moi d'arriver à une heure aussi tardive. Cependant, j'ai cru cela préférable. Je crains qu'au matin ma présence ici ait été encore plus gênante.

Car dans ce cas on l'aurait remarquée et on aurait jasé.

— Qui dois-je remercier de cette délicate attention? demanda sèchement Lord Archer.

Winston fit un pas vers Archer.

— Veuillez m'excuser, je ne vous ai pas encore félicité pour votre mariage avec ma chère sœur, Miranda.

Le bras d'Archer tressaillit.

— Miranda est votre sœur ?

— Elle est la sœur de ma femme, Poppy. J'ai beaucoup d'affection pour Miranda. J'ai été heureux d'apprendre qu'elle s'était trouvé un époux apte à veiller sur son bien-être.

Les joues de Miranda s'empourprèrent. Elle savait ce qui se cachait sous ces paroles convenables. Il se réjouissait qu'elle soit enfin partie de la demeure paternelle. L'espace d'un moment angoissant, elle se demanda si Winston avait entendu parler de ses activités moins que légales.

— Si je n'avais pas été retenu pour raison professionnelle ce matin, j'aurais accompagné ma femme à la cérémonie.

L'aurait-il fait ? Miranda en doutait. De toute évidence, il n'était pas totalement ravi du mari qu'elle avait choisi, sinon il le lui aurait dit.

— Comme nous sommes en famille — Archer prononça ce mot d'une voix raide —, allons droit au but. Que voulez-vous ?

Winston opina.

— Peu après treize heures, cet après-midi, on a trouvé Sir Percival Andrew, cinquième baronnet de Doddington, assassiné dans sa chambre.

Miranda cilla d'étonnement en entendant ces mots tomber dans la pièce.

— Vous m'en voyez navré, déclara posément Archer.

— Vous admettez donc avoir connu Sir Percival.

— Cela va de soi. Je l'ai connu pour ainsi dire toute ma vie. Bien que je ne l'aie pas vu depuis quelques années.

Sur ce, Winston tira un petit carnet de sa poche afin de consulter ses notes. Miranda avait appris de la bouche de Poppy qu'il agissait ainsi dans le but d'impressionner. Winston gardait en mémoire tous les faits qu'il recueillait.

— Depuis huit ans, n'est-ce pas ?

— En effet, inspecteur, répondit Archer d'une voix empreinte de sarcasme. Pas depuis la semaine où j'ai envoyé à l'hôpital le fiancé de sa petite-fille, un certain Lord Jonathan Marvel, à la suite d'une altercation avec lui. Un fait dont vous vous souvenez également à n'en pas douter.

Winston referma sèchement son carnet.

— Il s'agit là d'un sujet de commérage captivant pour lequel l'intérêt ne se tarit pas de sitôt, dit Archer.

— Il est dit qu'à la suite de cette altercation, Lord Marvel a rompu ses fiançailles avec la petite-fille de Sir Percival, et que cette terrible épreuve et ce profond chagrin auraient divisé les deux familles.

— Ce genre de rupture entraîne souvent des conflits familiaux.

— Je crois que Sir Percival et quelques autres vous ont tenu responsable de ce malheur.

— Moi de même.

— Lors de votre dernière rencontre, votre relation avec Sir Percival n'était guère cordiale.

— Ma relation avec Lord Marvel n'était guère cordiale. Sur ce point, Sir Percival et moi étions du même avis.

— C'est-à-dire ?

— Lord Marvel est, et était, un petit morveux pourri gâté, et j'ai mauvais caractère.

Les lèvres de Winston s'incurvèrent, mais son regard ne perdit rien de son expression rusée.

— Certes, milord, on parle beaucoup de ce caractère violent.

— Un homme rationnel pourrait en déduire qu'un homme au tempérament explosif s'emporterait sous le coup de l'offense, qu'il ne parviendrait pas à se dominer huit années durant avant de passer aux actes.

— J'aime à croire que je suis un homme rationnel, dit Winston.

— Ce qui signifie que vous vous fondez sur autre chose que sur des conjectures.

— L'interrogatoire des domestiques a révélé des faits troublants. M. James Marks, le valet de Sir Percival, se reposait dans la pièce jouxtant la chambre de celui-ci. Il jure avoir entendu son maître s'exclamer d'une voix étonnée « Archer ». Peu après, Sir Percival a émis un son étrange, et Marks est allé voir ce qui se passait.

Winston garda les yeux fixés sur Archer.

— Sir Percival avait eu la gorge tranchée et avait été éviscéré.

Derrière l'écran protecteur du paravent, Miranda se cramponna à ses genoux en sentant la bile lui remonter la gorge. Elle ne voulait pas que ce soit lui. Elle avait aimé Archer presque d'emblée. Ce qui ne lui était jamais arrivé auparavant.

— C'est tout ce qu'on lui a fait ?

La question d'Archer, formulée d'une voix calme, ranima Miranda.

Winston haussa un sourcil blond.

— Curieuse question, milord. Présumez-vous qu'on aurait infligé d'autres outrages à son corps ?

— Vous êtes ici parce que vous me soupçonnez. Si l'on doit m'accuser, je connaîtrai toute l'histoire, inspecteur. Donc, que lui a-t-on fait ?

— La figure Sir Percival a été lacérée et son œil droit a été énucléé et n'a pas été retrouvé. On a aussi pris son cœur.

Les flammes bondirent dans l'âtre, et Miranda sursauta. Dieu du ciel, avait-elle épousé un dément? *Par pitié, faites que cela ne soit pas.* Elle venait à peine d'entrevoir une lueur d'espoir. Elle ne souhaitait pas retourner à un monde de honte et de ténèbres.

Les doigts d'Archer s'enroulèrent sur le dossier d'un fauteuil.

— Vous m'en voyez navré, répéta-t-il, plus doucement cette fois.

— Milord, ce n'est pas tout.

— Ce n'est jamais tout.

Quelque chose remua en elle, le tumulte dont on est saisi lorsqu'on voit venir le danger et comprend que l'on va perdre son âme.

— Une domestique de l'arrière-cuisine, mademoiselle Jennifer Child, rapporte avoir vu un homme portant un masque noir courir vers les écuries quelques instants plus tard.

Miranda pressa ses genoux contre sa poitrine comme si elle avait pu ainsi empêcher son cœur de battre à grands coups. Pendant un moment, elle envisagea la possibilité de bondir sur ses pieds et de courir vers Winston. Il l'emmènerait loin d'ici. Personne ne lui reprocherait de demander l'annulation. Cette pensée l'emplit d'un féroce sentiment de liberté. Elle pouvait le faire. Elle pouvait fuir.

Pourtant, elle ne broncha pas. Son cœur le lui interdisait. Ce ne pouvait être Archer. Ce ne pouvait être l'homme avec lequel elle avait dîné le soir même. Il lui avait manifesté du respect et de l'intérêt, avait ménagé ses sentiments. Mais, en vérité, que savait-elle de lui?

— Que voilà des témoignages accablants, dit Archer, coupant court à ses réflexions.

— Je ne vous le fais pas dire, milord.

Le pauvre Winston s'aventurait sur un terrain miné. On n'interrogeait pas un membre de la Chambre des pairs, néanmoins c'était ce qu'il faisait. On accusait encore moins un membre de la Chambre des pairs d'avoir commis un meurtre. Miranda pouvait presque sentir la tension de Winston. Il n'oserait pas demander à Archer de fournir un alibi. Mais il souhaitait désespérément qu'il lui en fournisse un. Dans les entrailles de Miranda, le bouillonnement s'intensifia.

— Inspecteur Lane, je vous autorise à interroger mes domestiques comme bon vous semblera. Vous apprendrez qu'après avoir fait visiter sa nouvelle demeure à mon épouse, je me suis absenté à compter de midi jusqu'à peu avant vingt et une heures. Personne, hormis moi, ne pourra répondre de mes déplacements.

La tête de Miranda s'affaissa sur sa poitrine. Elle avait espéré qu'Archer la rassurerait. Mais l'homme ne clamait pas son innocence. Un innocent ne l'aurait-il pas fait? Ses doigts se crispèrent convulsivement, griffant le tissu soyeux de sa robe. Elle devait partir. Il était insensé de rester. Peut-être l'assassinerait-elle également. Lui ouvrirait la gorge dans l'obscurité de la nuit. Pourquoi alors ne parvenait-elle pas à bouger? En silence, elle se maudit de sa folie.

— Voilà qui est fâcheux, milord.

— Certes.

— Toutefois, vous pouvez rendre compte de vos déplacements.

Winston avait veillé à ne pas donner une tournure interrogative à sa phrase.

— Cela va de soi. Mais je m'en abstiendrai. Je me contenterai de vous dire que j'étais seul. Je suis souvent seul.

Tête de mule ! Elle enfonça les ongles dans la chair de ses genoux.

— Avez-vous idée, milord, de qui aurait pu accomplir un tel forfait ?

— Un lâche et un mystificateur.

— Les meurtriers sont généralement des lâches, dit Winston. Encore une question, milord.

— Une seule ? Je n'en crois rien. Il y en a assurément quelques douzaines dont vous aimeriez me bombarder.

Miranda sourit contre ses genoux. Homme entêté, mais charmant. Séduite par un éventuel meurtrier. Elle méritait l'asile.

— Une question en entraîne souvent une autre.

Winston remua afin de tirer un objet de sa poche, mouvement qui l'écarta du champ de vision de Miranda.

— Savez-vous ce qu'est cet objet, milord ?

Tout en elle lui criait de jeter un coup d'œil entre les panneaux du paravent, mais Archer aurait sûrement détecté son mouvement. Elle serra ses doigts sur ses genoux pour s'interdire de bouger.

— C'est une pièce, répondit sobrement Archer.

Cette réponse évasive ne leurra pas Winston. Avec un sourire dans la voix, celui-ci revint à la charge.

— Reconnaissez-vous cette pièce ?

Miranda tenta par la seule force de sa volonté de reprendre son souffle. Une pièce? Son cœur cessa de battre, puis s'accéléra frénétiquement.

— Je crois que vous vous attendez à ce que je la reconnaisse.

— Elle était posée sur l'orbite vide de Sir Percival.

— Une pratique rituelle sans doute.

Archer ne broncha pas dans son fauteuil. Miranda ne voyait que la ligne de son bras qui aurait pu être de basalte tant il demeurait immobile.

— Un denier remis à Charon afin de pouvoir traverser le Styx.

— C'est possible.

La main de Winston se déplaça, mais pas assez pour permettre à Miranda d'entrevoir autre chose qu'un bref éclat doré.

— Le valet de Sir Percival affirme que la pièce appartenait à son maître. Elle était en sa possession depuis 1814 environ. Il l'appelait son guide, bien que son valet ignore pourquoi.

— Curieuse façon de décrire une pièce, dit mollement Archer.

— Certes. Mais la pièce n'est-elle pas curieuse en elle-même? Elle n'a pas cours légal, ni ici ni ailleurs.

Les cheveux blonds de Winston reflétèrent la lumière lorsqu'il inclina la tête pour étudier la pièce. Depuis son coin, Miranda vit le froncement de ses sourcils s'accentuer.

— Sans compter l'inscription. West Moon Club. J'avoue n'avoir jamais entendu parler de ce club.

Les mots frappèrent Miranda de plein fouet. West Moon Club. Son cœur menaça de sortir de sa poitrine. La pièce se mit à tourner, mais elle se contraignit à l'immobilité et au silence. Il ne lui était plus nécessaire de voir la pièce. Elle savait précisément de quoi elle avait l'air.

Oh, Archer. Comment avait-elle pu se montrer si aveugle ? Son souffle se fit haletant. Combien de nuits avait-elle passées à rêver de son sombre sauveur ? L'homme à la voix altérée qui refusait de montrer son visage. Avait-il souhaité l'épouser depuis le début ? Si tel était le cas, pourquoi n'avait-il pas demandé sa main alors ?

La voix grave d'Archer, si différente de celle qu'elle avait entendue la première fois, gronda dans la pièce.

— Le valet a-t-il avancé une hypothèse quant à la nature de la pièce ?

— Il ne l'a pas fait.

— Néanmoins, vous présumez que j'ai une connaissance plus intime des possessions de Percival qu'en a son valet ?

Il lui semblait que les voix de Winston et d'Archer s'assourdissaient, puis s'amplifiaient au rythme du sang circulant dans ses veines. Avait-il toujours sa dague ? L'avait-il rangée quelque part tout comme elle l'avait fait de sa pièce ? Elle revit la pièce, avec sa face grêlée montrant une lune pleine, reposant dans son coffret à bijoux. Elle n'avait jamais pu se résoudre à la mettre au clou. Elle était son porte-bonheur.

— Souhaitez-vous corroborer les déclarations d'un homme aux dires duquel vous seriez le principal suspect de ce crime, milord ?

— Le valet de Sir Percival vous a rapporté des faits. Il a entendu Sir Percival prononcer mon nom. Une domestique de l'arrière-cuisine a vu un homme masqué fuir en direction des écuries. De simples faits. C'est vous, inspecteur Lane, qui convertissez ces faits en accusation à mon endroit.

— Veuillez m'en excuser, milord. J'ai dépassé la mesure alors que je n'entendais que questionner.

— Avez-vous d'autres questions à me soumettre ?

Elle pouvait entendre de l'amusement dans la voix d'Archer.

Winston également. Il inclina la tête avec un sourire narquois.

— Aucune, pour le moment.

Ils s'éloignèrent.

— Vous devez savoir, ajouta Winston, qu'un crime de nature aussi violente ne saurait demeurer impuni. Peu importe qui l'a commis.

— Mais je l'espère bien, inspecteur.

— Veuillez présenter mes respects à Miranda. Toutefois, je préférerais qu'on ne l'inquiète pas inutilement en l'informant de ma visite.

Pour la première fois de la conversation, Archer paru véritablement surpris.

— Je me suis demandé si vous voudriez la voir. Ne serait-ce que pour la mettre en garde. Que vous ne le fassiez pas est révélateur de votre naïveté fraternelle, inspecteur. Ne craignez-vous pas d'ainsi abandonner la brebis dans la tanière du lion ?

Miranda ne saisit pas la réponse de Winston, car les deux hommes avaient regagné le couloir. Elle demeura clouée sur place. Elle était terrifiée à l'idée qu'Archer revienne à la bibliothèque, repousse le paravent et la découvre. Depuis le hall d'entrée, elle entendit Winston partir, puis Archer ordonner à Gilroy de faire seller son cheval. Les membres durs comme de l'acier de Miranda se détendirent quelque peu, mais elle attendit d'avoir l'assurance qu'Archer était bel et bien sorti de la demeure avant de s'autoriser à respirer normalement.

Elle regagna furtivement sa chambre, l'esprit en feu. Avait-elle épousé un meurtrier? Elle n'arrivait pas à s'en convaincre. Miranda n'était qu'une inconnue pour Archer la nuit où il avait volé à son secours sans hésiter à s'exposer lui-même au danger. Cette nuit-là, elle avait senti que son âme recélait une grande bonté. Elle la sentait encore en lui. Mais quiconque souhaitait survivre ne pouvait se fier uniquement à son instinct. Il lui fallait se fonder sur des faits.

Chapitre 8

En raison de la lune décroissante et des lourds nuages menaçant de se rompre à tout moment, la nuit était sombre à souhait. D'une obscurité presque palpable. Un hôtel particulier se dressait devant lui, paisible au cœur de la nuit. Archer agissait lentement afin de demeurer invisible, escaladant telle une araignée le mur de pierre à chaux bien lisse. Ses doigts et ses orteils s'enfonçaient dans le mortier comme dans du beurre.

Posé en équilibre sur la pointe des pieds sur le rebord d'une fenêtre, il tira le *Châtellerault* de son manteau. Le manche d'émail noir semblait fait pour sa main. Un sourire lui étira les lèvres. *Son* poignard. Depuis qu'elle le lui avait donné, pas un jour ne s'était écoulé sans qu'il le prenne et le retourne entre ses doigts en pensant à elle.

Il inséra la lame entre la fenêtre et l'encadrement. Il lui imprima une légère secousse ; la fenêtre s'ouvrit d'un cheveu, et il glissa ses doigts dessous et la releva.

Archer se glissa sans bruit à l'intérieur. Un grand lit dominait la chambre, les courtines bien closes pour la nuit. Extrêmement pittoresque. Archer ouvrit lentement les courtines, le poignard toujours à la main. L'homme dans le lit avait rapetissé avec l'âge, les muscles et la masse de son corps autrefois puissant avaient fondus et ne formaient plus qu'un ensemble noueux de tendons et de chair molle. De la peau flasque pendait sous son menton et ses bajoues. Malgré cela, Maurus Lea, comte de Leland, conservait l'air digne et vigoureux. Archer arrivait à peine à supporter sa vue.

Il se pencha en avant, de manière à se trouver juste au-dessus du corps endormi de Leland. Le long nez busqué de l'homme sifflait dans son sommeil, agitant la moustache blanche surmontant les commissures de sa bouche ouverte. Une odeur de camphre et de velours fané s'élevait du lit. En la sentant, Archer plissa le nez, mais ne put s'empêcher de sourire.

— Je me demande, Lilly, où diable sont mes bottes ?

Leland se redressa brusquement au cri d'Archer, les mains griffant sa chemise de nuit, des paroles d'excuse s'échappant de ses lèvres. Archer rempocha son poignard et recula d'un pas, souriant derrière son masque tandis que Leland reprenait ses esprits. Leland jura rondement et chercha à tâtons les bâtons d'allumettes noués en botte près de son lit.

— Permettez-moi, dit Archer en s'emparant doucement d'un bâton et en allumant la lampe.

— Que le diable vous emporte, Archer, cracha Leland, aveuglé par la lumière.

Il cilla fortement et balança ses pieds hors du lit pour s'asseoir.

— Vous avez failli me faire mourir de peur, ajouta-t-il en levant les yeux sur Archer, et sa longue figure se relâcha. Bon sang, c'est bel et bien *vous*.

Archer posa la lampe sur une table et alla prendre place dans un fauteuil près de l'âtre froid.

— En effet.

— Je me suis laissé dire que vous étiez revenu.

Leland jeta une robe de chambre sur ses épaules osseuses et se leva.

— D'aucuns prétendraient que c'est en raison de votre sens de l'humour tordu que vous avez attendu jusqu'à aujourd'hui pour me traquer et me persécuter, mais je vous sais trop méthodique pour cela.

Leland se rendit à un petit bar et se versa une mesure de brandy. Archer l'observait sans mot dire. La main de l'homme tremblait méchamment lorsqu'il leva son verre pour en prendre une gorgée.

— Alors, qu'en est-il? interrogea Leland en reposant brutalement son verre. Pourquoi êtes-vous revenu?

Archer sentit la colère l'envahir. Il n'aurait pas dû venir. Les questions qui le tourmentaient depuis longtemps lui emplissaient la gorge au point de l'étrangler. *Pourquoi m'avez-vous rejeté? Mon sort était-il si répugnant?*

— L'Angleterre est ma patrie, dit Archer depuis le confort de son fauteuil.

— Balivernes. Nous avions passé un marché, dit Leland en étudiant le verre posé devant lui.

— C'est ce qu'il vous plaisait de croire, rétorqua Archer. Et si vous pensiez pouvoir m'écarter du revers de la main et m'oublier comme un vulgaire problème, c'est que vous êtes bête.

Il inspira profondément pour réprimer sa fureur.

— La question qui se pose désormais est de savoir si vous êtes assez bête pour me défier maintenant que je suis rentré.

Leland haussa très haut un sourcil blanc.

— Et alors, demanda-t-il doucement, si cela était ? Connaîtrais-je un sort peu enviable ? Mon cadavre irait-il rejoindre les nombreux autres pourrissant dans la Tamise ?

— Peut-être bien, répliqua Archer d'une voix tout aussi douce.

Le souffle asthmatique du vieillard emplit l'obscurité, puis Leland renifla avec dédain.

— J'en frémis.

Il reposa violemment son verre, qui heurta le plateau de la table avec un claquement sec.

— Pourquoi êtes-vous venu *ici* ? J'imagine que vous ne vous êtes pas introduit chez moi dans l'unique but de m'agonir de vos calomnies.

— Je me suis marié.

La figure de Leland se vida de ses couleurs et ses lèvres minces se relâchèrent.

— Vous avez perdu la tête ? parvint-il enfin à articuler.

D'une chiquenaude, Archer retira une charpie du fauteuil de velours.

— Cela se pourrait.

— Mais pour quelle raison ? s'écria Leland qui, dans son agitation, se pencha en avant. Dans quel but ?

Archer se détourna des yeux bleus et perçants de Leland. Il haïssait ces yeux. Rien ne leur échappait.

— Cela ne regarde que moi.

— De qui s'agit-il ?

— De Miranda Ellis — Archer, rectifia-t-il.

La nouveauté d'entendre son propre nom accolé à celui de Miranda lui fit l'effet d'un champagne chaud pétillant dans ses veines.

Les yeux vifs de Leland se rétrécirent.

— Ne s'agirait-il pas de la benjamine d'Hector Ellis ?

Archer, qui avait soudain l'impression de se retrouver nu dans la chambre faiblement éclairée, hocha la tête.

— Je vois.

— Hum, j'en ai bien peur.

Visiblement, même les nobles décrépits avaient entendu parler de la beauté de Miranda.

Leland soupira.

— C'est de la folie, Archer. Aucune femme ne peut vous avoir blessé au point que vous lui imposiez un tel châtiment. Je sais fort bien ce qu'est le désir, mais…

Il s'interrompit abruptement en croisant le regard d'Archer.

— J'ose espérer, dit Archer en enfonçant les doigts dans les accoudoirs, que vous ne nourrissez pas l'intention de m'abreuver de conseils paternels. Cela me semblerait tout à fait ridicule.

— Non, non…

Leland déglutit et se rétracta légèrement. Il avait intérêt. Archer se sentait capable de tout. Il n'avait pu que remarquer les photographies alignées sur le manteau de la cheminée. Une épouse. Des enfants, des petits-enfants. Leland avait tout cela. Il était le maître respecté et bien-aimé de cette grande maisonnée. Tout compte fait, peut-être ne lui annoncerait-il pas la mort de Percival. Archer se leva.

Leland le considéra sous ses épais sourcils blancs.

— Est-ce réellement pour cette raison que vous vous trouvez à Londres ?

— Vous souhaitez savoir si je suis motivé par autre chose que la concupiscence ?

Il éclata de rire en voyant Leland lui lancer un regard noir.

— Vous savez parfaitement que je ne connaîtrai de repos que lorsque j'aurai trouvé une façon…

Il inspira profondément et, lorsqu'il reprit la parole, il perçut l'amertume de sa voix.

— Surtout maintenant.

— Je ne peux vous aider.

La voix de Leland exprimait une telle tristesse qu'Archer tressaillit.

— Je ne vous en demande pas tant. Évitez toutefois de vous mettre en travers de mon chemin.

Archer se tourna vers la porte. Il ne lui était plus nécessaire d'emprunter la fenêtre. D'avoir dû en passer par là l'avait suffisamment irrité. Il se dissimulait dans l'ombre depuis trop longtemps.

— Ma femme devra être introduite dans le monde.

Voilà. Il s'agissait là d'une raison aussi valable qu'une autre pour justifier sa présence.

— Je ne tolérerai pas qu'elle soit tenue à l'écart. Je suis conscient que la saison est terminée. Cependant, il y a toujours des réceptions. Je m'attends à ce que les invitations pleuvent, Leland. Veuillez en informer les autres.

La mâchoire de Leland s'agita convulsivement.

— Vous ne songez pas sérieusement à vous montrer dans le monde.

— Racontez que je suis excentrique. Nos semblables ont toujours raffolé de bizarreries dont ils puissent se gausser. Quoi qu'il en soit, nul ne me regardera lorsque Lady Archer sera présente. Je suis certain que vous pouvez en attester.

Le vieillard bredouilla d'indignation, mais il ne pouvait se permettre de refuser — non plus que les autres. Ils en étaient tous conscients. Le résultat de leur petite expérience démentielle s'était dissimulé aux regards aussi longtemps que n'importe lequel d'entre eux aurait été en droit de l'espérer. Et si l'un d'eux avait cru qu'ils pourraient le contraindre par la peur à ne plus se manifester, cet imbécile avait commis une grave erreur.

— Archer.

Archer s'arrêta, mais mit du temps à se retourner.

— Il s'est passé quelque chose, dit Leland en fronçant les sourcils.

— C'est sans conséquence.

Mais les yeux de Leland en avaient trop vu.

— Si quelqu'un doit s'estimer offensé de votre retour, ce sera Rossberry.

Leland inclina la tête et laissa errer son regard sur Archer.

— Ce que vous savez sans doute. On peut d'ailleurs se demander pourquoi vous ne vous êtes pas rendu directement chez lui.

Une goutte de sueur glaciale glissa sur toute la longueur de la nuque d'Archer.

— Rossberry a été libéré ?

La bouche de Leland se tordit.

— C'est récent. J'imagine qu'ils ne pouvaient le garder en cage indéfiniment.

Archer grimaça. Pourtant, ils étaient tous convaincus que *lui* aurait dû se tenir loin à jamais.

Leland comprit la raison de son silence et eut l'élégance d'en paraître chagriné.

— Si vous avez besoin de mon assistance, il vous suffira d'en faire la demande.

Archer aurait préféré brûler en enfer plutôt qu'appeler Leland à sa rescousse. Cet homme avait été le premier à suggérer qu'Archer quitte Londres.

— Et quelle sorte d'assistance un vieillard pourrait-il me fournir?

Archer grimaça intérieurement en s'entendant prononcer ces mots sans toutefois parvenir à se contraindre de lui présenter ses excuses.

— Percival est mort, lança-t-il méchamment.

Leland blêmit.

— Quand? Comment?

— Cette nuit. Assassiné. À n'en pas douter, ce sera le scandale du jour. Je suis le principal suspect. Un domestique a entendu Percival crier mon nom. Un autre a cru m'apercevoir sur les lieux du crime.

Leland hocha la tête une seule fois.

— Savez-vous qui a fait cela?

Bon sang, que son ami avait manqué à Archer.

— Non, dit-il en se raclant la gorge, mais j'ai l'intention de le découvrir.

Chapitre 9

— Redites-moi pourquoi nous allons à cette réception.

Dans les jours suivant le meurtre de Sir Percival Andrew, des comptes rendus horrifiants étaient tombés des lèvres tant des journalistes que des marchands de fruits. Tout le monde était fasciné. Parce que tout le monde connaissait l'identité de l'assassin : Lord Benjamin Archer.

Qu'il réside dans leur voisinage immédiat et n'ait pas encore été traduit en justice ne réussissait qu'à les émoustiller davantage. Le cancanage était un ennemi futé. Nés sur la langue des domestiques, les détails de l'assassinat de Sir Percival s'étaient répandus dans Londres à la vitesse du brouillard.

Miranda ressentait vivement le dard des commérages. Elle se rappela la façon dont l'intérêt du public s'était tourné vers sa famille dans les jours qui avaient suivi la ruine de son père. Les mauvaises langues avaient dressé le catalogue de chaque meuble, de chaque œuvre d'art que son père avait vendu afin de leur éviter de se retrouver sur le trottoir.

Pour sa part, Archer ne parlait pas du meurtre. Pareil à un chien gardant son os, il tournait autour d'elle. Bien qu'il ne lui eût pas formellement interdit de sortir, il veillait habilement à l'occuper à la maison. Aimerait-elle aller se promener au jardin ? Ou peut-être explorer la grande bibliothèque ? Le lundi, il avait fait mander Monsieur Falle, un petit couturier adroit, qui avait déroulé sous les yeux de Miranda, et pour son plus grand bonheur, ses nombreux rouleaux de tissus affriolants. Chaque soir, elle dégustait des mets délicieux tandis qu'il la bombardait de questions apparemment sans lien. Croyait-elle que l'utopie platonicienne trouverait sa place dans le monde actuel ? Que pensait-elle du mouvement artistique appelé le réalisme ; à son avis, fallait-il représenter l'Homme tel qu'il était ou l'idéaliser ? Et la démocratie ? Chaque être humain, peut importe sa naissance, avait-il le droit de tirer le meilleur parti de son existence ?

Elle raffolait de leurs échanges décontractés. On aurait pu croire qu'ils se connaissaient depuis toujours. Oh, ils se chamaillaient à l'occasion, mais cela ne réussissait qu'à alimenter sa curiosité et son désir de pousser plus avant leurs conversations.

Comment un tel homme aurait-il pu en assassiner un autre ? Se pouvait-il qu'elle s'aveugle *délibérément* ? Ou le fait qu'elle s'identifie si facilement à lui était-il le signe de sa propre dépravation ? Peu importe ce que cachait le masque d'Archer, le fait était qu'elle se sentait en sécurité avec lui. Et cela n'était pas uniquement une question de solitude. Elle avait été solitaire auparavant ; elle n'en avait jamais ressenti une telle souffrance, une souffrance qui l'emplissait du besoin d'être près de lui. Elle se sentait bien dans sa peau en sa compagnie. La nouveauté de ce sentiment la séduisait.

Ainsi allaient les choses. Miranda attendait qu'il lui tourne le dos, et lui donne ainsi l'occasion de sortir et de trouver des réponses, et Archer ne la quittait pas du regard comme s'il craignait qu'elle s'enfuie.

Du coup, Miranda avait été stupéfaite lorsque Archer était entré à grands pas dans le salon un peu plus tôt ce soir-là et lui avait annoncé à sa façon impérieuse qu'ils sortaient. Miranda avait donc revêtu sa tenue de combat, une robe de satin argentée qui lui moulait le corps comme une armure d'acier et était d'une grande élégance. Ce qui ne l'empêchait pas de se sentir défaillir à la perspective d'affronter *le beau monde*. Voyant l'hôtel particulier aux allures de palais qui se dressait devant elle, elle sentit la nervosité lui comprimer la poitrine.

Archer la regarda du coin de l'œil, en resserrant son étreinte comme si elle risquait de s'envoler. *Un homme intelligent.* Il leur fit monter sans traîner l'escalier de marbre ornant la façade de la demeure majestueuse de Lord Cheltenham.

— Ma première explication comportait-elle des failles ?

Elle plissa les lèvres.

— «Parce qu'on nous a invités», est, au mieux un prétexte, et vous le savez fort bien.

Il gloussa, et la colère de Miranda s'accrut. Elle ralentit le pas lorsqu'un valet bouche bée s'avança pour leur ouvrir la porte.

— Sacrebleu, Archer, siffla-t-elle. Pourquoi devons-nous leur donner l'occasion de nous examiner comme des bêtes de foire ?

Elle ne souhaitait pas qu'on inflige à son époux un tel traitement, et ressentait un désir aussi effrayant que violent de l'en protéger.

Archer s'inclina vers elle jusqu'à ce que son souffle chaud lui chatouille le cou.

— Parce que, très chère, je ne veux plus me cacher.

La brève caresse de son pouce sur son poignet ganté la fit frémir.

— Courage, belle Miranda. Ne leur cédez pas un pouce, sinon ils en voudront davantage.

Le grand hall de Lord Cheltenham n'était pas aussi vaste que celui de la demeure d'Archer, mais il était néanmoins élégant et débordant de statues, de palmiers en pot et de portes cintrées drapées de lourdes tentures. Des groupes d'hommes et de femmes retirés dans des coins tranquilles regardèrent Miranda et Archer passer devant eux. Des regards empreints de pitié et des murmures suivirent leur passage. Serait-elle la prochaine? Se retrouverait-elle dans les journaux du matin? Se délecteraient-ils des détails scabreux entourant la mise en pièces de la jeune épouse de Lord Archer en sirotant leur thé et en hochant la tête devant sa bêtise?

Irritée, elle leva bien haut la tête.

Archer marchait comme s'ils avaient été seuls. Un peu plus loin, une poignée d'hommes se dressaient au pied de l'escalier. Ils se tenaient groupés, semblables à des corbeaux malfaisants avec leurs épaules voûtées et leurs longues redingotes noires. L'âge les avait usés, accentuant l'arête de leurs nez et creusant leurs joues. Ils posèrent sur eux des regards acérés, leurs orbites brillant dans la lumière tamisée chaque fois qu'ils cillaient de concert.

— Les connaissez-vous?

Elle espérait que non. Les hommes frémissaient presque sous l'effet du choc et de l'hostilité.

L'étreinte d'Archer se raffermit légèrement.

— Oui.

— Dans ce cas, passons ailleurs.

Miranda fit le geste de changer de direction, mais Archer la retint.

— Et me comporter comme si j'étais effrayé ? Je ne pense pas.

Il les ramena dans la direction menant carrément aux hommes.

Le plus grand d'entre eux s'avança, un homme dont les lèvres étaient surmontées d'une moustache blanche au pli désapprobateur.

— Archer, dit-il du ton cassant par lequel les hommes de la haute société expriment leur contrariété, je suis étonné de vous voir aller par monts et par vaux.

Archer inclina à peine la tête.

— Il semblerait que la rumeur qui court soit fausse, Leland. Il s'avère que je puis quitter mon trône de feu et me mêler aux chrétiens de bon aloi.

Autour des yeux bleus et perçants de l'homme, la chair se contracta.

— Que voici une remarque réjouissante, dit-il sur un ton léger.

— Des boniments, tout cela, dit un autre homme.

Il semblait gentil en dépit de sa carrure imposante. Avec un sourire amical, il baissa sur Miranda un regard brun et doux.

— Je me suis laissé dire qu'il est de mise de vous féliciter, Archer.

Archer présenta Miranda à leur hôte, le souriant Lord Cheltenham, puis au sourcilleux Lord Leland, et enfin à Lord Merryweather, le dernier à s'être joint à eux.

Merryweather prit la main de Miranda tandis que les présentations se poursuivaient. Il la retint un peu trop longuement, ses yeux enfoncés étincelant malicieusement. Le vieux sacripant.

— Enchanté, Lady Archer. Absolument enchanté.

Cheltenham se tourna vers Archer.

— Nous sortons tout juste d'une rencontre de la Société de botanique, Archer. À ce que je comprends, vous avez acquis un savoir appréciable sur les caractéristiques héréditaires des… roses, n'est-ce pas ?

Le regard de l'homme scintilla sous l'effet d'une émotion que Miranda ne parvint pas à identifier, mais il lui sembla que tous ces hommes devenaient soudainement des plus attentifs. Jetant un coup d'œil à Archer, elle aurait juré qu'il souriait. Mais la raideur de ses épaules contredisait ce soupçon d'humour.

— Il est vrai que j'ai beaucoup appris, dit Archer sans broncher. Mais il est tout aussi vrai que j'ai connu peu de succès.

La tension monta d'un cran à l'intérieur du groupe. Plus d'une paire d'yeux dériva vers elle avant de s'en détacher.

— Peut-être accepteriez-vous de vous joindre à nous à la fin de cette semaine afin de nous exposer vos découvertes ? demanda Leland avant d'adresser un sourire poli à Miranda. Un sujet plutôt aride, milady, mais nous sommes fascinés par les croisements entre plantes, car cela nous offre la possibilité de créer de toutes nouvelles espèces.

Archer le fusilla du regard, mais Leland ne lui prêta pas attention.

— Ainsi, ce qui était autrefois une rose faible, prompte à se flétrir et d'une couleur banale, peut donner naissance à une fleur montrant de la vigueur, de la beauté et de la longévité.

Sa moustache épaisse se releva.

— La fleur parfaite.

— Comme c'est charmant, dit-elle poliment tandis que son esprit tournoyait.

Archer, un botaniste ?

Celui-ci s'inclina vers elle.

— Nous ne sommes que des amateurs qui s'amusent à jongler avec des choses qui les dépassent.

Elle aurait sans doute répondu, mais un grognement mécontent retentit dans le hall.

— Je ne savais que notre société donnait un bal costumé, grasseya derrière Cheltenham un Écossais visiblement furieux.

Au son de cette voix, les hommes se tournèrent et Miranda perdit le souffle. Le diable en personne fusillait Archer de deux yeux bleus fichés dans des fentes dépourvues de cils. Des cicatrices boursouflées, certaines d'un blanc argenté et d'autres d'un rouge sanglant, déformaient les traits de l'homme au point de lui enlever toute apparence humaine. Elle agrippa instinctivement le bras d'Archer.

— Rossberry, dit Archer avec raideur à l'homme qui s'avança lourdement, un jeune homme sur les talons. Quel plaisir de vous revoir.

La bouche minuscule, enfouie sous une barde brune qui perdait ses poils, se tordit dans un grognement.

— Si l'on m'avait dit que vous seriez présent, j'aurais également dissimulé ma disgrâce sous un masque de bouffon.

— Ah, mais quel masque parviendrait à étouffer votre voix mélodieuse ? répliqua légèrement Archer. Il faudrait pour cela qu'il possède une muselière.

— Masque, muselière, mon joli minois suscite moins d'effroi que le vôtre qui, sous le masque, est une vraie pitié.

Les doigts de Miranda s'enfoncèrent dans le manteau d'Archer, mais ce dernier ne broncha pas.

— Enfin, père, dit le jeune homme à ses côtés. Vous provoquez quasiment Lord Archer en duel.

Ses inflexions cultivées ne rappelaient en rien l'accent écossais de son père, mais il existait cependant entre eux une certaine ressemblance, tenant sans doute à l'éclat de leurs cheveux châtains et à l'azur profond de leurs prunelles.

— Ayant été témoin du cruel savoir-faire d'Archer, je puis vous assurer que vous ne seriez pas à la hauteur, déclara-t-il avant de tendre la main à Archer. Allô, Archer.

Ses dents de loup étincelèrent et son regard erra sur le masque d'Archer.

— Vous n'avez pas vieilli d'un poil.

Archer lui serra brièvement la main.

— C'est charmant de votre part de l'avoir remarqué, Mckinnon.

Mckinnon eut un rire léger. L'homme se déplaçait avec une grâce et une vivacité traduisant sa force et son assurance. Il tourna son attention vers Miranda, à qui Archer présenta dans un murmure Alasdair Ranulf, comte de Rossberry, et Ian Ranulf, son fils aîné et héritier présomptif, répondant au titre honorifique de vicomte Mckinnon.

— Mes hommages, madame, dit Lord Mckinnon en s'inclinant sur la main de Miranda.

Comme par inadvertance, Mckinnon lui caressa la paume de son pouce ganté, et Miranda se hérissa. Il eut un sourire entendu. Mckinnon avait quelque chose de bestial qui indisposait Miranda. Son regard disait clairement qu'il avait deviné ses pensées, en partie du moins, et qu'il lui plaisait de faire cet effet.

Il venait à peine de lui lâcher la main que Lord Rossberry reporta sa fureur sur Archer.

— Vous ne manquez pas de culot, Archer, de vous présenter ici après ce que vous avez fait à Marvel. Écartez-vous de mon chemin, et de celui de mon fils, sinon je me ferai servir pour souper votre cœur empalé au bout d'un pieu.

Chapitre 10

Les pieds palpitants de douleur, Miranda se lança dans un nouveau tour de piste en compagnie d'un nouveau partenaire. Un cortège apparemment interminable de jeunes hommes souhaitait danser avec elle, sauf son mari, qui s'était éclipsé. Elle demanda grâce lorsque son dernier partenaire lui écrasa les orteils. Le jeune homme s'empourpra et s'excusa avec profusion.

Elle quitta la salle de bal en boitillant et gagna le grand hall supérieur à la recherche d'Archer, mais elle eut à peine le temps d'entrevoir son large dos entrer dans le bureau particulier de Cheltenham devant Lord Leland. Elle croisa brièvement les yeux bleus, figés et troublés de Leland à l'instant même où il tirait la porte, enfermant Archer à l'intérieur et abandonnant Miranda à l'extérieur. Elle jeta un regard noir à la porte close. *Maudit mâle.*

— Les hommes sont parfois pénibles, n'est-ce pas?

Se retournant, Miranda aperçut, debout à côté d'elle, une femme aux cheveux foncés. La femme lui sourit de ses lèvres peintes, révélant une dentition d'un blanc étincelant.

— Impossible de ne pas remarquer votre grimace. Seul un homme provoque ce genre de réaction.

Miranda ne put s'empêcher de rire, tant en raison de l'impudeur rafraîchissante de la femme que de la véracité de sa remarque.

— En effet, dit-elle en gloussant de nouveau.

— Vous êtes Lady Archer, n'est-ce pas ? demanda la femme, un sourire lui creusant les fossettes.

— En effet. Miranda Archer, l'épouse de Lord Archer.

Miranda l'examina à nouveau. Avec son visage en forme de cœur et ses grands yeux gris, la femme était d'une beauté incontestable. Par contre, deviner son âge était moins évident. Peut-être souffrait-elle d'une affection cutanée, car Miranda ne voyait pas pour quelle raison une femme aussi séduisante se dissimulait la figure sous une telle quantité de poudre de riz. Son maquillage presque théâtral accentuait ses ridules et lui donnait l'apparence d'une femme assez âgée, sans doute dans la quarantaine avancée. La fermeté de sa peau et la sveltesse de sa silhouette démentaient toutefois cette impression. Bref, elle pouvait tout aussi bien avoir vingt ans que vingt années de plus. C'était impossible à dire.

Par ailleurs, son style était celui d'une jeune femme. Ses cheveux acajou étaient tirés sur le sommet de son crâne d'où ils cascadaient en longues boucles sur son cou. Une frange très chic ondulait au-dessus de ses sourcils, une coiffure que Miranda admirait, mais n'avait pas encore eu l'audace d'essayer. La jupe à tournure de sa robe vert lime était étroite sur le devant, mais s'évasait au dos dans une profusion de volants fuchsia.

Elle remarqua que Miranda l'examinait, et ne parût pas en être offensée, mais bien ravie.

— Veuillez m'excuser, dit-elle. Je ne me suis pas présentée. Je suis votre parente, quoique vous l'ignoriez sans doute.

Elle salua Miranda d'une inclinaison de la tête, un sourire ourlant ses lèvres foncées.

— Victoria Archer, dit-elle, et les lèvres de Miranda perdirent toute sensibilité. Je suis la cousine au troisième degré de Benjamin.

Les yeux, songea Miranda, le regard fixe. Ils montraient la même nuance de gris presque argenté. Lentement, Miranda fit à son tour la révérence.

— Veuillez m'excuser, dit-elle en sortant de son hébétude. Je suis navrée de vous avoir regardée ainsi. Je croyais qu'Archer n'avait pas de famille. Je suis ravie de faire votre connaissance, ajouta-t-elle en s'efforçant de sourire.

Mademoiselle Archer éclata d'un rire aussi clair que le cristal de Waterford.

— Je vous en prie. Je confesse avoir eu recours à une petite ruse. Je vous ai vue avec Archer, mais j'ai attendu son départ, dit-elle en parcourant du coin de l'œil la salle de bal. J'aurais dû laisser Benjamin nous présenter, mais j'avoue avoir eu envie de m'amuser un peu.

Les coins de ses yeux gris se relevèrent.

— Mon cousin peut se montrer quelque peu ombrageux en ce qui a trait à sa vie privée, non?

Miranda devait le reconnaître. Toutefois, elle estimait faire partie de la vie privée d'Archer. Elle poursuivit son examen, incapable de faire autrement. Archer avait-il lui aussi le menton pointu? Ou un grand front? Ses oreilles s'écartaient-elles légèrement de son crâne comme celles de Mlle Archer? Ce n'est pas ainsi qu'elle se le représentait, mais était-ce possible? Elle était tentée d'interroger Mlle Archer à propos de l'ancienne vie d'Archer, mais sentait bien que, ce faisant, elle trahirait en quelque sorte son époux.

— Venez-vous tout juste d'arriver à Londres? demanda-t-elle plutôt.

— Mmm...

Mlle Archer observait les danseurs avec grand intérêt. Son nez était fort et aquilin, mais proportionné à sa figure. Elle s'exprimait avec un léger accent français. Miranda croyait pourtant qu'Archer avait du sang italien dans ses veines.

— Je viens tout juste d'arriver.

Derrière leurs éventails semblables à des joyaux, les dames de la bonne société bourdonnaient comme des abeilles et leur jetaient des regards réservés, voire franchement hostiles.

Lord Cheltenham parut et, passant devant l'enfilade de matrones outrées, se rendit jusqu'à elles. Il inclina légèrement le buste.

— Lady Archer. Mademoiselle?

L'effort qu'il faisait pour se maîtriser teintait de rose sa figure étroite.

— Victoria, proposa-t-elle en inclinant coquettement la tête.

Cheltenham s'empourpra, manifestement horrifié par une telle impudeur.

— Oui, certes... mademoiselle — sa grosse pomme d'Adam s'agita derrière son col — Victoria, me feriez-vous l'honneur de m'accorder cette danse?

Cela ne semblait pas être le cas, et le pauvre homme attendit, raide et pâle. Mais Victoria, avec un sourire réservé — si toutefois une femme aux paupières fardées de gris fumée peut paraître réservée —, le suivit.

C'était peut-être une courtisane, songea Miranda en les regardant danser. Mais elle ne pouvait en être sûre puisqu'elle n'en avait jamais rencontré. Toutefois, hormis son maquillage excessif, elle n'en avait pas l'allure. Les manches de sa robe lui couvraient les bras jusqu'aux poignets et l'encolure lui frôlait le menton. Cependant, à défaut de dévoiler les chairs, la toilette moulait étroitement les formes.

Pendant que Miranda réfléchissait ainsi, elle perdit du regard Victoria et Cheltenham. Elle caressait le projet de partir à leur recherche quand une silhouette familière vint se poster à côté d'elle, sombre, imposante et morose.

— Vous voici enfin, dit-elle à Archer en fronçant les sourcils. Vous allez finir par me donner le tournis à force d'aller et de venir ainsi toute la soirée.

Il lui saisit le coude et entreprit de la faire sortir de la salle de bal.

— Dans ce cas, il serait sans doute préférable que je vous raccompagne à la maison afin que vous puissiez vous allonger, murmura-t-il d'un air distrait en balayant la salle du regard.

— Je préférerais que nous discutions.

Ils firent un pas de côté pour esquiver un couple tournoyant avec entrain.

— Par ailleurs, je viens de faire la connaissance d'une cousine à vous, Mlle Victoria Archer...

Il sursauta et s'arrêta.

— Elle n'est pas de ma famille et elle ne porte pas le nom d'Archer. D'où tenez-vous une telle chose ?

— C'est ce qu'elle m'a dit, répliqua Miranda en cillant d'étonnement.

Archer grogna avec dégoût.

— Pourquoi aurait-elle déclaré l'être ? demanda Miranda en sourcillant.

— Pour se divertir ? répondit-il entre ses dents, en attirant de nouveau Miranda à l'écart de la foule. Parce que c'est une menteuse invétérée ? Je n'en ai pas la moindre idée.

Ils atteignirent la lisière de la salle, et Miranda, qui n'aimait pas du tout la façon dont il lui serrait le coude, s'arrêta et se dégagea sèchement.

— Cessez de me tirer ainsi. Je vais finir par avoir des bleus, dit-elle en se frottant le coude et en lui jetant un regard furieux. Elle m'a paru tout à fait charmante.

Entendant Archer renifler avec mépris, elle haussa le ton.

— Elle s'est montrée plus honnête et plus amicale à mon endroit que n'importe quelle de ces femmes dont j'ai fait la connaissance ce soir.

Archer parcourut du regard la salle derrière eux comme s'il s'attendait à tout moment à ce que Victoria surgisse de la foule des danseurs.

— C'est une excellente comédienne.

Il s'approcha et sa carrure imposante étouffa les bruits venant de la salle.

— Veuillez m'excuser de m'être montré si désagréable envers vous tantôt, dit-il, en jouant pleinement de sa voix riche et persuasive. Vous ne pouviez pas savoir.

Il jeta un coup d'œil par-dessus son épaule, puis reporta son regard sur Miranda qui s'étonnait de l'effet que Victoria semblait avoir sur lui. Jusqu'alors, elle n'imaginait pas que quelqu'un puisse lui inspirer de la crainte.

— Mais désormais, vous savez, continua-t-il en posant sur elle un regard doux et suppliant. Et je vous serais très reconnaissant de ne plus vous entretenir avec elle.

Jolie façon de lui donner un ordre.

— Vous me cachez quelque chose, dit-elle en sentant l'irritation enfler dans sa poitrine.

Comme elle s'y attendait, le coin des yeux d'Archer se plissa légèrement.

— Par exemple ? demanda-t-il posément.

— Par exemple, la raison pour laquelle elle vous ennuie à ce point. Par exemple, la raison pour laquelle elle utilise votre nom.

Elle le bousculait de crainte qu'il ne se dérobe.

— Par exemple, la raison pour laquelle vous avez l'un comme l'autre les yeux de la même teinte extrêmement rare *sans* toutefois être du même sang.

Les yeux d'Archer rétrécirent et sa poitrine se souleva, signe qu'il était sur le point d'exploser. Elle s'en fichait éperdument.

— Dois-je me montrer plus explicite ? siffla-t-il.

— Oui.

Elle crut qu'il allait crier, mais il s'inclina vers elle, tel un ange exterminateur noir.

— Elle s'est déshonorée et sa réputation est si gênante qu'en ce moment même Cheltenham lui demande de partir. Vous associer à elle ne pourra que vous nuire au plan social.

Miranda en resta bouche bée.

— Je n'aurais jamais cru que vous — surtout vous — soyez du genre à vous préoccuper d'associations fâcheuses ou de réputations douteuses.

Il tressaillit comme si elle l'avait giflé. Il soutint son regard l'espace d'un pénible moment.

— Tenez-vous loin d'elle, Miranda, dit-il posément, avant de tourner les talons et de l'abandonner seule dans son coin.

— Zut!

Archer n'était ni dans le hall ni au balcon. Miranda parcourut rapidement la salle à manger, le salon, puis de nouveau la salle de bal, en vain. Comment un homme d'une taille aussi imposante pouvait-il disparaître en moins de cinq minutes?

Miranda s'engagea dans un couloir obscur et gagna un petit palier situé à proximité des appartements privés de ses hôtes. Archer s'y était peut-être réfugié au mépris des convenances — sinon, c'est qu'il avait quitté la réception, une perspective qui lui comprima douloureusement la poitrine. Son pas se fit léger, car la crainte d'être découverte la rendait prudente; elle n'avait pas envie de tomber sur personne d'autre qu'Archer.

Une porte à doubles battants était ouverte au bout du couloir. La lumière qui en sortait jetait un rectangle jaune sur la moquette cramoisie. À l'intérieur, des voix à peine plus fortes qu'une rumeur se faisaient entendre. Elle ralentit le pas, car elle venait d'en reconnaître une.

Eut égard au style ornementé qu'affectionnait Lady Cheltenham, de lourdes tentures de brocard habillaient la porte, qui était de surcroît flanquée de statues de marbre noir grandeur nature représentant Hadès et Perséphone. Hadès, sa bouche de pierre ouverte dans un cri de supplication, tendait une main noire vers Perséphone, qui détournait la tête. Miranda s'appuya de la main sur le pied de marbre froid de Perséphone et se pencha en avant.

La voix mélodieuse d'une femme s'éleva.

— Vous êtes enfin sorti de votre cachette, Benji.

— Ne m'appelez pas ainsi.

Archer s'exprimait d'une voix basse, presque inaudible, mais néanmoins pleine de colère.

— Vous avez perdu le droit de me donner quelque nom que ce soit.

Miranda, dont la curiosité était piquée, mourait d'envie de rester, mais elle devait à Archer de respecter son intimité.

La femme éclata d'un rire cristallin.

— Vous n'aviez pas pour habitude de vous opposer à ce que je vous appelle Benji, *chéri*.

Chéri ? Au diable le droit à l'intimité ; il n'était pas question qu'elle parte *maintenant*. Miranda risqua un regard. Le couple se tenait, seul, devant une fenêtre lourdement drapée. Victoria tournait lentement autour d'Archer, et laissait traîner sa main gantée sur ses épaules tout en l'étudiant. Archer, raide comme une poutre de bois, regardait droit devant lui.

— En fait, poursuivit-elle, la traîne de sa robe vert lime ondulant autour des chevilles d'Archer, je me souviens que vous aimiez bien que ce nom m'échappe dans un gémissement…

Il lui saisit le poignet et lui tordit méchamment le bras vers le haut.

— Vos souvenirs n'obéissent qu'à votre vanité, gronda-t-il en s'inclinant vers elle. Si vous étiez capable de vous intéresser à autre chose que vous-même, vous vous rendriez compte que je préfère oublier ce qui nous a unis.

— Bâtard !

Elle fit le geste de le frapper. Il intercepta prestement sa main.

— Maîtrisez-vous, dit-il d'un ton léger, bien que son attitude n'eût rien de léger.

Il la lâcha si brusquement qu'elle chancela.

Les yeux de Victoria rétrécirent jusqu'à n'être plus que deux fentes.

— Je vous retourne ce conseil. Il serait dommage que vous perdiez votre masque au cours d'une bagarre. Les gens pourraient voir ce qu'il dissimule.

Elle lui donna une chiquenaude sur le menton, et son doigt frappa le masque rigide avec un bruit sec.

La froide cruauté du geste blessa Miranda et elle se mordit fortement les lèvres.

— Vous ne voudriez pas faire fuir votre charmante épouse, n'est-ce pas ? enchaîna Victoria devant le silence d'Archer, avant de claquer tristement de la langue. Je devrais dire votre épouse virginale. Il est impossible que vous l'ayez prise.

Elle éclata d'un rire dur, presque masculin dans son exultation sans bornes.

— J'imagine qu'elle s'enfuirait sans demander son reste dès que son regard se poserait sur l'abomination que vous êtes.

La main d'Archer s'éleva dans les airs, tremblante de l'effort qu'il faisait pour se maîtriser.

— Si vous n'étiez pas une femme, gronda-t-il sauvagement.

— En effet, Archer, vous n'hésiteriez pas, répliqua-t-elle en levant sur lui un regard dépourvu de crainte. Nous savons tous deux que vous l'avez déjà fait, et pis encore. Vous auriez dû rester dans l'ombre, le seul endroit qui vous convienne. Que vous osiez imposer votre présence à quiconque me stupéfie.

La douleur émanait de lui en vagues presque palpables, et Miranda en souffrit pour lui. La main d'Archer s'abaissa.

— Vous n'avez pas répondu à ma question, dit-il d'une voix sourde. Pourquoi êtes-vous ici ?

Victoria pivota, balayant gracieusement le sol de sa traîne, et Miranda reçut une petite bouffée de son parfum capiteux, aussi sucré que celui des œillets et des roses, mais âcre en raison d'un excès de citron. La large bouche de Victoria fit la moue.

— Je m'ennuyais.

Elle pencha légèrement la tête et lui coula un regard oblique.

— Votre jolie femme est plutôt divertissante, n'est-ce pas ? dit-elle en ourlant les lèvres dans un sourire factice. C'est sans doute la raison pour laquelle vous l'avez épousée — pour ses propos *émoustillants*.

Archer semblait sculpté dans un bloc de lave.

— Ah, mais c'est que vous la protégez bien, ajouta-t-elle d'une voix moins mélodieuse.

— Répondez à ma question.

Victoria inclina la tête en direction de la porte, d'un millimètre à peine, mais assez, toutefois, pour que Miranda

en perde le souffle. Elle reprit promptement sa place derrière la statue.

La voix de Victoria lui frappa durement les tympans.

— Vous tenez vraiment à ce que je vous réponde tandis
que les souris dansent ?

Miranda sentit plutôt qu'elle ne vit Archer se tourner
vers la porte, mais elle s'était déjà envolée, le cœur battant,
ses pieds se déplaçant aussi vite qu'ils le pouvaient sans
faire de bruit.

— Garce !

Les bras ballants, Archer serrait convulsivement les
poings. Il ne servirait à rien de la frapper.

— Toute cette comédie était donc à son bénéfice, n'est-ce
pas ?

Victoria éclata de rire en renversant la tête avec
délectation.

— Il va sans dire, déclara-t-elle en cessant abruptement
de rire et en lui lançant un regard venimeux. Votre petite
gamine est, dirions-nous, fort distrayante. Maintenant —
elle s'avança et noua ses bras autour de son cou —,
embrassons-nous et réconcilions-nous.

Il la repoussa si durement qu'elle recula d'un pas. Dieu,
il n'aurait pas dû. Mais il était trop tard, il avait révélé sa
faiblesse. À cette pensée, son cœur se mit à battre à tout
rompre.

Victoria perdit sa bonne humeur.

— Nous avions passé un accord, gronda-t-elle.

— Fondé sur des mensonges.

Il voulut passer devant elle et, ce faisant, il la frôla.
Victoria, vive comme l'éclair, lui saisit le bras et l'attira vers

elle. L'odeur entêtante de son parfum floral emplit les narines d'Archer et fit battre ses tempes.

— Je vous aime, Archer.

Pendant un moment, il faillit la croire capable d'un tel sentiment, mais son regard froid et sans âme le détrompa.

— Comme c'est étrange, dit-il. Lors de notre dernière conversation, vous avez déclaré me haïr et vouloir ne plus jamais poser votre regard sur moi.

Elle sourit faiblement.

— C'est que vous ne comprenez rien aux femmes, dit-elle en enfonçant les doigts dans son bras. Amusez-vous avec votre jouet si tel est votre désir, ajouta-t-elle avec impudeur. Mais je ne vous laisserai pas m'écarter de nouveau. Je suis la seule à savoir qui vous êtes en réalité. Nous sommes faits l'un pour l'autre, et il est temps de vous en souvenir.

Il l'attira vers lui, vaguement conscient du grondement sourd naissant dans sa poitrine. Il allait en finir maintenant. Il avait trop longtemps ignoré l'attachement insensé qu'elle nourrissait à son endroit. Victoria, les yeux écarquillés, l'observa, curieuse de voir ce qu'il allait faire. Un petit sourire de mépris ourla ses lèvres rouges. Elle l'avait mésestimé ; elle le mésestimait toujours.

— Par ici, ma chérie, dit une voix dans leur dos. Oh, je dis...

Archer se retourna et aperçut, dans le cadre de la porte, le jeune Hendren, sa dernière maîtresse au bras. Ils considérèrent Archer d'un regard exprimant à des degrés divers le dégoût et la crainte.

— Est-ce que nous vous interrompons ? demanda Hendren d'une voix dont il masquait à peine la raillerie.

Archer fut sur le point d'acquiescer et de leur ordonner de foutre le camp, mais Victoria se dégagea et quitta la pièce. Il serra furieusement les dents. Il n'arriverait pas à la rattraper; il le savait d'expérience. Il fusilla Hendren du regard, passa devant le couple et s'en fut réparer les dommages.

Il se lança à la recherche de Miranda en se fiant à son instinct, en se laissant guider par son pouvoir d'attraction. Enfin délivrés de Victoria, tous ses sens se tournèrent vers sa femme, vers son parfum, vers le halètement désemparé de son souffle qui lui parvenait au-dessus des bavardages et des accents discordants d'une valse.

Dehors, l'air était frais et pur; l'odeur du terreau et de la terre montait des plates-bandes bien entretenues du jardin tout près. Le sol de coquillages broyés crissa sous ses pas lorsqu'il descendit l'allée centrale, avertissant Miranda de sa présence. Debout sous un saule, elle se tourna vers lui, et sa chevelure somptueuse étincela comme une pièce de cuivre dans le clair de lune.

— Miranda.

Il tendit la main vers elle, souhaitant désespérément la prendre dans ses bras, la rassurer et, peut-être, se réconforter lui-même.

Les yeux écarquillés, elle se raidit lorsqu'il la toucha.

— Je suis navrée, dit-elle. Je n'avais pas l'intention…

Elle se mordit les lèvres et détourna le regard, honteuse. Le cœur d'Archer bascula dans sa poitrine. Il avait commis une faute. Il l'avait entraînée dans un univers sur lequel régnaient la mort et la dépravation. Ses bras frémissaient tant il désirait la protéger, pourtant il hésitait. Avait-il le droit de prendre Miranda entre ses bras alors que tout ce qu'avait dit Victoria était vrai ?

Le vent tourna et poussa quelques mèches de cheveux roux et soyeux sur la joue de Miranda. Il ne put se retenir de les remettre en place, laissant ses doigts s'attarder sur sa peau, mais quelque chose apporté par le souffle du vent l'arrêta. Il s'immobilisa et inspira. Une odeur nauséabonde et prenante de viscères coula comme de la boue dans sa gorge, qui se serra aussitôt. Miranda tressaillit en sentant la main d'Archer lui serrer convulsivement le bras.

Des nuages voilèrent la lune, puis s'en écartèrent. Sur le sol, à quelques pas derrière sa femme, Archer entrevit la forme contorsionnée d'un homme inerte sur lequel voletaient des feuilles mortes. Miranda lisait trop bien en Archer pour ne pas aussitôt se tourner comme si on avait lancé son nom. Un cri enfla dans sa gorge, mais mourut dès qu'elle aperçut ce qu'il avait vu — des pantoufles d'opéra en cuir verni étrangement de guingois, comme si leur propriétaire était ivre, des jambes minces dans un pantalon de qualité, un gilet blanc maculé d'une substance noire épaisse comme de l'huile, et la gorge de Lord Marcus Cheltenham béante dans la nuit. Archer la pressa étroitement contre sa poitrine, lui enfouit la figure dans le creux de son épaule et ferma les yeux. Toutefois, rien ne pourrait effacer de son esprit la vision du visage d'un blanc de craie de son ami, du sang jaillissant de sa bouche et de l'éclat doré d'une pièce du West Moon Club posée délicatement sur l'un de ses yeux.

Chapitre 11

Comme le signalait l'écriteau, la librairie était fermée pour le déjeuner. Sans en tenir compte, Miranda frappa à la porte de bois vert éraflée. Enfin, Archer avait dû se rendre à un rendez-vous avec son chargé d'affaires. Dès qu'il avait été hors de vue, Miranda, sans perdre de temps, s'était précipitée dans la voiture et avait mis les voiles. Ce n'était certes pas très courageux de sa part, mais néanmoins nécessaire. Dans sa poche, ses doigts se resserrèrent sur la pièce. Il fallait qu'elle sache. Et elle avait peur d'interroger Archer.

Poppy ouvrit au troisième coup, son regard perplexe allant de Miranda à la voiture attendant dans la rue.

— Eh bien, tu as fait en sorte d'arriver pour le déjeuner, dit Poppy en arquant un sourcil rouge feu. J'imagine que tu n'as pas envie de partager le repas d'une roturière ?

— Oh, tais-toi donc, Poppy, riposta Miranda en souriant. Sinon, je me verrai forcée de révéler que tu rêves en secret d'une culotte de satin bleu.

Une roseur éclatante jurant avec la chevelure cuivrée monta au visage de Poppy.

— Toi et Daisy avec votre foutue bouteille de porto volée. J'ai été malade toute une semaine.

Son expression sévère s'adoucit et elle adressa à Miranda un de ses rares sourires.

— Entre donc, Jézabel.

— Bonjour à toi aussi, dit Miranda en embrassant les joues que lui présentait sa sœur.

Au lieu de monter au logement de Poppy, elles entrèrent dans la librairie, qui était en réalité sa véritable demeure. Poppy avait huit ans de plus que Miranda, et elle s'était mariée jeune, à l'époque où leur père était riche et enclin à se montrer généreux. Elle avait de ce fait reçu une jolie dot lors de son mariage avec l'homme qu'elle aimait, le pauvre mais brillant Winston Lane. Les jeunes mariés s'étaient aussitôt empressés d'acheter la librairie. Lorsque Winston avait décidé de devenir policier, Poppy avait pris la direction de la boutique, et ce travail s'était vite transformé en passion dévorante.

Elles s'enfoncèrent dans la boutique fraîche et sombre, laissant derrière elles les nombreuses étagères d'acajou débordantes de bouquins. L'odeur de moisissure des livres se mêlait au parfum plaisant de la cire d'abeille et de l'huile d'orange. Un long comptoir d'acajou orné d'un plateau de verre était disposé au fond de la boutique, assez près des fenêtres pour bénéficier d'un minimum de lumière. Sur le plateau, un déjeuner léger posé sur un sac de papier brun attendait.

— Assieds-toi, ordonna Poppy en montrant du doigt un tabouret.

Elle passa derrière le comptoir et sortit deux tasses blanches ornées de fleurs bleues. Des soucoupes et des assiettes assorties suivirent. Tandis que Poppy tranchait le pain bis, Miranda souleva sa tasse pour l'examiner. Royal Copenhagen. Le service de porcelaine de leur mère. Ou ce qu'il en restait. Elle se rappelait vaguement avoir entrevu, par un jour d'été, peu après que leur père eut commencé à vendre leurs articles ménagers, Poppy sortir furtivement de la maison avec un gros carton plein d'objets disparates. La vue du service lui fit chaud au cœur.

— J'en ai encore quelques autres, dit Poppy en déposant des parts de fromage de tête et des œufs durs sur une assiette. Tu peux prendre un couvert, si tu veux, ajouta-t-elle en levant les yeux. J'ai oublié de t'offrir un présent pour ton mariage.

— Non, dit Miranda en reposant sa tasse afin que Poppy y verse du thé. Je suis contente que tu les aies.

À se retrouver ainsi assise, penchée sur le comptoir, en train de siroter du thé nature dans une tasse de l'ancien service de porcelaine de sa mère, elle sentit une pointe de nostalgie lui serrer le cœur. Poppy lui avait manqué plus qu'elle n'osait le reconnaître. Daisy aussi, à bien y penser.

Comme en réponse à son appel, la sonnette de la porte retentit. Elles relevèrent la tête de concert en entendant la voix familière de Daisy.

— Tu as oublié de verrouiller la porte, mon chou !

— Pitié, murmura Poppy en voyant venir vers elles une Daisy resplendissante dans sa tenue de satin rose ornée de boucles cramoisies.

— Miranda, Panda ! C'est vraiment toi ?

Le coin des yeux d'un bleu céleste de Daisy se releva tandis qu'elle traversait d'un pas vif la boutique pour venir embrasser Miranda.

Ses joues douces effleurèrent celles de Miranda, et le parfum familier de romarin et de jasmin enveloppa Miranda comme un câlin. Daisy recula d'un pas et releva les bras de Miranda pour mieux admirer sa nouvelle et élégante robe de jour taillée dans un taffetas bleu de Prusse.

— Manifestement, tu n'es plus la fille ordinaire que j'ai connue, ni celle engoncée dans ses volants comme une pivoine dans ses pétales dont père s'est débarrassée il y a près de deux semaines.

— Oh, arrête, dit Miranda en riant et en se dégageant.

— Tu déjeunes ? demanda Poppy en inclinant les sourcils d'un air menaçant.

Daisy lui donna un petit baiser sur la joue avant de jeter un œil sur le déjeuner posé sur le comptoir.

— Euh, non, dit-elle en plissant son petit nez. Je surveille ma ligne.

Elle ramassa sa traîne ondoyante et se laissa tomber sur un tabouret avec un léger plouf.

— Tu sais ce qu'on prétend. Les hommes aiment festoyer, mais une table trop remplie risque de leur couper l'appétit.

Sa main lissa sa poitrine généreuse.

— Je préfère qu'un homme soit affamé lorsqu'il passe à ma table.

Poppy grogna, mais Miranda éclata de rire.

— Ta grossièreté m'a manqué, dit-elle.

Daisy tira la langue et Poppy s'autorisa un petit sourire.

— En quel honneur es-tu ici, ma chérie ? demanda Poppy. Ce n'est pas que je n'apprécie pas ta compagnie — sa bouche tiqua —, mais la coïncidence est difficile à avaler.

Daisy retira ses gants de soie.

— Tu m'as démasquée. Je vous épie, dit-elle en roulant les yeux. Je passais dans le coin et j'ai vu la voiture de Miranda. Un bel attelage, à propos, mon chou. Je suis folle de jalousie. J'ai donc ordonné au cocher d'arrêter. Par ailleurs, cela m'évite d'aller retrouver le Lézard, n'est-ce pas?

Le mari de Daisy, M. Cyril Craigmore, en plus d'avoir trois fois l'âge de Daisy, était d'un ennui mortel et avait la figure aussi crevassée qu'un flanc de montagne — d'où son surnom de «Lézard». Que Daisy ait jugé l'homme dégoûtant n'avait guère impressionné leur père lorsque Craigmore avait fait sa demande. Le fait qu'il avait récemment perdu toute sa fortune et que Craigmore fut riche avait pesé un certain poids; son siège à la Chambre des communes n'avait pas nui non plus. Ce n'est que lorsque Craigmore avait carrément refusé de lui verser le moindre sou que leur père avait considéré Craigmore d'un autre œil.

— Alors, dit Daisy en écartant une boucle qui venait de tomber sur son sourcil, parle-nous de ton lord de mari. Quel effet cela te fait-il d'être la femme du «baron sanguinaire, de l'affreux Lord Archer»? Il ne t'a pas assassinée dans ton sommeil à ce que je vois.

La jovialité de Daisy s'altéra lorsque son regard croisa celui de Miranda.

— Oh, mon chou, je plaisantais, dit-elle en s'inclinant et en posant la main sur le genou de Miranda. Il va de soi qu'il n'est pas un assassin. Je l'ai su d'emblée.

Poppy n'en semblait pas aussi certaine, mais elle s'abstint de tout commentaire.

Miranda repoussa sa tasse.

— Et comment peux-tu en être aussi certaine?

Sa voix s'était altérée. Elle était tout près de fondre en larmes.

Daisy pencha la tête et étudia Miranda.

— Parce que tu ne t'es pas enfuie au milieu de la nuit, et que tu ne l'as pas réduit en cendres.

La bouclette était décidément récalcitrante. Elle retomba sur la joue de Daisy, qui l'écarta de nouveau.

— Tu es tout sauf soumise, mon ange.

Miranda eut un reniflement indigne d'une lady.

— Pour ce que tu en sais, il aurait pu m'assassiner dans mon lit dès la première nuit et mon pauvre corps être actuellement en train de dériver au fond de la Tamise.

Pour toute réponse, Daisy éclata d'un rire argentin.

— Dans un cas comme dans l'autre, nous saurions ce qu'il avait en tête, n'est-ce pas?

Miranda ne put s'empêcher de rire.

— Tu es épouvantable.

— Histoire de te rassurer, tu pourrais toujours lui montrer que tu es fort capable de te défendre, suggéra Daisy sans la regarder tout à fait.

— Non!

Le cri de Miranda se répercuta dans la boutique silencieuse. Elle inspira profondément.

— Il n'apprendra jamais *cela*. Et je ne l'emploierai jamais contre lui.

Elle y avait peut-être songé avant, mais plus maintenant.

— Non, cela va sans dire, murmura Daisy. Je n'aurais pas dû en parler.

Une grande chaleur déferla sur Miranda et alla se loger au creux de ses paumes. Miranda lutta contre la panique qui l'envahissait tandis que ses sœurs étudiaient ostensiblement leur tasse de thé. Leur vie avait été bouleversée à cause de la bizarrerie de Miranda, et pas pour le mieux. Elle enfouit ses mains dans ses jupes comme si elle avait voulu dissimuler une arme mortelle. Elle venait à peine d'apprendre à maîtriser le feu. Elle ne le laisserait pas s'échapper de nouveau. Il ne le fallait pas. *Je ne dois pas faire de mal à Archer de cette façon.*

Elle se rendit compte qu'elle avait parlé tout haut quand elle vit que Poppy la considérait pensivement.

— Il est donc gentil avec toi ?

Miranda s'obligea à ouvrir les mains, à penser à des choses fraîches, à calmer le jeu.

— Je n'ai pas à me plaindre à ce sujet.

Daisy se pencha en avant.

— Assez parlé de mort et de violence, dit-elle, le regard félin. Plongeons dans le vif du sujet. Et au sujet de ce qui se passe au lit, as-tu à te plaindre ?

Poppy renifla avec dégoût et Miranda se passa la langue sur les lèvres et souhaita avoir encore du thé.

Daisy eut un sourire suggestif.

— Évidemment, le masque est plutôt... énervant, mais j'avoue que le corps est — sa voix se transforma en ronronnement — excitant. Épaules larges et taille fine.

Ses courbes voluptueuses se trémoussèrent un peu sur le tabouret.

— Et assez grand pour culbuter aisément une femme.

— Daisy, la tança aigrement Poppy.

Daisy poursuivit avec un sourire digne du chat de Cheshire.

— Reconnaissez-le. Lord Archer a un corps plutôt admirable. Je serais prête à faire fi du masque pour chevaucher un tel corps. Comme cela doit être excitant de coucher avec un homme masqué.

— Bonté divine, Daisy Margaret !

Daisy ignora Poppy.

— Alors ? Je me trompe ?

Miranda lissa les fronces de l'un de ses volants. M. Falle réussissait fort bien les fronces. Peut-être lui demanderait-elle d'en mettre encore davantage à sa prochaine robe.

— Miranda…, insista Daisy sans baisser les yeux.

— Laisse-la donc tranquille. Ce n'est pas tout le monde qui s'intéresse aux rapports sexuels.

— Même toi, tu n'en crois pas un mot, mon chou.

Poppy rougit et regarda Miranda. Le fracas des voitures circulant sur Oxford Street envahit la boutique tandis que Miranda transpirait sous l'éclat dur de leurs regards inquisiteurs.

— Notre arrangement n'est pas de cette sorte, reconnut finalement Miranda.

Daisy en demeura proprement bouche bée.

— Pas de cette sorte ? répéta-t-elle. Pardonne-moi, chère sœur, mais quand un homme riche comme Crésus, un *baron* qui plus est, épouse une fille sans position ni fortune, la seule sorte d'arrangement qu'il souhaite est de pouvoir sauter chaque nuit sa ravissante jeune épouse.

Pour une fois, Poppy semblait d'accord avec Daisy.

— Je lui fais la lecture, mentit Miranda en désespoir de cause, les joues aussi brûlantes qu'un pain tout juste sorti du four.

Daisy renifla.

— La lecture. Quelle idée! Il n'est pas encore venu dans ton lit? demanda-t-elle comme s'il s'agissait d'une plaisanterie.

— Non, rétorqua sèchement Miranda d'une voix une peu trop forte.

Elle ne s'attendait pas à ce que la vérité l'humilie à ce point.

— Il me laisse à la porte de ma chambre chaque soir, puis gagne la sienne. Il satisfait peut-être ses besoins ailleurs. Je ne saurais dire.

— Ça, ma chérie, dit Daisy, c'est un mariage de la *haute*. Tu devrais t'en réjouir.

Non, c'est de la solitude, songea Miranda avec tristesse.

Elles gardèrent le silence un moment, puis Poppy se tourna vers son déjeuner. Comme si elles n'attendaient que ce signal, Daisy et Miranda l'imitèrent, Daisy sirotant délicatement son thé et Miranda s'efforçant d'avaler un sandwich dont son estomac ne voulait plus.

— Winston vient-il déjeuner? demanda Miranda pour rompre le silence embarrassé.

— Pas aujourd'hui, répondit Poppy en prenant une grosse de bouchée de son sandwich et en mastiquant vigoureusement. Tout le bureau travaille sur...

Ses joues pâles s'empourprèrent. Sa promotion au Bureau des enquêtes criminelles constituait pour Winston le couronnement de sa carrière et une source de fierté pour Poppy. Évidemment, le fait que Winston dirigeait une enquête importante ajoutait à leur bonheur.

Miranda reposa son sandwich.

— Est-ce la raison pour laquelle tu ne voulais que je vienne ici? Craignais-tu que les voisins disent à Winston que la voiture de l'affreux Lord Archer se trouve devant sa porte ?

Les sourcils roux de Poppy se joignirent en un seul trait.

— Si tu t'imagines que j'ai peur de mon mari, c'est que tu me connais bien mal.

Elle darda sur Miranda un regard courroucé, dans une attitude maternelle que Miranda avait exécrée tout au long de son enfance.

Miranda détourna les yeux.

— Je suis navrée, Poppy. J'ignore pourquoi… C'est que je suis si… Archer est… Il ne peut pas être l'assassin. Mais il est impliqué.

Elle tira la pièce de sa poche et la tendit.

— J'ai besoin de votre aide.

Hélas, contrairement à ce qu'espérait Miranda, les révélations n'affluèrent pas. Le West Moon Club ne figurait pas aux registres des clubs officiels. Il n'apparaissait pas non plus dans les vieux journaux, dans les livres portant sur l'histoire de Londres ni dans aucun des bouquins que Poppy alla chercher sur ses étagères. Non plus qu'un West Club ou un Club Moon. La lecture de ce qui avait été publié, jadis ou récemment, sur les deux victimes se révéla tout aussi infructueuse. Les hommes en question avaient mené aux yeux du monde une existence très ordinaire. À la fin de la journée, le fruit de leurs recherches se résumait à une montagne de livres et une pile de documents posés en équilibre instable sur le comptoir de Poppy.

— Je suis épuisée, s'écria finalement Daisy avec une petite grimace.

Poppy s'appuya au dossier de sa chaise en relevant d'un air déterminé ses épaules maigres sous sa chemise de coton.

— Je vais devoir y réfléchir davantage, déclara-t-elle en fixant d'un regard vitreux les livres étalés devant elle.

— Je crois qu'il faut aller enquêter sur le terrain, dit Miranda.

Le regard de Poppy faucha Miranda comme une serpe.

— Il n'en est pas question.

— Je suis tout à fait capable…

— Ce que tu *es*, coupa Poppy, c'est Lady Archer, le nouvel objet de curiosité de la bonne société. On te reconnaîtra sur-le-champ.

— Je peux me déguiser !

Poppy considéra Miranda avec insistance avant de hausser un sourcil roux.

— Essaie donc de me convaincre.

Miranda ne trouva rien de mieux à faire que de lui lancer un regard torve.

Contre lequel Poppy était blindée.

— Si l'on te reconnaît, tu ne réussiras qu'à amplifier le scandale et les soupçons qui accablent déjà Lord Archer.

— Elle a raison, mon chou, acquiesça Daisy. Tu ne ferais que jeter de l'huile sur le feu.

Les molaires de Miranda s'entrechoquèrent. Elle ne pouvait risquer d'exposer de nouveau le nom d'Archer au scandale. Mais elle se croyait plus habile à se travestir que Poppy et Daisy le pensaient.

Poppy sourit et lui tapota vivement le genou.

— Bien. Puisque cette question est réglée, il est temps que vous partiez. Il est presque l'heure de dîner — ou, pour vous, gens de la haute, de prendre le thé, je suppose.

Elles regardèrent par la fenêtre. Dehors, la lumière du jour avait cédé la place à une pénombre grisâtre, et l'allumeur de réverbères s'activait, sa longue perche se balançant sur son épaule tandis qu'il allait d'un lampadaire à l'autre. Il s'arrêta devant la vitrine et un halo doré illumina les carreaux.

— Zut, maugréa Miranda, en rangeant ses documents en une pile bien nette. Je dois partir, sinon Archer va se poser des questions.

— Il se fait du souci pour toi ? demanda Poppy avec une petite moue.

— J'ignore s'il se fait du souci…, dit Miranda en continuant à tripoter la pile de documents.

— Il le devrait. Tu es incorrigible.

— Évidemment qu'elle l'est, dit Daisy en lissant ses jupes. Je lui ai enseigné tout ce que je sais.

— Pas tout, heureusement. Laissez les papiers, mes chéries. Je les rangerai plus tard.

Sur le pas de la porte, Poppy les embrassa sur les joues comme il se doit.

— Faites attention à vous.

Quelque chose brûlait à l'intérieur de Miranda, de l'irritation, de l'effroi. Elle ne savait plus très bien.

— Il ne peut pas être un meurtrier.

— Tu l'as déjà dit, murmura Poppy. C'est ce que tu crois ou ce que tu espères ?

Chapitre 12

Comme pour Miranda espionner se résumait à se tapir derrière des portes closes ou à se dissimuler dans un petit coin, elle ignorait s'il lui serait facile de suivre Archer en ville le lendemain. En fait, ce fut assez simple.

En effet, il aurait été difficile de perdre de vue un homme d'une taille et d'une largeur d'épaules exceptionnelles portant un masque de carnaval noir et chevauchant un hongre gris. John Coachman — qui se trouvait là parce qu'il n'avait guère le choix, mais qui s'était drôlement renfrogné lorsque Miranda lui avait exposé son plan — n'avait en réalité qu'à se fier à la mine effarée des badauds qui faisaient office de morceaux de pain dans la forêt. Très vite, ils ne se trouvèrent plus qu'à quatre longueurs de voiture derrière Archer. Impatiente, Miranda étira le cou et sortit la tête par la fenêtre autant qu'elle osa. Archer, la tête haute, regardait droit devant, l'assiette à la fois légère et solide. Il fendait la foule, apparemment inconscient de l'émoi qu'il causait. À le voir ainsi, le cœur de Miranda se serra. Il avait le regard trop vif pour ne pas voir les imbéciles qui, bouche bée, le fixaient grossièrement sans avoir la décence de le laisser déambuler en paix.

Malheureusement, la circulation sur Piccadilly les piégea, et Archer disparut dans la cohue d'omnibus, de charrettes et de calèches.

— Zut !

La voiture s'arrêta en grinçant, et Miranda abattit le poing sur le siège et se cala contre le dossier en expirant avec colère.

Un troupeau de moutons passa près d'eux, en se dandinant et en laissant dans leur sillage un relent âcre d'urine et de lanoline, et leur bêlement plaintif envahit la voiture. Miranda pesta encore, s'attendant presque à ce qu'une vache glisse son museau humide par la portière.

La tête blonde de John Coachman parut dans la fenêtre pratiquée derrière son siège.

— Ça va, madame. Il est au British Museum, j'en suis sûr.

— Comment pouvez-vous en être sûr ? demanda Miranda, ragaillardie.

— Depuis qu'il est à Londres, répondit-il en plissant ses yeux bruns, il y va chaque mercredi.

— Chaque…

Elle serra les dents pour s'empêcher de hurler.

— Dans ce cas, pourquoi ne me l'avez-vous pas tout simplement dit lorsque je vous ai demandé de suivre Lord Archer ?

— Mais, milady, répondit-il le plus sérieusement du monde, vous m'avez demandé de suivre Lord Archer, pas de vous informer de ses habitudes.

Autour d'eux, les voitures se remirent à avancer et John releva la tête.

— On y va, dit-il vivement en refermant la fenêtre.

Les chevaux firent une embardée, puis reprirent leur course d'un bon pas.

La colère de Miranda s'apaisa lorsqu'ils s'arrêtèrent devant le British Museum. Après avoir ordonné à John de l'attendre, elle pénétra dans l'imposant édifice principal de style néoclassique, calme et frais. Un guide s'empara de sa mante et l'informa que l'on présentait actuellement des expositions extraordinaires dans les galeries un et deux. Miranda, qui n'était jamais venue au musée, ne s'était pas aperçue à quel point l'endroit était vaste. Elle désespéra d'y trouver Archer. Malheureusement, lorsqu'elle interrogea d'un air détaché le guide corpulent, celui-ci se contenta de hausser ses sourcils blancs et broussailleux.

— L'intimité de nos visiteurs est sacrée pour nous, madame. Je suis certain que je serais démis de mes fonctions si je ne la respectais pas.

Sa mine sévère s'adoucit brièvement.

— Il se pourrait cependant que vous jugiez bon d'aller admirer les tableaux du préraphaélisme qui sont exposés au salon rouge. Je vous assure que vous les jugerez des plus édifiants.

Elle trouva Archer au milieu du salon rouge par ailleurs vide.

Au lieu d'y entrer, Miranda resta dans le couloir, blottie derrière la porte. Pendant un long moment, Archer demeura immobile, le regard fixé sur un portrait fixé au mur. Elle n'osait pas tendre le cou pour voir de quoi il s'agissait, mais quelque chose dans la façon dont Archer inclinait la tête et voûtait les épaules exprimait de la nostalgie et de la solitude.

— Bien que ravissante, cette robe ne passe certes pas inaperçue.

En entendant Archer prendre soudain la parole, Miranda hoqueta, et les battements de son cœur s'interrompirent brièvement avant de reprendre follement. Elle se maudit d'avoir cédé à l'attrait d'un satin duchesse beurre frais dont l'encolure était ornée d'un grand col d'organza amidonné de couleur bronze.

— Comment avez-vous su que j'étais là ? dit-elle en s'avançant à côté de lui.

Archer gloussa en silence sans toutefois quitter des yeux le tableau montrant une voluptueuse jeune fille, une rose jaune à l'oreille. Sa bouche semblable à un bouton de rose semblait douce et souple, et ses yeux rêveurs regardaient au loin. Sa chevelure d'un rouge flamboyant, séparée au milieu par une raie, ruisselait telles deux ailes de feu sur ses épaules.

— *La Bocca Baciata.*

La voix grave d'Archer roulait sur ces mots italiens comme une vague. Sa prononciation était parfaite. Miranda se souvint que son second prénom était Aldo. Il y avait sûrement du sang italien dans ses veines.

Il se déplaça derrière l'épaule droite de Miranda qu'il dominait de sa haute taille.

— Vous auriez dû louer un fiacre, dit-il. Couvrir votre chevelure flamboyante d'un chapeau plus large et moins joli, vous asperger généreusement de parfum pour masquer votre fragrance naturelle…

— Ça va, j'ai compris. Vous vous êtes suffisamment moqué de mes lacunes en tant qu'espionne, merci.

Elle plissa les lèvres, le regard braqué sur le tableau.

Il eut un petit rire amusé, mais ne dit rien de plus. Miranda le regarda du coin de l'œil. La mélancolie l'enveloppait tel un linceul.

— Pourquoi venez-vous ici chaque mercredi, Archer?

Pendant un moment, elle crut qu'il n'avait pas entendu sa question formulée d'une voix basse, mais il releva finalement les épaules avec un soupir discret.

— Je venais ici avec ma mère. Lorsque j'étais enfant.

Ses yeux gris se tournèrent vers elle.

— L'art l'apaisait.

Il reporta son attention sur les tableaux.

— Désormais, c'est moi qu'il apaise.

Ils gardèrent le silence pendant un moment, puis il lui prit le coude et la mena à l'extérieur de la galerie. Il semblait calme, mais son pas rapide démentait cette attitude. Une fois de plus, elle regretta de ne pas voir son expression et éprouva un violent accès de haine à l'endroit du masque intégral et rigide qu'il portait. Il était beaucoup plus complexe que ce qu'il choisissait de montrer au monde. Bon sang, Victoria avait bien vu ce qui se cachait sous ce masque; pourquoi pas elle?

— Où me conduisez-vous? demanda Miranda.

— Il me semble que c'est évident.

Elle le considéra avec impatience et il inclina courtoisement le buste.

— Comme vous êtes manifestement en train de périr d'ennui, je considère qu'il est de mon devoir de vous divertir.

Elle ouvrit la bouche, mais la referma promptement lorsqu'un couple vêtu avec élégance les croisa en détournant résolument le regard d'Archer.

Archer lui fit emprunter un nouveau couloir menant à la collection zoologique.

— Vous ne m'avez pas demandé pourquoi je vous suivais, dit-elle lorsqu'ils se retrouvèrent seuls.

Ils s'arrêtèrent devant une vitrine pleine de scarabées.

— Vous le demander impliquerait que j'ignore la réponse, dit-il en la regardant. Vous me suivez parce que vous êtes la créature la plus entêtée, la plus impétueuse et la plus franchement curieuse que je connaisse.

Les lèvres de Miranda laissèrent échapper une grossièreté, et le coin des yeux d'Archer se plissa. Elle se détourna et s'absorba dans la contemplation d'une planche de papillons.

Le soupir résigné d'Archer les sortit de l'impasse.

— Entendu, je vais jouer le jeu. Pourquoi me suivez-vous ?

En dépit de son badinage, sa voix trahissait une pointe d'irritation.

— À cause des meurtres de pairie, dit-elle sans réfléchir.

Avant de faire la connaissance d'Archer, elle n'aurait pas cru que l'immobilité puisse être explosive. Derrière le masque noir tourné vers elle, les yeux étaient froids comme de l'étain, et la vaste poitrine d'Archer était dure comme de la pierre. Le cœur de Miranda se serra d'effroi. Quelle idée avait-elle eu d'entamer cette conversation ? Sa curiosité finirait par la perdre.

— Vous croyez que j'ai quelque chose à y voir, dit-il d'une voix égale, mais au timbre effroyable.

— Non ! s'écria-t-elle en s'agrippant à la poignée de son ombrelle. Non. Mais tout le monde formule des suppositions fondées sur votre apparence, et ces théories biaisées m'exaspèrent. On devrait établir la culpabilité ou l'innocence de quelqu'un en s'appuyant sur des preuves et non pas sur les ouï-dire.

Le bras d'Archer frôla le sien lorsqu'il passa devant elle.

— Donc, votre curiosité sans bornes vous ordonne d'établir mon innocence, dit-il par-dessus son épaule. Ou cherchez-vous la preuve de ma culpabilité?

Miranda hâta le pas pour le rattraper.

— J'aime à croire que vous êtes innocent.

— Pourquoi? Vous craignez de perdre la sécurité que vous procurent mes revenus?

— *Nos* revenus.

Il laissa échapper un reniflement méprisant.

— Il vous serait plus avantageux, en ce cas, de me voir me balancer au bout d'une corde et d'en profiter sans partage, ma chère.

— Oh, pour l'amour du ciel! s'écria-t-elle en martelant avec emphase le sol de la pointe de son ombrelle. Je ne peux croire que ce soit vous.

— Et pourquoi cela?

— J'ai mes raisons.

Il s'arrêta brusquement et la darda du regard.

— Quelles sont-elles?

Elle soutint son regard.

— Il me semble que c'est à moi de vous le demander. Avez-vous une raison de vous montrer si évasif, Archer? Ou prenez-vous tout bonnement plaisir à me rendre folle?

Archer avança le menton d'un air combatif.

— Je ne devrais pas être obligé de m'expliquer à mon épouse.

— Et je ne devrais pas être obligée de demander à mon époux de s'expliquer. Pourtant, nous en sommes là.

Un rire gronda sous le masque.

— Nous sommes dans la merde.

— Dans la merde? D'où sortez-vous cette expression?
Du Nouveau-Monde?

— En effet. Les dix années que j'y ai passées m'ont
corrompu la langue.

Elle pencha la tête en s'efforçant de ne pas sourire. Ils
bifurquèrent et se retrouvèrent dans le lumineux escalier
principal. Elle le regarda et vit qu'il l'observait.

— Je ne vous le demanderai qu'une seule fois, Archer.
Quelle que soit votre réponse, je vous croirai.

Il ralentit le pas avant de s'arrêter tout à fait.

— Pourquoi? dit-il d'une voix qui était à peine un
souffle dans le silence. Pourquoi m'accorder votre confiance, sachant qu'il s'agit une chose fragile que l'on brise
facilement?

— Peut-être que lorsqu'on vous l'accorde facilement, il
devient ainsi plus difficile de la briser.

Il poussa une petite exclamation incrédule.

— Il est facile de mentir, belle Miranda. Je puis vous
l'assurer.

— Très drôle. Mais je ne crois pas que vous soyez un
menteur.

Elle se tourna pour lui faire face, ce qui eut malheureusement pour effet de la pousser trop près de son corps
ferme. Ne pouvant reculer sans attirer l'attention, elle poursuivit en feignant de ne pas en être affectée.

— Vous dissimulez bien des choses, Archer. Mais vous
ne mentez pas. Pas lorsqu'on vous pose une question directe,
du moins.

La poitrine large d'Archer frôla la sienne lorsqu'il s'inclina vers elle.

— Vous rassemblez des bribes de ma personne, n'est-ce pas ?

Sa voix était onctueuse comme du caramel chaud, elle coulait sur la peau de Miranda, la réchauffait.

— Un morceau de ci. Un morceau de là. Bientôt, vous me poserez sur la table et tenterez de me reconstituer.

Faisant fi des frémissements agitant son ventre, elle demeura imperturbable.

— Je n'ai trouvé que les coins. Mais c'est un début.

Un souffle chaud lui effleura le cou.

— Je crois que vous possédez aussi la pièce centrale.

Sans laisser à Miranda le temps de lui répondre, il enchaîna.

— Non. Je ne les ai pas tués.

De soulagement, les épaules de Miranda se détendirent. Elle n'osa pas sourire. Pas encore.

— Si vous saviez qui l'a fait, me le diriez-vous ?

Cette fois, Archer s'esclaffa soudainement et bruyamment.

— Pas si je pouvais faire autrement.

La colère gagna Miranda lorsque, allongeant la main, il tira doucement une boucle de cheveux retombant sur son cou.

— Je sens que vous aimez les ennuis. C'est une disposition que je ne souhaite pas encourager.

Chapitre 13

Miranda décida de rejeter de son esprit le sujet déplaisant qu'étaient les meurtres. Elle passerait un moment agréable avec Archer, si ce n'était pour son propre bien, du moins pour le sien. Et, curieusement, ils passèrent une journée fort agréable. Le musée était immense; ses collections, vastes et magnifiques.

Voyant qu'il se faisait tard et que la plupart des visiteurs rentraient chez eux, Archer glissa une somme d'argent indécente dans la main du gardien afin qu'il leur permette de flâner à leur aise dans les étages supérieurs. Miranda en fut heureuse. Cette journée passée en public en compagnie de son mari l'avait rendue péniblement consciente de ce qu'était la vie de celui-ci. Comprenant ce que cette journée lui avait coûté, elle sentit son cœur se gonfler de tendresse.

Ils s'arrêtèrent pour admirer les sculptures grecques dans l'une des galeries supérieures, et elle se tourna vers lui dans l'intention de lui exprimer sa gratitude.

— Pourquoi ne m'avez-vous pas quitté? lança Archer, interrompant le cours de ses pensées.

— Que voulez-vous dire?

Mais elle le savait. Sa gorge s'assécha et se serra douloureusement. Comment lui dire ce qu'elle ne s'était pas encore avoué à elle-même ?

Ils étaient debout, seuls, dans un petit renfoncement face à une frise ancienne. Il désigna de la main les escaliers d'où leur parvenait la rumeur des visiteurs quittant le musée.

— Ils sont tous persuadés que je suis un meurtrier.

Il caressa du doigt la balustrade près de lui, observa son mouvement.

— Une fascination morbide incite les gens à me tolérer. Mais vous...

Archer releva la tête sans toutefois se tourner vers elle.

— Pourquoi n'êtes-vous pas partie ? Pourquoi me défendez-vous ? Je... je ne me l'explique pas.

— Vous ne comprenez pas qu'une personne puisse se porter à votre défense lorsque cela est nécessaire ?

— Non. Pas du tout.

Sa conviction tranquille bouleversa Miranda.

— Je vous l'ai dit, Archer, je ne vous condamnerai pas sur la seule foi de votre apparence.

L'immobilité d'Archer semblait altérer l'air les entourant, étouffer les bruits.

— Allez, Miranda. Vous avez entendu les propos de l'inspecteur Lane.

Miranda hoqueta de surprise, mais il poursuivit.

— Sir Percival a prononcé mon nom juste avant d'être assassiné. Un domestique a vu un homme vêtu comme moi quitter la scène. Tout ceci est très accablant. Pourquoi n'êtes-vous pas partie alors ?

Le sang de Miranda lui battait violemment aux oreilles.

— Comment saviez-vous que j'étais là ?

Il émit un son léger, peut-être un rire, et sombra dans le silence. Manifestement, il ne lui répondrait que si elle répondait d'abord. Qu'il en soit donc ainsi. Elle le dirait.

— C'était vous. Ce soir-là. Dans la ruelle, l'homme qui s'est porté à mon secours.

Il demeura parfaitement immobile, comme s'il s'était transformé en bloc de glace.

— Oui.

Elle expira doucement.

— Que faisiez-vous là ?

Archer la considéra calmement, homme d'acier attendant de voir dans quelle direction elle prendrait la fuite.

— Pour faire ce que vous soupçonniez alors. Pour tuer votre père.

Elle le savait, mais qu'il l'avoue lui causa un choc.

— Mais pourquoi ? Que vous avait-il fait ?

— Un mal considérable.

Elle se mordit la langue pour s'empêcher de pester contre sa réticence.

Entre eux, le silence se prolongea jusqu'à ce qu'Archer reprenne la parole, d'une voix basse et contenue, mais légèrement déconcertée.

— Je viens de vous avouer avoir souhaité tuer un homme, *votre* père. Ne vous demandez-vous pas s'il se pourrait que j'en tue un autre ?

Elle soutint son regard sans faiblir.

— Que vous en soyez capable, certes. Mais que vous l'ayez fait, non. Tout comme vous n'avez pas tué mon père lorsque vous en avez eu l'occasion.

Il cilla. D'étonnement ? De culpabilité ? Elle attendit pendant ce qui lui sembla être une éternité.

— Vous m'avez donné votre parole, Archer, je ne la mettrai pas en doute.

C'était la vérité. Mais pas toute la vérité.

— Je ne m'enfuirai pas.

Le tissu laineux de la redingote d'Archer effleura le marbre dans un doux murmure lorsqu'il se tourna pour lui faire face. Elle lui rendit son regard, vulnérable pendant un bref moment de désarroi. Il la considéra avec chaleur. Il comprenait. Après une courte inspiration, il prit la parole d'une voix sourde et frémissante.

— Vous n'avez pas idée de l'effet que vous me faites.

Les mots l'atteignirent en plein ventre. Elle ferma les yeux et déglutit.

— Si vous entendez par là avoir l'impression de naviguer dans des eaux inconnues, sans savoir si l'on va ou si l'on vient…

Elle baissa les yeux sur sa chemise, observa que son souffle s'accélérait.

— Dans ce cas, milord, j'ai bien peur que vous ayez le même effet sur moi.

Un silence paisible les enveloppait, troublé uniquement par le léger halètement de leurs souffles mêlés. Très lentement, il leva la main et, à la pensée qu'il puisse la toucher, elle sentit une vague de chaleur déferler sur elle. Mais sa main alla se poser sur le masque rigide qui lui recouvrait le visage. Le masque se détacha dans un léger craquement et le chuintement du souffle libéré d'Archer. La lumière se répandit sur ses traits, et Miranda se figea.

— Ma figure est-elle devenue toute bleue ? demanda-t-il doucement en la voyant plantée là, la bouche ouverte comme celle d'un aiglefin.

Ses lèvres s'étirèrent comme s'il s'amusait de sa plaisanterie.

Ses lèvres. Elle les regardait, sous le choc. Elle pouvait les voir. Sous le masque de carnaval, il portait un demi-masque de fine soie noire. Il adhérait à son visage comme une seconde peau, révélant les contours de son front haut, de son nez fort et de sa mâchoire carrée. Le masque recouvrait presque entièrement le côté droit de sa figure, longeait sa mâchoire et s'enroulait autour de son cou. Mais du côté gauche... Le bout de son nez, sa joue, sa mâchoire, son menton et ses lèvres étaient nus.

Le choc de voir cette chair si humaine sidéra Miranda. Il avait le teint basané, preuve d'une ascendance méditerranéenne. Comment cet homme réussissait à avoir la peau bronzée constituait un grand mystère pour elle. Il avait dû se raser avant son départ, car sa joue était lisse. Il soignait son visage alors que jamais personne ne le voyait. Une vraie pitié.

Une petite fossette creusait son menton. Ce furent ses lèvres, toutefois, qui attirèrent encore une fois l'attention de Miranda. Elles étaient fermement sculptées ; sa lèvre inférieure robuste demandait presque à être mordue. La lèvre supérieure, plus large que la lèvre inférieure, s'étirait légèrement et semblait exprimer un amusement perpétuel. Des lèvres romaines. Elle n'aurait pas cru...

— Si vous demeurez ainsi la bouche ouverte, des insectes finiront par y entrer.

Elle observait avec fascination le mouvement de ses lèvres, stupéfaite d'entendre la voix riche et familière en sortir. Une commissure se releva.

— Allez-vous me fixer ainsi toute la journée ? Devrais-je commander un portrait afin que vous puissiez le contempler ?

Elle leva le regard vers ses yeux profondément enfoncés aux paupières lourdes, bien qu'enduits d'une sorte de fard noir, de khôl peut-être. Pas un seul bout de la couleur naturelle de sa peau n'était visible autour de ses yeux. Néanmoins, les prunelles grises d'une profondeur insondable exprimaient de la douceur. Son regard vous aspirait et vous laissait songeur.

— Oui, dit-elle.

La mâchoire d'Archer frémit.

— « Oui », vous allez me fixer ? Ou « oui », vous voulez mon portrait ?

En dépit de son ton taquin, il demeurait étonnamment immobile, comme s'il s'attendait à ce qu'elle le morde.

— Oui, je vais vous regarder, répondit-elle d'un ton vif.

— Pourquoi êtes-vous fâchée ? Vous avez déclaré ne pas aimer le masque. Je vous présente mon autre visage.

— Vous vous êtes promené partout avec ce masque terrible sur le visage, faisant naître dans mon esprit des visions d'horreur et… et…

La main de Miranda cingla l'air devant la figure d'Archer.

— Et tout ce temps, vous auriez pu ne porter que ceci.

Il serra les lèvres sans toutefois parvenir à les faire disparaître tout à fait.

— Qu'est-ce qui vous fait croire que ce masque-ci ne cache aucune vision d'horreur ?

— Il n'est pas question d'horreur, rétorqua-t-elle. Il est question de subterfuge.

Archer haussa les sourcils sous son masque.

— Ces masques de carnaval doivent à tout le moins être très inconfortables. Mais enfin, ils vous empêchent de manger et de boire !

Il croisa les bras sur sa poitrine et détourna le regard.

— Pourquoi, Archer ? Pourquoi vous fermez-vous ainsi au monde ?

Pendant un moment, elle crut qu'il ne lui répondrait pas.

— Je ne veux pas inspirer la pitié, dit-il en fixant le visage austère du centaure grec devant eux. Je préfère inspirer la crainte.

Sa voix était celle d'un spectre, hanté et solitaire. Miranda serra les poings pour ne pas tendre la main vers lui. Elle comprenait. Au fond d'elle-même, elle savait qu'elle préférait pour sa part qu'on voie sa beauté et non sa souffrance. Il l'avait piquée au vif en déclarant que sa beauté était une façade, parce que c'était vrai.

— Et moi, Archer ? murmura-t-elle. Vous souhaitez également m'inspirer la crainte ?

— Non, s'écria-t-il avant de se raidir. Je préfère que vous vous représentiez toutes sortes de visions d'horreur plutôt que de vous voir examiner mon visage en vous imaginant qu'il se pourrait qu'un homme normal se trouve sous ce masque.

Elle rougit violemment. C'était en effet ce qu'elle avait commencé à s'imaginer.

Il releva le menton, et la flamme vacillante d'une lampe à gaz caressa l'angle accusé de sa mâchoire et les méplats de ses joues.

— Parce qu'il n'y en a pas. Je ne suis pas assez tordu pour porter cette chose si j'étais entier et intact.

Il jeta un coup d'œil en direction de l'escalier comme si son plus cher désir était de fuir.

— Nous devrions peut-être partir. Il se fait tard.

Il fit le geste de remettre son masque, mais la main de Miranda lui agrippa le bras.

— Non, dit-elle doucement.

Sous sa main, les muscles se durcirent comme du granite, pourtant il ne se dégagea pas. Il se pencha sur elle, ses traits nouvellement exposés impénétrables, d'autant que Miranda n'avait pas encore appris à en interpréter les subtilités. Pendant un moment, privée du grondement sourd de sa voix, Miranda eut l'impression, n'eût été son odeur et sa silhouette familière, de se trouver devant un inconnu.

— Vous m'avez surprise, Archer. Rien de plus. Je n'aurais pas dû vous critiquer.

De son pouce, elle caressa distraitement l'étoffe de sa redingote. Elle se força à arrêter.

— Je vous remercie. Je suis heureuse que vous m'ayez offert ce cadeau.

Rougissante et incapable de croiser son regard un instant de plus, elle le lâcha. Le silence d'Archer était presque insupportable, mais elle ne pouvait pas l'abandonner. Elle lui avait promis de rester. Elle agrippa la balustrade froide en espérant que cela l'aiderait à rester en place.

Il soupira, se détendit et posa sa main près de la sienne.

— Je vous ai sentie, murmura-t-il. C'est ainsi que j'ai su.

Elle releva la tête, et l'univers sembla se refermer sur eux.

— Je vous sens, dit-il, que vous me suiviez dans les rues de Londres ou que vous vous dissimuliez derrière le paravent de ma bibliothèque.

Ses mots avaient la douceur d'un ruban d'étamine; ils lui caressaient la peau, frémissaient à l'intérieur d'elle.

Sur la balustrade, ses doigts se déplièrent et se tendirent vers les siens. Le bout de leurs doigts se toucha, et, tel un courant électrique, ce contact produisit entre eux des étincelles.

Archer lui effleura doucement les doigts.

— Je vous sens. Comme si un lien invisible nous unissait. Je vous sens ici, dit-il en se touchant la poitrine. Dans mon cœur.

Le battement affolé de son sang empêchait Miranda de penser. Elle déglutit avec difficulté.

— Je vous sens aussi.

Il inspira vivement.

Miranda se rapprocha, plus près de la chaleur de son corps, là où ses sens s'éveillaient — près de lui.

— Je vous sens ici, dit-elle en posant à son tour une main tremblante sur sa poitrine.

C'était à la fois un aveu et la raison pour laquelle elle n'était pas partie.

Les coins de la bouche sensuelle d'Archer tressaillirent. Il avança ses jambes dans les plis de ses jupes et ils ne furent plus séparés que par la largeur d'une main. Elle sentit les jambes d'Archer se tendre, comme s'il rassemblait son courage. Il leva la main.

Elle la regarda venir vers elle. Les larges épaules d'Archer bloquaient la lumière entrant par la fenêtre derrière lui. Le renflement de ses seins s'élevait et redescendait rapidement au-dessus de son corsage. Il la toucha doucement, effleurant du bout du doigt le galbe de son sein gauche, et elle haleta.

— Là ? demanda-t-il d'une voix rauque.

Un sourire timide se dessina sur les lèvres de Miranda qui, soudain emplie d'un fragile espoir, se sentit prise de vertige.

— Là.

Le cuir souple remonta jusqu'à son cou tel une langue de feu. Archer observait ses doigts, la bouche dure, le regard presque furieux. Puis, comme pour relever un défi, il pencha la tête. Le souffle de Miranda s'affola dans sa poitrine, captif de son corset. Incapable d'en supporter davantage, elle ferma les yeux.

Des lèvres douces se pressèrent sur son sein, en une caresse aussi légère que celle d'une plume, qui lui décocha néanmoins une flèche en plein cœur.

— Archer.

— Miri.

Son souffle brûlait sa peau délicate.

— *Sono consumato.*

Lentement, très lentement, ses lèvres suivirent le chemin de ses doigts. Elles remontèrent la courbe de ses seins jusqu'au creux situé au-dessus de la clavicule. Elles ne la touchaient pas vraiment, elles lui effleuraient à peine l'épiderme. Son souffle chaud affluait, puis refluait comme une vague sur sa chair qu'il explorait langoureusement sans se presser.

— Je suis consumé par le feu, chuchota-t-il contre son oreille, et elle frémit. Par toi.

Ses lèvres douces glissèrent sans hâte sur la ligne de sa mâchoire, vers sa bouche qui attendait. Elle pressa les paupières. Elle n'en pouvait plus. Elle brûlait de fièvre. Seule sa bouche la touchait. Mais, oh, quelle bouche ! Sa progression paresseuse, mais régulière vers ses lèvres lui faisait perdre tous ses moyens.

Archer posa les lèvres au coin de sa bouche, lui effleurant les cheveux du bout du nez. Un impressionnant faisceau de nerfs était concentré sur cette minuscule surface de chair. Un seul frôlement lui donnait le vertige.

Archer s'immobilisa, aussi frémissant qu'elle. La pointe de ses seins se frotta doucement contre sa poitrine lorsqu'elle tenta de reprendre son équilibre. Un désir liquide déferlait dans ses veines comme du métal en fusion. Elle aurait voulu bouger, agir sans réfléchir, écraser ses lèvres sur les siennes et les prendre, presser son corps contre le sien et apaiser enfin le feu intolérable entre ses cuisses. Elle n'en fit rien, se contentant de se cramponner à sa jupe comme à une bouée lorsqu'il posa ses lèvres entrouvertes juste au-dessus des siennes.

Son souffle haletant se répandait en elle telle une douleur. Allait et venait. Il ne l'embrassa pas tout de suite, mais laissa ses lèvres frôler les siennes comme s'il savait, tout comme elle, ce qui arriverait si leurs lèvres se touchaient. Elle en voulait davantage. Elle voulait le goûter. Tremblant de tous ses membres, elle avança un peu la langue entre ses lèvres entrouvertes. Archer fit de même. Leurs langues se touchèrent.

Miranda laissa échapper un cri étranglé, le bout soyeux et humide de la langue d'Archer lui transperçant le ventre telle une flèche de feu. Archer poussa un gémissement presque douloureux. Leurs langues se rétractèrent brièvement. Puis.

Elle se passa vivement la langue sur les lèvres. Et trouva la sienne. Le bruit de leur souffle lui emplit les oreilles tandis que leurs langues se caressaient, se retiraient, se retrouvaient, se découvraient. Chaque petit coup de langue, chaque glissement humide, semblait toucher le centre de son sexe, jusqu'à ce qu'il se mette à vibrer et devienne si brûlant qu'elle craignit de se consumer.

Leurs lèvres ne se mêlaient jamais, mais jouaient avec cette possibilité. Ce n'était pas un baiser. C'était bien pire. C'était de la torture. Et que Dieu lui pardonne, elle en voulait davantage.

Leur souffle se fit haletant. Miranda griffa presque violemment ses jupes de ses doigts. Archer glissa sa langue plus profondément, franchissant ses lèvres tel un éclair, envahissant sa bouche l'espace d'un moment insoutenable. Miranda gémit, ses genoux se dérobèrent. La grande main d'Archer se referma sur sa nuque, dure et impatiente. Il allait l'embrasser, la prendre. *Maintenant.* Le corps de Miranda appelait cette douce délivrance de toutes ses forces.

Cessant brusquement de l'embrasser, il l'attira brutalement contre sa poitrine ferme. Désorientée, Miranda sentit son cœur remonter dans sa gorge, ses sens chavirer, mais elle entendit tout à coup quelque chose frapper le mur dans son dos avec un bruit sourd. Elle se figea, haletante, le nez enfoui dans les plis noirs du manteau d'Archer pendant un moment qui lui sembla sans fin.

Archer jura furieusement, puis se détacha d'elle, l'abandonnant sur ses jambes vacillantes. Elle se redressa vivement et vit qu'il fouillait l'endroit du regard, le corps tendu comme un ressort. Mais le long mur dans leur dos était vide. Il tourna lentement les yeux vers le mur devant eux. La poignée argentée d'une dague profondément fichée dans le plâtre oscillait encore sous l'impact.

Le souffle d'Archer s'accéléra et ses yeux se réduisirent à deux fentes. Il était évident que la dague avait été lancée avec une grande violence. S'il n'avait pas réagi aussi vite, c'est dans le dos de Miranda qu'elle se serait profondément enfoncée.

— Que diable ? siffla-t-elle, le cœur battant, d'une voix que l'incrédulité et la terreur faisaient trembloter.

Elle sursauta en entendant un ricanement dément résonner derrière eux, dans le couloir désert. Ce rire n'était pas celui d'une femme ni d'un homme — c'était celui du diable en personne. Des pas retentirent à l'autre extrémité de la galerie, au bout du couloir envahi par l'obscurité.

Archer lui pressa l'épaule.

— Restez ici.

Il se mit à courir. Empoignant son ombrelle d'une main et ses jupes de l'autre, elle le suivit. Le long couloir tournait à droite, et s'ouvrait sur le grand hall et l'escalier conduisant aux galeries de l'étage inférieur et à la cour principale. Le diable s'y dressait, immobile, au sommet de l'escalier de marbre. Il releva la tête et le cœur de Miranda bondit. N'eût été le fait qu'il était plus court, il aurait pu être le jumeau d'Archer. Le scélérat portait un costume noir, et un masque de carnaval également noir lui couvrait entièrement le visage.

— Diantre ! s'exclama Archer.

L'homme lui adressa un salut moqueur, puis tourna les talons et dévala l'escalier. Se précipitant vers la haute balustrade de marbre, ils trouvèrent l'escalier vide ; le scélérat s'était volatilisé comme par magie.

— Enfer et damnation, s'écria Archer avant de saisir le poignet de Miranda. Restez ici. Je reviendrai vous chercher.

Son ton n'invitait pas à la discussion, mais sa main était douce.

— Restez ici.

Sans lui laisser le temps de protester, il agrippa la rampe, sauta d'un bond par-dessus la balustrade et atterrit dans l'escalier.

Chapitre 14

— **A**rcher!

Miranda se pencha sur la rampe à temps pour le voir atterrir trois étages plus bas avec l'agilité d'un chat, puis s'éloigner en courant.

— Dieu tout-puissant, souffla-t-elle.

Relevant ses jupes plus haut que les convenances ne l'autorisaient, elle dévala à son tour l'escalier, et le bruit de ses talons frappant le sol se répercuta entre les murs de marbre. Sa seule piste était celle des piétons courroucés regardant dans la direction qu'avait prise Archer après les avoir bousculés.

Dehors, le crépuscule teintait les rues d'une lueur oscillant entre le violet et le noir. Elle s'arrêta pour reprendre son souffle et fouilla la foule du regard. Un fiacre fit une violente embardée, et son conducteur invectiva un passant d'un «prenez garde à vos fichues fesses!». *Archer*. Elle dévala les marches du portique, se faufila entre les marchands et les fiacres. Mais Archer s'était volatilisé.

Saisissant du coin de l'œil le battement rapide d'une basque, elle bifurqua et s'élança dans une rue étroite, qui se tortillait et tournait en tous sens comme une fissure dans du vieux granite.

Les pavés durs lui blessaient la plante des pieds, et les talons de ses bottes martelaient bruyamment le sol à chacun de ses pas. De la boue et du crottin lui éclaboussaient les tibias, et l'odeur des eaux usées lui empuantissait les narines. Le souffle coupé par les baleines de son corset, elle sentit une douleur vive lui transpercer le flanc, mais elle ne faiblit pas. Des grognements et un bruit de lutte retentissaient au tournant d'une ruelle. Elle s'y engagea en dérapant sur les pavés trempés.

Archer et son sombre adversaire échangeaient des coups si vifs que pendant un moment elle se crut en proie à une hallucination, tant leurs mouvements se brouillaient. Les deux hommes, vêtus de noir de la tête aux pieds, étaient engagés dans une danse étrange, se ruant l'un sur l'autre, se séparant, se frappant du poing et du pied. L'attaquant avait beau être plus petit qu'Archer, il était aussi fort et vif qu'une panthère.

Sa jambe mince percuta l'entrejambe d'Archer. Archer grogna, mais, baissant l'épaule, il plaqua le démon contre le mur de brique. Un grognement retroussa les lèvres du scélérat. Dans un sifflement d'acier, il tira un poignard à la lame recourbée de sa ceinture.

La pointe mortelle de la dague lança un éclair argenté dans la pénombre avant de fendre l'air en direction de la gorge d'Archer. Archer bondit en arrière, et la lame atteignit le revers de son manteau dans un bruit de déchirure. Il grogna, puis évita adroitement l'attaque suivante en plongeant en avant.

Mû par une rage meurtrière, le scélérat ne cessait de se ruer sur lui et, chaque fois, Archer esquivait la lame de justesse. D'un geste flou tant il était vif, il empoigna le bras du scélérat et lui asséna un solide coup de poing à l'estomac.

Le démon noir tituba, mais, soudain, il pivota et lança sa jambe de côté, décrivant un arc. Son talon atteignit Archer de plein fouet, et la tête de ce dernier se rejeta en arrière dans un craquement abominable.

— Archer ! cria Miranda d'une voix éraillée en le voyant s'effondrer.

Le scélérat allongeait déjà le bras en arrière, prêt à plonger sa dague dans la poitrine à découvert d'Archer. Dans un cri, Miranda se jeta en avant, en lançant son ombrelle ouverte devant la figure du scélérat. La lame effilée déchira la fine soie de couleur bronze et frappa l'ossature d'acier avec un bruit métallique. Miranda referma brusquement l'ombrelle et la jeta, ainsi que le couteau, sur le côté. Les yeux de l'homme masqué étincelèrent et le cœur de Miranda frémit, mais, lorsqu'il lança son poing vers sa figure, elle était prête et elle se jeta par terre à l'instant même où Archer, poussant un juron sauvage, frappait du pied le tibia du scélérat.

L'homme bascula sur le flanc, le souffle coupé, et son crâne heurta durement les pavés.

Archer bondit sur ses pieds, prêt à passer à l'attaque. L'homme se releva en un clin d'œil et s'enfuit par la ruelle où l'obscurité l'avala. Miranda s'attendait à ce qu'Archer le poursuive, au lieu de quoi il se pencha vers elle et l'aida doucement à se relever.

Le martèlement des pas du fuyard retentit, puis s'estompa dans l'obscurité. Le silence reprit possession de la nuit, et il ne resta plus de toute cette agitation que des volutes de brouillard d'un brun sale tourbillonnant sur les pavés.

Archer lui lâcha le bras et recula d'un pas. Le masque de soie noire lui recouvrait toujours la tête, mais il avait perdu le gant gauche au cours du combat. La vue de la chair sans tache et éminemment humaine s'imposa à elle — une nouvelle écaille de sa carapace venait de tomber. Elle contempla les longs doigts aux bouts arrondis, aux ongles ovales, et les veines qui saillaient légèrement sur le dos de sa main nue. De fins poils noirs poussaient juste au-dessus de l'os robuste de son poignet, puis disparaissaient sous ses manchettes d'un blanc immaculé. C'était sa main gauche, comprit-elle avec une soudaine irritation. Archer lui avait déclaré que seule sa main droite avait été touchée.

Sa rêverie tourna court lorsqu'elle se rendit compte qu'Archer ne disait mot, mais l'observait sous ses paupières mi-closes. À l'idée d'entendre bientôt la colère d'Archer éclater à ses oreilles, ses genoux tremblèrent, et elle préféra feindre d'examiner sa robe. Constatant les dommages, elle laissa échapper un petit grognement consterné. Des taches de boue et d'eau sale maculaient, sans doute irrémédiablement, tout le côté droit de la jupe de satin jaune clair. Elle lâcha la traîne avec un juron étouffé et se tourna pour affronter son mari silencieux.

Il haletait légèrement, les mains posées sur ses hanches étroites, la mine insondable sous son masque de soie.

— Êtes-vous blessée ?

— Je vais sans doute mettre plusieurs semaines à me consoler de la perte de cette robe, lança-t-elle d'un ton railleur, bien que l'effroi lui comprimât la poitrine. Autrement, je suis indemne.

La plaisanterie ne lui arracha pas le moindre sourire, et il continua de la regarder, sa mâchoire carrée semblant taillée dans la pierre. Une goutte de sang se forma au coin de ses lèvres et dégoulina sur son menton. Elle avait presque embrassé cette bouche.

— Vous saignez, observa-t-elle, inexplicablement nerveuse.

Une énergie puissante émanait du corps robuste d'Archer, mais il était si rigide qu'elle craignit qu'il se brise de l'intérieur.

Sans paraître s'en soucier, il essuya le sang du revers de la manche.

— Je vous avais dit de m'attendre, dit-il avec un calme trompeur.

Elle lissa ses jupes froissées d'une main tremblante.

— Oui.

— Vous ne m'avez pas attendu.

— Non.

Il croisa les bras sur sa poitrine et la regarda fixement.

— Êtes… êtes-vous fâché ?

— Furieux, dit-il d'une voix légère.

Ses yeux argentés glissèrent sur elle et ses lèvres se serrèrent jusqu'à ce que le muscle de sa mâchoire se crispe. Il était bel et bien furieux.

— P... pourtant, vous ne criez pas.

Les coins de sa bouche se retroussèrent. Il savait mieux que quiconque la réaction que suscitait normalement sa colère.

— Étrange, n'est-ce pas.

Exaspérée, elle se détourna et retira ses gants afin d'examiner ses jointures meurtries. Archer la considéra sans broncher, ce qui eut pour effet d'énerver davantage Miranda. Maudit mâle.

— Vous persistez à me suivre partout, dit-il avec une soudaineté qui la fit sursauter. À vous aventurer en des lieux où seul un homme armé ou une personne de fâcheuse réputation oserait aller. À vous mettre dans des situations qui feraient hésiter le meilleur combattant...

Elle pivota vers lui.

— Oh, mais je ne dirais pas que je me suis *mise* moi-même dans cette situation.

Les yeux d'Archer rétrécirent.

— J'en déduis, poursuivit-il d'un ton plus tranchant, que ou bien vous êtes incroyablement stupide, ou bien — et sa voix s'éleva au-dessus de l'exclamation indignée de Miranda — ou bien vous avez quelque raison de croire que vous êtes à l'abri du danger peu importe où vous allez.

Un sourire crispé lui étira les lèvres.

— À la lumière de nos conversations passées, je n'arrive pas à croire que vous soyez stupide, je dois donc retenir la seconde possibilité.

Elle serra les poings.

— Ooh, que vous êtes suffisant ! Vous savez bien qu'il serait plus sensé de m'estimer stupide...

Elle rougit violemment et se mordit la langue.

— Vous qualifieriez-vous vous-même de stupide ? dit Archer en arquant le sourcil.

— Non, pas du tout, dit-elle en frappant du pied. C'est *vous* qui l'êtes !

Il rejeta la tête en arrière et éclata de rire. Son rire se répercuta dans l'allée étroite et atteignit Miranda de toutes parts à la fois.

— Vous êtes insupportable ! s'écria-t-elle en crispant les poings.

— Parce que je ne vous crie pas des injures ? demanda-t-il tout en riant.

Elle croisa les bras sur sa poitrine et détourna les yeux. Il était préférable d'ignorer cette brute. Oh, mais pourquoi lui avait-elle avoué qu'il l'émouvait ? Elle claqua la langue avec irritation. Malgré elle, elle lui jeta un coup d'œil, et son esprit perfide choisit ce moment pour raviver inopportunément le souvenir de sa langue glissant sur la sienne, de son souffle chaud se posant tel un baiser sur sa peau.

Il cilla et sa bouche s'adoucit comme si lui aussi venait de s'en souvenir. Il garda le silence pendant un moment.

— Je vois…

Elle décela dans sa voix douce comme de la soie une inflexion qui lui déplut — une inflexion rappelant le bourdonnement du tocsin. Il avança d'un pas. Un demi-sourire étrange flottait sur ses lèvres.

— Archer, dit Miranda, saisie de méfiance.

— J'ai fait fi de votre conception féminine de la manière dont un époux doit se comporter.

Il avança encore d'un pas.

— Vous *voulez* que je vous punisse…

— Non…

Ses jupes frôlaient le mur de brique. Elle était coincée.
Archer secoua la tête pensivement.

— Je pense que vous le voulez.

Elle lut ses intentions dans ses yeux une seconde avant
que ses mains fortes la retournent et qu'elle se retrouve la
joue pressée contre le mur froid et humide.

— Est-ce ce que vous désirez?

Sa poitrine lui écrasait le dos, lui écrasant les seins
contre la brique. Un froid glacial lui imprégna la peau, et
ses mamelons durcirent tandis que l'excitation s'emparait
d'elle.

— Hmmm?

Il poussa sa longue cuisse dure entre les siennes, écartant avec impudence les plis profonds de la crinoline et les
fronces de la jupe de satin.

— Laissez-moi, dit-elle entre ses dents.

Plutôt mourir que de lutter contre lui.

Son rire roula dans sa poitrine et contre le dos de
Miranda. À sa grande honte, elle sentit la chaleur envahir
son ventre et son entrejambe. Elle ferma les yeux et jura en
silence.

— J'ai déjà essayé, souffla-t-il contre son oreille. Vous
n'avez pas aimé.

Sentant tout à coup l'air froid de la nuit lui lécher les
mollets, elle écarquilla les yeux.

— Archer, arrêtez!

Mais il continua de relever sa jupe de la main. Envolées,
les caresses douces et lentes; elles avaient cédé la place à
celles, fermes et autoritaires, d'un homme convaincu que
ses avances ne seraient pas repoussées. Le salaud.

— Ne faites pas semblant d'ignorer à quoi s'expose une lady errant sans escorte dans une ruelle.

Elle tenta de son mieux de le repousser, en vain. Il était trop lourd, et pesait sur elle de tout son poids. Elle aurait pu tout aussi bien être un lépidoptère épinglé sur une planche.

— Dites-moi donc, Lady Archer

Une grande main, étonnamment chaude, se plaqua sur ses fesses. Sous le choc, elle poussa un petit cri.

— Quel tour de magie vous sauvera maintenant?

La seconde main rejoignit sa compagne, l'une enveloppée de cuir, l'autre scandaleusement nue. Elle percevait la différence même à travers sa culotte. Morte d'humiliation, elle sentit Archer lui empoigner les fesses et leur imprimer lentement et avec insolence un mouvement circulaire. Doublement mortifiée, elle lutta contre la chaleur et l'excitation qui la gagnaient.

— Ne me provoquez pas, grinça-t-elle. Elle tenta une fois de plus de le repousser, ne réussissant ainsi qu'à plaquer ses fesses contre son pubis.

Archer laissa échapper un petit grognement et se pressa plus étroitement contre elle.

— Montrez-moi, Lady Archer.

Ses lèvres fondantes comme du beurre lui effleurèrent le cou et son souffle brûlant la caressa.

— Sortez-moi vos armes. Je n'attendrai pas bien longtemps.

Les mains se déplacèrent de ses fesses à ses hanches, menaçant de se faufiler vers l'avant. Un léger frémissement parcourut le corps d'Archer, et il s'immobilisa.

— Maintenant, sinon il sera trop tard.

Elle sentit croître sa tension, son trouble de la toucher ainsi et, juste au-dessous, son petit frémissement de désir. Elle ferma les yeux, la joue pressée contre le mur froid, le bout des doigts dérapant sur le mortier effrité. *Pitié.*

L'intolérable chaleur entre ses jambes se mit à palpiter. Le feu couvant dans son corps chercha refuge dans le mur froid, et les muscles de son ventre tremblèrent. Le percevant, Archer enroula plus étroitement son corps autour du sien. Dans un souffle, ses doigts s'enroulèrent sur l'os de sa hanche, en caressèrent le galbe avec la douceur d'un battement d'aile qui fit frissonner Miranda. Il déglutit péniblement, et son souffle souleva ses cheveux. Sur les hanches de Miranda, les doigts frémirent comme s'ils sentaient qu'ils se rapprochaient du but, et elle se mit à haleter doucement. Ils se tendirent l'un comme l'autre, comme au bord d'un précipice. Miranda se lécha les lèvres. Il lui suffisait d'ouvrir la bouche. De lui ordonner d'arrêter. Elle le savait. Il le savait. Un seul mot.

Le silence se referma sur eux, s'épaissit. Ses seins lui parurent lourds, douloureux contre le mur glacé, ses mamelons dressés et durcis frottant contre son corsage à chacune de ses inspirations haletantes. La chaleur se répandit sur ses joues et l'excitation la gagna, la précipitant dans ce puits obscur, au fond de son esprit, où seul le *désir* existait. Un mot et il s'écarterait. Elle ferma les yeux, se mordit la lèvre et remua. Un petit coup de fesses lui intimant de poursuivre.

Le souffle d'Archer s'étrangla sans bruit. Brûlante d'embarras, Miranda sentit ses joues s'embraser douloureusement. Archer pressa plus étroitement son corps contre le sien, son cœur battant à tout rompre contre son dos. Alors, sa main, tremblante de peur ou peut-être d'excitation, commença à bouger lentement. Ses doigts, légers comme des plumes, descendirent en traçant une ligne de feu vers la fente de sa culotte.

Miranda enfonça les dents dans ses lèvres. Son corset lui comprimait les seins, semblable à des mains d'acier l'empêchant de respirer. Les doigts d'Archer effleurèrent sa toison comme un doux baiser, et ils gémirent tous deux. La poitrine d'Archer se soulevait contre son dos; il haletait comme s'il avait couru des kilomètres.

— Écartez.

Sa voix n'était plus qu'un feulement rauque lui brûlant l'oreille.

Miranda déglutit péniblement. Un pas. Ses genoux se dérobèrent et elle s'agrippa au mur, les yeux toujours fermés.

Le souffle d'Archer s'accéléra. Le bout de son doigt toucha sa chair, et Miranda eut le vertige. Elle se cramponna au mur en sentant ce doigt aller et venir, si lentement qu'elle crut qu'elle allait crier.

— Vous êtes mouillée.

L'émerveillement et le désir voilaient sa voix, la rendant presque méconnaissable. Un inconnu sans visage la touchant dans la nuit.

— Mouillée pour moi.

Il enfonça son doigt plus profondément, la caressant, la découvrant. Elle pressa encore plus ses seins gonflés contre le mur de brique, les doigts engourdis à force de se cramponner si fort. Sans réfléchir, elle remua les hanches, se frotta contre ses doigts. Ce geste défendu attisa le feu qui lui brûlait la peau.

Archer tremblait. Sa bouche trouva la peau nue au-dessus du corsage. Il sortit la langue, la goûta.

— Plus vite ?

Miranda, haletante, chercha ses mots.

— Oui.

Ses doigts glissèrent sur son humidité avec la légèreté exaspérante d'une plume. Elle serra les dents et pressa ses hanches contre lui. Sa verge était dure comme du roc contre son dos. De sa main libre, Archer lui agrippa les hanches et les immobilisa.

— Plus fort ? grogna-t-il contre sa peau avant de la sucer.

— Oui.

Le plaisir bouillonnait en elle. Ses lèvres s'entrouvrirent sur un cri. Elle ondula frénétiquement des hanches contre lui, frissonnant en dépit du feu incandescent qui déferlait sur sa peau. Cruellement, il se pressa contre elle, l'empê-chant de remuer tandis qu'il la caressait plus vite, plus fort. Son corps se tendit comme un arc, et elle explosa, se désin-tégra en poussant des petits cris de douleur.

Archer lui mordit le cou. La soutint tandis que le monde volait en éclats avant de lentement se recomposer.

Elle reprit ses esprits dans un frémissement. Archer avait déjà retiré sa main et lui tenait doucement la hanche. Comme pour l'apaiser, ses lèvres effleurèrent sa chair meur-trie une seule fois. Ils gardèrent le silence un moment, trem-blant l'un comme l'autre, leurs poitrines se soulevant et s'abaissant à l'unisson, puis elle eut l'impression qu'il prenait conscience de ce qui venait de se passer. Il inspira brusquement et recula d'un pas en laissant retomber ses jupes.

Miranda s'affaissa contre le mur. Elle se sentait incapable de lui faire face. Pas encore. L'écho de ses cris planait
entre eux. Son corps vibrait encore de ce qu'ils avaient fait.
De ce qu'il lui avait fait. Ses joues s'embrasèrent de
nouveau.

Elle sentait qu'il l'observait. Regrettait-il ? Son silence
pesait telle une présence glaciale dans son dos.

— Ne vous gênez pas, murmura-t-il.

Il poussa un profond soupir dans la nuit et sa voix
s'affermit.

— Je me suis mal conduit envers vous. Transformez-moi
en pâtée pour chats.

Elle se refroidit sur-le-champ. En pâtée pour chats. Elle
n'avait employé cette expression qu'une seule fois au cours
de son existence. Elle se retourna vivement.

— Vous vous moquez de moi ? siffla-t-elle à la silhouette
qui reculait.

Archer replaça son foulard avec une feinte nonchalance ;
elle vit que sa main tremblait.

— Jamais.

Il baissa les yeux sur sa main nue comme s'il ne savait
qu'en faire. Miranda détourna le regard de ces longs doigts
agiles. Leur vue la troublait autant que lui.

— Je pense à vous prendre contre un mur depuis le jour
de notre rencontre, dit-il sans lever les yeux.

— Oh. Je... Oh. Dans ce cas...

En dire davantage aurait été trop révélateur. Elle se
tourna vers la ruelle obscure. Sa peau se hérissa au souvenir
du poignard étincelant et de la chute d'Archer.

— Cet homme. J'ai eu l'impression que vous le connaissiez. Vous saviez de qui il s'agissait ?

— J'ai cru que c'était notre assassin.

Elle s'apprêtait à lui répondre, mais referma la bouche en apercevant ses joues luisantes de sueur. Sa peau était d'un blanc de marbre sous le clair de lune. Pendant un moment, il parut presque malade. Voyant qu'elle l'observait, il tourna brusquement les talons et descendit la ruelle à grands pas, l'obligeant à trotter derrière lui.

— Où allez-vous?

— À la maison.

Archer arrêta d'un coup de sifflet un fiacre qui passait près d'eux dans un bruit d'attelage. Archer marcha jusqu'à lui dans les volutes de brouillard soulevées par les chevaux, ouvrit la portière et jeta Miranda à l'intérieur comme un vulgaire sac de farine. Elle retomba durement sur le siège de cuir tandis qu'il engouffrait son grand corps à l'intérieur. Dès qu'il se posa sur le siège, la voiture s'élança en avant. Les cuisses de Miranda étaient moites, sa chair sensible. La pensée de ce qu'ils avaient fait la lécha telle une flamme. Eh bien, elle allait éteindre ce feu sous le jet glacé de sa raison. *Ne le regarde pas. Parle d'autre chose.*

Archer lui coula un regard et eut un petit sourire entendu.

— J'imagine que vous ne me direz pas de quelle manière vous aviez l'intention de transformer en pâtée les jeunes gens qui vous ont attaquée cette nuit-là?

Elle recula dans l'ombre, à l'abri de son regard perçant. Sur Great Russell Street, en direction de Piccadilly, la voiture prit de la vitesse et la petite lampe oscilla tel un pendule au-dessus de leurs têtes, éclairant puis rejetant dans l'ombre la silhouette d'Archer.

— Peut-être, si vous me dites ce qu'avait fait mon père pour s'attirer votre courroux.

Glacée et frissonnante, elle croisa les bras pour se réchauffer. Ils avaient laissé leurs manteaux au musée.

— Quelle importance?

Il tenta de retirer sa redingote, mais s'arrêta en grimaçant de manière inquiétante.

— Il va de soi que cela importe. Je…

Le fiacre passa sous un réverbère et elle entrevit le miroitement noir du sang sur le brocard argenté de son gilet.

— Vous êtes blessé!

Elle s'approcha et il recula aussi loin que possible, ce qui n'était guère loin considérant sa taille et celle du fiacre.

— Ce n'est rien.

En dépit de ses protestations, il retira sa cravate et la pressa fortement sur son flanc.

— Bonté divine, vous saignez comme un chat écorché vif.

— Miranda, vous vous exprimez parfois de la façon la plus colorée qui soit.

Un sourire erra sur ses lèvres. Croiser le fer avec elle avait apparemment pour effet de lui rendre sa bonne humeur. Ou peut-être lui était-il ainsi plus facile de faire fi de ce qu'ils avaient fait, songea-t-elle en rougissant. Mais lorsqu'elle tendit la main vers lui, il lui donna une petite tape.

Elle enfouit la main offensée sous ses jupes.

— Ce n'est pas juste. Vous me sauvez la vie, vous m'agressez dans une ruelle…

— Je vous ai agressée, vraiment?

— Regardez-vous! C'est un miracle que vous demeuriez assis.

— Étrange. Ma définition du verbe «agresser» doit être erronée.

— Vous n'êtes pas fait d'acier, vous savez. Vous auriez dû me dire sur-le-champ que vous étiez blessé! Qu'avez-vous pensé?

Sa bouche se tordit convulsivement.

— Je vais considérer cette question comme du verbiage.

Les joues de Miranda s'enflammèrent.

— Après tout ce que nous avons traversé, continua-t-elle sans lui laisser le temps de lancer une nouvelle boutade, comment pourrais-je ne pas vouloir soigner vos blessures?

Il garda le silence.

— Ne vous inquiétez pas, la blessure se trouve du *bon* côté, ricana-t-elle. Je ne verrai rien.

Entre ses paupières mi-closes, ses yeux gris dardèrent sur elle un regard irrité et aussi froid que celui d'un serpent.

— Vous ne pouvez pas «soigner mes blessures» dans le fiacre.

Elle lui rendit son regard sans se laisser démonter.

— Fort bien. Dans ce cas, je les soignerai à la maison.

La mâchoire serrée, il grinça des dents, et elle se cala sur son siège, affectant d'être satisfaite, alors qu'en réalité elle mourait d'envie d'écrabouiller sa tête de pioche. Ils poursuivirent leur route en silence pendant un moment, les lumières de Londres défilant devant leurs yeux en tremblotant.

En dépit de sa détermination, elle ne put s'empêcher de baisser les yeux sur la main d'Archer, qui reposait contre sa cuisse et dont la peau se colorait alternativement d'or et d'argent dans la lueur vacillante. Ces longs doigts l'avaient touchée, avaient fait voler en éclats son corps et son cœur. Un frémissement lui parcourut les cuisses. Il l'avait caressée avec une grande impudeur. En fait, il avait caressé la partie la plus intime d'elle-même. Considérant le peu de lui-même qu'il lui avait donné, il aurait pu tout aussi bien être un inconnu errant dans le noir. Mais il n'était pas un inconnu. Il était Archer, son ange exterminateur. Il le serait à jamais.

Une chaleur lui gonfla la poitrine. Elle leva les yeux pour le regarder dans les yeux. Malheureusement, dès que ses yeux se posèrent sur sa bouche, elle se sentit faiblir. Une bouche séduisante, bien dessinée et ferme. Était-elle douce? Un baiser le lui révélerait. Un baiser. C'était cela, la véritable intimité, c'était ainsi que les amants conversaient. Elle avait goûté Archer. Ils avaient échangé des petits coups de langue enivrants, mais il ne l'avait pas encore vraiment embrassée. Et elle se rendit compte qu'elle en mourait d'envie. Miranda se mordit la lèvre. La parole était préférable au silence.

— Vous êtes donc venu chez moi dans l'intention de tuer mon père? dit-elle pour faire la conversation. Sur ce point, nous sommes d'accord.

Archer grogna tout en continuant de regarder par la portière.

— Pourtant, vous ne l'avez pas fait. Pourquoi? Par pitié? dit-elle en se tapotant pensivement les lèvres, ravie en vérité de le narguer. Vous étiez épuisé? Je vous ai effrayé?

Cette dernière question lui valut un reniflement dédaigneux.

— Sinon, quoi? Pourquoi?

Il se tourna vers elle et la fusilla du regard.

— Logiquement, dit-il rudement, vous devriez en déduire que c'est moi qui ai jeté mon dévolu sur votre père et qui l'ai ruiné, pour la bonne raison que je désirais plus que tout au monde vous épouser.

Chapitre 15

Espèce de faux jeton de fouteur de merde ! Au fond d'elle-même, Miranda bouillait. Elle connaissait désormais suffisamment Archer pour savoir que lorsqu'il proférait des affirmations ridicules ou des déclarations blessantes, c'était qu'il cherchait à détourner son attention. Qui plus est, elle savait qu'il mentait. Du coup, elle ne répliqua pas, optant de lui rendre la monnaie de sa pièce en faisant mine qu'il n'avait pas réussi à l'énerver. Elle feignit d'être parfaitement à son aise, de ne pas se souvenir du contact de sa main sur sa chair, de ne pas sentir à chacun de ses pas la moiteur entre ses jambes. D'ignorer ses regards inquisiteurs. Bien, qu'il se triture les méninges. Elle aussi savait se montrer manipulatrice.

La suite lui donna raison, car il entra dans le hall et se dirigea vers l'escalier, visiblement assuré qu'elle courrait se réfugier dans sa chambre comme une souris terrorisée. Mais s'il croyait qu'elle le laisserait partir et répandre son sang dans toute la maison avant qu'il lui ait dit la vérité, il se trompait. Elle lui emboîta le pas, soulevant un peu ses jupes afin de s'accorder à ses longues enjambées. Mais dès qu'il s'engagea dans l'escalier, un petit grognement lui échappa et il trébucha. Elle se précipita à ses côtés.

— Laissez-moi vous aider, dit-elle en lui prenant le bras.

— Allez vous coucher, Miranda.

Elle enfonça les doigts dans son coude, et il grimaça de nouveau. Une tache de sang sombre maculait également le haut de son bras. Elle relâcha son étreinte, mais sans retirer la main.

— Dois-je faire une scène? dit-elle en désignant du regard l'un des valets qui attendaient au garde-à-vous dans le hall. Ou attendrons-nous d'avoir gagné vos appartements?

Le regard d'Archer exprima une multitude d'émotions, la principale étant une suprême irritation.

— J'ai cru que vous ne le demanderiez jamais, dit-il entre ses dents.

La chambre d'Archer. Elle ressemblait à une bibliothèque avec ses lambris de bois blond, ses vastes et confortables fauteuils de cuir et son long divan également de cuir disposés devant l'âtre. Elle détourna résolument le regard du lit massif drapé de velours argenté et suivit Archer, qui gagna en titubant une desserte placée près de la fenêtre et se servit une rasade de brandy.

Le regard de Miranda se porta sur la large porte communiquant avec sa propre chambre. Si près. Si près nuit après nuit, et pourtant, en vrai gentilhomme, il ne l'avait pas franchie. Cette pensée l'emplit d'une tendre gratitude. Car cette douleur dans sa poitrine *était* sans aucun doute de la gratitude, n'est-ce pas?

Il retira sa redingote et son gilet, ne conservant que sa chemise et son col, et marcha jusqu'au miroir de plain-pied qui se dressait dans un angle de la pièce. Il écarta précautionneusement le lin déchiré et trempé de sang, et examina sa blessure.

— Merde !

Le juron furieux retentit sèchement dans la pièce.

Elle s'approcha et hoqueta. La blessure avait une bonne quinzaine de centimètres de long et était plutôt profonde. La plaie, mélange de sang d'un noir bleuté et de chair rosâtre et déchiquetée, béait sous ses yeux. Le sol tangua sous ses pieds.

— Le muscle ne sembla pas avoir été touché, commenta Archer avant de relever promptement la tête. Asseyez-vous avant de vous évanouir.

Elle se laissa tomber dans un fauteuil et le regarda tirer une pile de compresses de lin blanc d'un tiroir et en presser une sur sa plaie. Le lin devint aussitôt cramoisi.

— Veuillez me pardonner, dit-il en gardant le regard posé sur la compresse. Je dois m'occuper de cette blessure et je n'ai pas le temps de…

Il vacilla et se retint d'une main à la desserte.

Elle se releva d'un bond et le poussa sans grands ménagements vers le divan près de la cheminée.

— Occupons-nous-en alors.

— Non ! s'écria-t-il en serrant ses lèvres couleur cendre.

Elle lui donna un petit coup sur l'épaule et il tomba sans résistance sur le divan.

— Vous me dites entêtée, lança-t-elle sèchement en relevant ses lourdes jambes pour l'obliger à s'allonger. Mais vous, vous êtes pareil à un taureau belliqueux.

Une boucle de cheveux retomba sur son sourcil et elle la repoussa d'une main impatiente.

— Comment, demanda-t-elle en le fusillant du regard, pensez-vous soigner une blessure que vous ne pouvez voir autrement qu'en vous contorsionnant et en la faisant ainsi béer davantage?

Il se contenta de lui lancer un regard noir, en pinçant fermement sa bouche expressive.

— Eh bien?

— Je l'ignore! s'écria-t-il avant de grimacer de douleur.

— Il suffit, dit-elle en allongeant les mains vers le devant de sa chemise. Il faut vous soigner avant que vous ne vous vidiez de votre sang.

Il lui agrippa les poignets avec une fermeté surprenante.

— Non.

Sa détermination puérile irrita infiniment Miranda.

— Même si vous deviez y laisser la vie? demanda-t-elle, toujours prisonnière de ses mains.

L'inquiétude traversa son regard, mais elle fut aussitôt remplacée par une froide détermination.

— Oui.

Un authentique frémissement d'effroi parcourut Miranda.

— Et qu'en est-il de moi? demanda-t-elle doucement.

Archer relâcha son étreinte, mais le conflit continuait visiblement de faire rage en lui. Prise de compassion, elle s'écarta.

— Voilà, dit-elle en prenant une couverture de laine duveteuse jetée sur le dossier du divan. Nous ne retirerons pas la chemise et nous couvrirons votre côté droit.

Il la regarda l'envelopper de la couverture.

— Je ne vous mérite pas, Miranda.

La douceur de sa voix lui donna envie de sourire, mais elle se retint.

— Oui, je sais, dit-elle en se redressant. Peu importe, j'aurai bientôt ma revanche. Maintenant, dites-moi ce que je dois faire.

— Apportez la lampe. Il me faut plus de compresses.

Miranda lui obéit, et il pressa fermement plusieurs compresses de lin sur son flanc.

— Savez-vous coudre ? demanda-t-il, la mine légèrement patraque.

— Oui, mais...

— Bien. Allez vous laver les mains. Et apportez une cuvette d'eau chaude savonneuse. Vous en trouverez une dans le cabinet près de la porte des toilettes.

À son retour, il était si immobile qu'elle le crut évanoui, mais il ouvrit les yeux dès qu'elle s'approcha et posa la cuvette.

— Allez à la penderie là-bas.

Il la lui désigna du menton.

— Il y a une mallette noire sur l'étagère du haut. Pouvez-vous l'atteindre ?

— Tout juste.

Elle disposa les articles sur la table en y ajoutant les rouleaux de compresses propres qu'elle avait trouvés dans la mallette.

— Sortez cet étui de velours noir — délicatement — et les trois grands flacons.

Il posa la tête sur l'oreiller.

— Bien. Nous allons d'abord nous occuper du bras.

— Comment se fait-il que vous ayez tout ceci ? demanda-t-elle en agrandissant légèrement la déchirure de sa manche.

La blessure, superficielle, entaillait le galbe de son large biceps. Elle se dit qu'il n'était pas la peine de se pâmer comme une gamine rougissante devant cet étalage de force masculine, et se concentra sur sa tâche.

— Je suis chirurgien, répliqua Archer en examinant la blessure qui, déjà, ne saignait plus. En pratique. Avant… l'accident, j'avais achevé mes études en médecine. J'avais fait les examens, assisté au cours…

Il poussa un soupir de lassitude.

— Mais je crains que personne n'accepterait de se laisser soigner par moi.

Sa grande bouche s'étira avec ironie.

— Même sans le masque, un noble exerçant une profession a quelque chose de perturbant pour la plupart des gens. Et devenir chirurgien plutôt que médecin — il fit « tut tut tut » avec ironie —, c'était très grossier de ma part.

Doucement, elle nettoya et pansa l'entaille avec une longue bande de lin épais en suivant à la lettre ses directives précises.

— L'autre blessure, maintenant.

Sa voix profonde se fit plus rude. Il reprit son souffle et retira la compresse posée sur son flanc. La plaie béait toujours, mais elle saignait moins.

Il la laissa élargir encore davantage la déchirure de sa chemise afin qu'elle puisse laver la peau entourant la blessure.

— Ne laissez pas l'eau pénétrer dans la plaie ; nous la nettoierons avec de l'iode dans un moment.

Lorsque sa peau fut raisonnablement propre, il désigna le matériel sur la table.

— Déroulez l'étui de velours. Prenez garde à vos doigts. Il renferme des scalpels.

Une fois déroulé, l'étui de velours révéla plusieurs petites lames acérées et trois aiguilles d'aspect peu rassurant, semblables à des hameçons, mais qui, elle le savait, n'en étaient pas.

Elle regarda Archer.

— Vous n'avez pas à le faire, dit-il d'une voix compréhensive.

— Mais si.

Elle inspira profondément et expira lentement.

— Et maintenant ?

— Le flacon transparent contient de l'alcool, le rouge contient de l'iode, le vert du laudanum.

Le coin de ses lèvres se contracta convulsivement et il blêmit légèrement.

— Passez-moi le laudanum et tamponnez la blessure de teinture d'iode, dans cet ordre s'il vous plaît.

Archer retira le bouchon de liège avec ses dents et avala une longue gorgée de laudanum.

— Doucement, c'est facile d'en prendre trop !

À la pensée qu'il puisse mourir d'une surdose de laudanum, son cœur se serra.

Il sourit faiblement, la drogue lui voilant déjà le regard.

— Je sais quelle dose me convient. Et je vous assure que, dans mon cas, l'effet se dissipe rapidement.

Avec un soupir, il se cala sur le divan et l'observa, tel un serpent surveillant sa proie, verser de l'iode sur une compresse et presser celle-ci sur la plaie béante. Archer rugit et rejeta la tête en arrière tandis que tout son corps se cambrait.

— Par le sang du Christ! cria-t-il, et il retomba mollement sur le divan.

Miranda retira la compresse de ses mains tremblantes.

— Je suis désolée, murmura-t-elle, presque en larmes.

Encore haletant, il réussit cependant à lui sourire.

— C'est inévitable, dit-il d'une voix rauque.

Il s'empara d'une nouvelle compresse et la posa sur son flanc de crainte que le sang recommence à couler, puis désigna du regard les scalpels et les aiguilles.

— Prenez l'aiguille la plus petite.

Il passa rapidement la langue sur ses lèvres desséchées.

— Il y a un écheveau de fil noir dans la mallette.

Miranda le considéra avec horreur, l'estomac retourné.

Il soutint son regard.

— Vous avez affirmé savoir coudre.

— Je...

Elle pinça les lèvres. Elle ne pouvait tout de même pas lui dire qu'elle avait tout bêtement cru qu'il lui demanderait de repriser sa chemise.

Un cri d'impatience déchira la gorge d'Archer.

— Passez-moi l'aiguille et le fil avant que je trépasse au bout de mon sang sur ce divan.

Il allongea le bras et la plaie se rouvrit.

Miranda se ressaisit.

— Non, dit-elle en lui attrapant le bras et en le relevant au-dessus de sa tête afin que son flanc soit bien à plat. Je vais le faire. Vous n'êtes pas en état.

Il la regarda en cillant, mais laissa son bras où il se trouvait.

— Je pourrais en dire autant de vous.

Ignorant cette remarque, elle s'attela à la tâche. La petite aiguille pointue se recourbait comme une faucille et son extrémité arrondie était percée d'un chas minuscule.

— Ne prenez pas une aiguillée trop longue, lui conseilla Archer. Le fil risquerait de se prendre dans les chairs et de les déchirer.

Les doigts de Miranda tremblèrent. Elle serra les dents et coupa le fil.

Une petite paire de pinces munie de poignées semblables à celles de ciseaux permettait de manier l'aiguille en toute sécurité. D'après les directives concises et précises d'Archer, elle comprit qu'elle devait rapprocher les lèvres de la plaie d'une main tout en piquant la peau et en suturant la plaie de l'autre. Elle écouta avec la plus grande attention, se concentrant sur la plaie et non sur l'homme. Mais l'aiguille se figea dans sa main, refusant de piquer.

— Miranda...

En l'entendant prononcer son nom d'une voix douce, elle cligna des yeux vers lui.

Il avait le teint cendreux. Des gouttes de sueur perlaient sur ses joues et ruisselaient sous son masque, mais son regard était ferme.

— C'est simplement du raccommodage.

— Mais c'est vous que l'on raccommode, dit-elle faiblement.

La main d'Archer retomba sur les siennes.

— Je vous promets de ne pas pleurer.

Les coins de sa bouche se retroussèrent, et Miranda retrouva aussitôt son assurance. Elle réprima un sourire et inclina la tête tout près de son flanc.

— N'oubliez pas, vous devez piquer l'aiguille selon un angle de quatre-vingt-dix degrés, à une profondeur de soixante millimètres. Vous ressortez de l'autre côté, toujours selon un angle de quatre-vingt-dix degrés, expliqua-t-il avant d'avaler de nouveau une longue gorgée de laudanum.

La chair résista, puis céda avec un petit pop. Archer se raidit, mais la laissa travailler sans dire un mot. Lorsqu'elle eut fait la première suture, sa main se stabilisa et elle piqua avec plus d'assurance. Le son du souffle légèrement haletant d'Archer lui emplissait les oreilles.

— Croyez-vous vraiment avoir ruiné mon père ? interrogea-t-elle tout en tirant doucement l'aiguille à travers la chair.

Le flanc d'Archer frémit, puis s'immobilisa.

— Non, reconnut-il d'une voix sourde. C'est un péché qui ne pèse pas sur ma conscience.

Elle rajusta sa prise, veillant à ne pas trop ou trop peu rapprocher les lèvres de la plaie. Il fallait procéder fermement, mais doucement.

— En effet, confirma-t-elle. Ce péché est le mien.

Archer garda le silence, mais Miranda sentit qu'il la regardait.

— Je croyais, dit-il au bout d'un moment, que la fortune d'Ellis reposait au fond de l'océan.

— Mmm…

L'aiguille plongea dans la chair rouge et sanguinolente, puis en ressortit.

— S'il n'avait pas déjà perdu plus de la moitié de sa fortune dans l'incendie de son entrepôt, il se serait remis de ce revers.

Les muscles de son cou et de ses épaules étaient douloureux. Et le regard d'Archer n'arrangeait rien.

— J'avais dix ans lorsque c'est arrivé, dit-elle.

La blessure était presque entièrement refermée, il ne
manquait que quelques sutures.

— Je me faufilais souvent dans l'entrepôt. Je l'avais bap-
tisé mon coffre aux trésors.

Elle acheva la dernière suture. Elle fit un petit nœud,
prit la compresse imprégnée d'iode et en tamponna la plaie
sur toute sa longueur.

— Je... je faisais la démonstration d'un tour de magie à
une amie — *comme une stupide petite prétentieuse* —, je n'avais
pas l'intention de déclencher un incendie.

Ou plutôt, elle s'était crue capable de le maîtriser. Ses
mains retombèrent sur ses genoux et y demeurèrent comme
deux blocs de plomb. Elle osa regarder Archer et vit qu'il la
considérait d'un regard insondable.

— Vous n'aviez que dix ans, dit-il en lisant dans ses
pensées, comme d'habitude.

— Je le sais aujourd'hui.

Il soutint son regard.

— Bien.

C'était aussi simple que cela. Un mot, et le poids logé au
creux de sa poitrine s'était dissipé. Elle examina son œuvre.
Le résultat était affreux, la chair était boursouflée, rouge,
striée de sutures noires.

Archer souleva la tête et son regard glissa le long de son
nez jusqu'à la blessure. Un coin de sa bouche se retroussa.

— Bien, dit-il d'une voix où la surprise se mêlait à
l'admiration.

Il leva les yeux et son sourire s'accentua.

— C'est très bien, belle Miranda.

Elle fit une petite grimace.

— C'est très laid.

Archer reposa la tête tandis qu'elle remballait le matériel.

— C'est toujours ainsi au début. L'enflure se résorbera. Désinfectez l'aiguille à l'alcool, ajouta-t-il en surveillant ses progrès.

Elle s'occupa des instruments et un silence agréable les enveloppa de sa chaleur.

— Vous me faites penser à elle, vous savez.

La remarque inattendue, quoique formulée avec détachement, d'Archer immobilisa Miranda. Elle leva les yeux et vit qu'il fronçait les sourcils comme s'il n'avait pas eu l'intention de prononcer ces mots.

— À qui ? demanda-t-elle d'une voix sourde, alarmée par son immobilité et se sentant tenue de chuchoter.

— À l'une de mes sœurs, dit-il avec un sourire attristé. J'en avais quatre. Toutes ravissantes, avec des cheveux noirs lustrés et de doux yeux gris. Claire, la benjamine, avait presque dix ans, et Karina, qui avait dix-huit ans, se préparait à ses débuts dans le monde. Rachel, qui avait connu sa première saison l'année précédente, était une superbe jeune femme de dix-neuf ans forcée de repousser d'ardents prétendants à chaque tournant. Elle me donnait du fil à retordre, ajouta-t-il avec un léger sourire. Elle aimait attirer l'attention et en obtenait plus que sa part.

»J'aimais chacune d'elles. J'avais vingt-six ans à la mort de mon père. Je devins donc le chef de la famille. Une tâche que j'ai assumée sans protester. J'étais né pour jouer ce rôle. Jusqu'à ce fichu printemps.

» Il y a eu un duel, pour défendre l'honneur de Rachel. Un jeune coureur de dot avait cru ruiner sa réputation en lui dérobant un baiser lors d'une fête printanière. Je ne l'ai pas tué, mais ma mère a jugé bon de me faire quitter la ville pendant un certain temps. Elle m'a envoyé en Italie, dit-il avec un léger soupir. Les mères ont toujours raison, n'est-ce pas ? J'ai adoré ce pays. J'aurais pu y rester indéfiniment.

Il regarda le plafond en cillant.

— Trois ans plus tard, l'influenza a frappé Londres. Ma mère et mes sœurs ont été atteintes.

Dans sa gorge puissante, la pomme d'Adam remua.

— Je suis rentré dès que j'ai su. Il était déjà trop tard pour ma mère et pour Claire… Elles étaient mortes et enterrées à mon arrivée. Rachel les a suivies presque aussitôt.

Seul le battement de ses cils trahissait une certaine agitation. Miranda ressentait sa peine dans son propre cœur. Une pensée lui traversa l'esprit.

— Vous avez déclaré avoir quatre sœurs, mais vous n'en avez nommé que trois…

Elle n'acheva pas sa phrase en voyant le regard qu'il leva sur elle et dont la terrible souffrance lui coupa le souffle.

— Elizabeth…, répondit-il dans un souffle rauque. Ma sœur jumelle…

Archer ferma les yeux.

— Son esprit et mon esprit ne faisaient qu'un. Nous n'avions pas besoin de nous parler pour nous comprendre. Je connaissais ses pensées aussi bien que les miennes. Ma mère affirmait que, dans notre sommeil, nous nous tournions au même instant dans notre berceau, bien que ne partageant pas le même. Elle était… Je ne pouvais pas…

Sa voix s'étrangla et il regarda dans le vague, accablé.

— Elle est morte dans mes bras. Parfois, j'ai l'impression qu'il me manque un membre... quelque chose...

Des larmes miroitèrent dans ses yeux, mais il les refoula en cillant.

— Sa perte m'a causé une souffrance intolérable, dit-il doucement. Après cela, l'idée de la mort me terrorisait. En rêve, je me retrouvais enfermé dans des tombes pourrissantes avec son cadavre pour seule compagnie.

Il baissa les yeux sur son flanc suturé.

— Ce que je suis devenu m'emplit de honte. Qu'elle ait dû voir cette horreur...

Il referma brusquement les lèvres en grimaçant.

Sans réfléchir, Miranda vint s'agenouiller devant lui et pressa sa main dégantée et sèche.

— Ne portez pas ce fardeau seul. Retirez votre masque et permettez-moi de voir ce qui vous trouble tant.

Il la regarda et son grand corps se raidit.

— Je ne veux pas de votre pitié.

— Croyez-vous que c'est la raison de ma demande ? murmura-t-elle.

L'ombre d'un sourire attristé lui effleura les lèvres.

— Non, dit-il au bout d'un moment. Mais je ne peux pas. Même pour vous, belle Miranda.

La détermination empreinte de lassitude dans sa voix lui brisa le cœur.

— Mais pourquoi donc ?

Ses longs doigts s'enroulèrent sur elle.

— Vous me voyez. *Moi.*

Elle comprenait maintenant ce que cela signifiait pour lui. Personne ne voyait Archer. Les gens ne voyaient que le masque. Aux yeux du monde, il n'était qu'une effigie, pas un homme.

— C'en serait fini si je vous obéissais, dit-il avec un regret poignant, le gris profond de ses yeux reflétant cette vérité douloureuse.

— Vous avez si piètre opinion de moi ?

Le feu flamba et crépita brusquement derrière la grille. La lueur orangée lécha sa peau dorée, soulignant une balafre rouge sur sa lèvre et les petits points noirs de sa barbe naissante sur ses mâchoires.

— Ce n'est pas vous, c'est moi ; je suis lâche, murmura-t-il sourdement avant de détourner les yeux en avançant le menton d'un air résolu.

— Vous n'êtes pas lâche. Vous êtes très brave…

— On me promet de ne pas fuir…

Ses mâchoires se contractèrent et un éclair de souffrance traversa son regard.

— Toujours, dans un premier temps. Mais personne ne reste.

Il déglutit péniblement, tentant par la seule force de sa volonté d'afficher une expression détachée.

— Je ne peux pas courir ce risque avec vous. Pas avec vous. Aucune belle parole sortant de votre jolie bouche ne me fera changer d'avis, aussi veuillez ne pas insister.

Ainsi réprimandée, elle battit en retraite. Même si elle le comprenait, son refus ne l'en blessait pas moins. Archer était couché sur le ventre, le teint terreux et la peau couverte de sueur, et elle se surprit à vouloir le dorloter, lui éponger le front, le border. Mais elle se doutait bien qu'il l'en empêcherait. Elle se contenta donc de remonter la couverture sur lui et de replacer l'oreiller sous sa tête. Sous la frange fournie de ses cils noirs, il lui jeta un regard ensommeillé. La vulné-rabilité enfantine de son regard sans défense lui donna envie de se blottir contre lui.

— Je n'aurais pas dû vous malmener comme je l'ai fait, dit-il en battant des cils avant d'ouvrir les yeux. C'était déplacé.

Elle s'assit sur ses talons près du divan. Le souvenir de ses grandes mains sur elle lui revint avec une cuisante acuité. Quel choc éprouverait-il en apprenant qu'elle avait failli se tourner vers lui et le supplier de remonter ses jupes et de la pénétrer. *Elle-même* en était plus choquée qu'elle ne souhaitait l'admettre. Elle s'efforça de s'exprimer calmement.

— Vous ne m'avez pas malmenée, Archer, dit-elle en rougissant, mais en soutenant son regard. Nous le savons l'un comme l'autre.

Son regard s'adoucit.

— Je voulais dire avant, dit-il d'une voix rauque. Quand je vous ai repoussée contre le mur…

— Vous étiez furieux.

Il eut un petit sourire en coin.

— J'étais furieux, répéta-t-il en se moquant de lui-même. J'étais terrifié. Et ce n'est pas une excuse.

Son regard erra doucement sur sa chevelure.

— Vous m'avez sauvé la vie.

— Vous aviez sauvé la mienne, dit-elle avec un sourire tremblant.

Il claqua de la langue avec dérision, mais un sourire de connivence joua sur ses lèvres. Son sourire s'éteignit à la vue de sa blessure suturée. Il se figea avec gravité. Une gravité qui s'accrut encore davantage lorsqu'il plongea ses yeux dans les siens. Des yeux froids, las. Deux lacs en hiver qui la glacèrent jusqu'à la moelle.

— J'ai été insensé, dit-il d'une voix tout aussi froide.

— Que voulez-vous dire?

Un frisson d'effroi lui parcourut l'échine.

— Pour ce soir, dit-il les lèvres pincées comme s'il venait de mordre dans un citron. Pour vous avoir entraînée dans cette existence.

Un soupir souleva sa poitrine.

— Miranda, dit-il en tentant faiblement de lui toucher la main, mais elle s'écarta. Vous ne devriez pas être ici.

Miranda se raidit, en tentant d'ignorer les battements affolés de son cœur et ses mains tremblantes.

— Oui, en effet. Je vous laisse dormir.

Mais Archer n'entendait la laisser s'en tirer à si bon compte. La douleur et la prudence rendaient ses mots hésitants.

— Vous ne devriez pas être avec moi, corrigea-t-il doucement. Je... Il est facile d'obtenir l'annulation. Considérant le fait que nous n'avons jamais...

Il se mordit les lèvres jusqu'à les faire blanchir.

— Eh bien, dans ce cas, c'est possible. Choisissez-vous une demeure, n'importe laquelle, dans un autre pays si vous le souhaitez, et je vous y installerai confortablement.

Elle retomba sur les fesses en laissant échapper un petit halètement.

— Pourquoi? Pourquoi m'offrez-vous cela? demanda-t-elle en sentant ses forces lui revenir, portées par les vagues de la colère. Pourquoi m'avez-vous emmenée ici, m'avez-vous charmée, si vous ne me voulez pas?

— Ne pas vous vouloir ? s'écria-t-il en soulevant la tête. Ne pas vous vouloir ? répéta-t-il, les yeux étincelants sous l'éclat du feu. Dieu du ciel, Miri, exception faite du meurtre et des assassins jouant du poignard, vous êtes la plus grande aventure de mon existence.

Les mots d'Archer coulèrent dans ses veines comme du vin, la laissant rougissante et légèrement étourdie. *Tout comme vous.*

Il s'inclina vers elle, et ce geste lui arracha une grimace de douleur.

— Si jamais un homme a voulu… J'essaie de vous protéger. Être ma femme n'est pas une sinécure. Et j'ai été fou de croire que ce le serait un jour.

Ils se regardèrent dans le silence assourdissant, puis sa tête retomba mollement sur l'oreiller. Les sourcils froncés, il examina le plafond en clignant des paupières comme si celui-ci recelait un secret insondable.

— En ce qui a trait à la raison, dit-il lentement, je me sentais seul.

Sa voix grave s'abaissa jusqu'à n'être plus qu'un murmure.

— Je vous ai vue dans cette ruelle, affrontant ces deux brutes avec pour seule arme vos petits poings, et j'ai songé, voici une fille qui n'a peur de rien.

Il plongea son regard dans le sien et le cœur de Miranda bascula.

— Comme je vous ai admirée. Au point de ne plus vouloir vous quitter. Après, quand la solitude m'accablait, soupira-t-il, je pensais à vous. Je pensais que j'avais trouvé une femme qui n'aurait pas peur de moi.

Il chassa d'une chiquenaude une peluche de la couverture.

— Une femme qui ne me fuirait pas.

La gorge nouée, Miranda tenta de prendra la parole.

— Comme c'est ironique, parvint-elle à articuler.

Archer braqua ses yeux dans les siens en pinçant les lèvres.

— J'ai été fiancée, dit-elle. Il y a un peu plus d'un an. Le saviez-vous ?

Évidemment, il l'ignorait ; comment l'aurait-il su ?

Il garda le silence et attendit. Mais quelque chose dans son regard trahissait un certain malaise.

Elle tripota machinalement la frange de la couverture.

— Il s'appelait Martin Evans.

— C'est le jeune homme contre lequel vous vous êtes battue ce soir-là.

— Oui. Quoique cela n'ait pas une réelle importance.

Martin avait cessé depuis longtemps d'être ce jeune homme. Elle passa la langue sur ses lèvres sèches.

— Il m'a quittée. Dans la sacristie de la chapelle familiale, le jour de nos noces. Il a déclaré préférer vivre seul que devoir feindre de m'aimer sa vie durant.

Une larme cuisante glissa sur l'arête de son nez, et elle s'empressa de refouler les suivantes en clignant furieusement des yeux. Elle n'allait certes pas pleurer encore sur Martin.

Elle sentit Archer remuer et se tourna suffisamment pour entrevoir ses poings noirs se serrer sur la couverture.

— Tout homme qui vous quitte est un imbécile, dit-il.

Miranda le tança du regard et il eut la bonne grâce de grimacer.

— Était, corrigea-t-elle au bout d'un moment. En dépit de cette rupture, père lui a remis le commandement d'un petit navire pour lequel il avait trouvé des bailleurs de fonds. Ils devaient se rendre en Amérique et y acheter du tabac. C'était la dernière chance que nous avions de reconstituer notre fortune. Le navire n'a jamais touché terre.

Archer poussa une vague exclamation de condoléances qui, toutefois, n'exprimait guère de chagrin.

Les lèvres de Miranda s'arquèrent légèrement.

— J'imagine que le sort en a décidé sagement. Il ne m'était pas destiné.

— En effet, déclara Archer avec conviction.

Ils détournèrent tous deux le regard et gardèrent le silence.

— Dans la sacristie, répéta-t-il comme s'il réfléchissait à ce qu'elle venait de dire. Où nous nous sommes mariés.

Elle leva les yeux et vit qu'il l'observait.

— Oui, répliqua-t-elle.

— Et donc, soupira-t-il, vous m'avez épousé.

Elle inspira superficiellement.

— Voyez-vous, lorsque j'ai fait votre connaissance dans la sacristie ce jour-là, j'ai aussi songé que vous étiez un homme sans peur. Un homme qui ne fuirait pas devant...

Elle se mordit la lèvre.

— Qui ne vous quitterait pas, acheva-t-il à sa place.

Elle hocha la tête avec raideur, incapable de le regarder dans les yeux, de crainte de se jeter sur lui et de lui avouer tout ce qu'il commençait à représenter pour elle. Son émotion était trop violente, et sa fierté trop grande, pour qu'elle s'autorise un tel aveu.

Pendant un moment, il parut presque effrayé, puis son corps se raidit, comme pour la défier, elle ou quelqu'un d'autre, elle n'aurait su dire. Il posa sur elle un regard brûlant.

— Alors, je ne vous quitterai jamais.

Chapitre 16

— Oh! N'est-il pas tout simplement ravissant?

Le regard de Poppy s'arrêta sur le chapeau élaboré de soie vert lime que tenait Daisy.

— À mon avis, il est affreux.

Daisy posa le chapeau avec un petit reniflement.

— Tes connaissances en matière de mode tiendraient dans une tabatière. C'est une résille, là, sur tes cheveux? rétorqua Daisy en lançant à Miranda un regard bleu étincelant d'espièglerie. Bonté divine, je n'en porte plus depuis que nous avons laissé tomber nos tabliers.

— Et toi, ce que tu connais en dehors de la mode, coupa vertement Poppy, tiendrait dans mon…

Miranda mit fin au tir d'artillerie en soulevant un rouleau de soie indienne qu'elle souhaitait leur montrer.

— Regardez cette étoffe, dit-elle gaiement. Mère n'avait-elle pas une robe du même motif lorsque nous étions enfants?

Daisy passa son doigt ganté sur l'étoffe chatoyante jaune safran.

— Il me semble, dit-elle en haussant les épaules. J'imagine que ce qui est ancien revient à la mode.

Poppy fit remarquer en maugréant que Daisy était bien placée pour le savoir. Miranda avait cru bien faire en allant courir les boutiques avec ses sœurs, s'imaginant que sortir avec Daisy et Poppy la distrairait de ses problèmes avec Archer.

Depuis des jours, il errait dans la maison comme une ombre, présent, mais s'éclipsant dès qu'elle approchait. Quoique, à vrai dire, ils s'évitassent mutuellement, ne se sentant ni l'un ni l'autre enclins à reparler de ce qui s'était passé ce soir-là. Qu'aurait-elle pu dire ? *Vous m'avez caressée, donné un plaisir indescriptible. J'en veux davantage. Je vous veux.* Miranda tenta de ne pas rougir.

Pas question qu'elle succombe la première. C'eût été trop humiliant. Elle soupira et ouvrit la bouche pour mettre fin à une nouvelle prise de bec lorsqu'elle entrevit un visage connu parmi la foule d'acheteurs déambulant dans le magasin Liberty & Co. : les yeux gris en amande et les boucles sombres de Victoria.

— Tu la connais ?

La question anodine de Daisy fit sursauter Miranda.

Miranda caressa la soie, dont elle sentait la fraîcheur malgré son gant.

— Nous avons été présentées. Et toi ? dit-elle en jetant un regard acéré à Daisy qui, avait-elle failli oublier, était un véritable bottin mondain ambulant.

— Évidemment.

Daisy inclina la tête lorsque Poppy s'approcha pour écouter.

— C'est Victoria Allernon.

— Allernon ? s'écria Miranda, sous le choc. Elle m'a dit s'appeler Archer.

— Archer, comme ton mari ? fit Poppy, dont les narines délicates frémirent comme celles d'un chien de chasse flairant le vent.

— Elle affirme être la cousine d'Archer, dit Miranda en baissant la voix.

Les trois sœurs épiaient Victoria du regard tout en feignant, quelque peu maladroitement, de s'absorber dans la contemplation de l'étoffe déroulée devant elles.

— Habile, dit Daisy, mais peu vraisemblable. Quoiqu'il soit vrai qu'elle connaît Archer.

Ses boucles dorées retombèrent devant son visage lorsqu'elle s'inclina encore davantage, le regard brillant à l'idée de commérer un peu.

— Il y a huit ans, elle était très proche du jeune Lord Marvel…

L'estomac de Miranda se contracta et se révulsa. Elle se cramponna au tissu pour conserver l'équilibre.

— Apparemment, Archer n'était pas d'accord. On ignore si c'était parce qu'il s'était lui-même entiché de mademoiselle Allernon ou parce qu'il détestait Marvel.

Daisy prit le tissu chiffonné des mains raidies de Miranda et le replia soigneusement.

— Comme personne n'avait vu Lord Archer en compagnie de Mlle Allernon, le motif de cette querelle demeure mystérieux. Toujours est-il que les deux hommes en sont venus aux mains. Avec pour résultat que le pauvre Lord Marvel a été laissé comme une coquille vide et balbutiante, et que Lord Archer a précipitamment quitté la ville.

— Daisy Margaret Ellis Craigmore ! lança Poppy dont les yeux étincelaient sous ses sourcils sévèrement froncés.

Je n'arrive pas à croire que tu ne l'aies pas dit à Miranda avant son mariage à Lord Archer!

Daisy arrondit la bouche et son regard alla de Poppy à Miranda.

— Eh bien, je l'aurais fait si cela ne m'était pas complètement sorti de l'esprit.

Les sourcils bien droits de Poppy s'inclinèrent.

— Même lorsque père nous a révélé le nom du prétendant de Miranda? Il me semble que c'est là un incident que je n'aurais pas oublié de sitôt.

Daisy devint rouge comme une betterave, et Miranda posa une main apaisante sur son bras.

— C'est bon, Daisy. J'étais au courant pour Archer et Marvel, dit-elle en arrêtant du regard Poppy, qui semblait vouloir protester. J'ignorais simplement que Victoria était la cause de leur affrontement.

Miranda suivit des yeux le petit haut-de-forme de satin rouge sang qui sautillait gaiement sur les boucles couleur aile de corbeau de Victoria au rayon de la porcelaine.

— Et Victoria? demanda-t-elle à voix basse. Est-elle demeurée avec Marvel?

Daisy tripota distraitement le tissu tout en suivant Victoria de ses yeux bleus.

— Non. Elle est retournée sur le continent et on n'en a plus entendu parler.

— On se demande, dit Poppy en inclinant les sourcils d'un air sévère sous sa frange rousse, pourquoi elle utilise le nom d'Archer?

— Je serais portée à croire qu'elle aimerait bien recommencer à batifoler avec Archer, dit Miranda.

Ses sœurs lancèrent une salve d'exclamations indignées, et énumérèrent d'une voix sifflante tout ce qu'elles feraient subir à Victoria si jamais elle osait s'approcher.

— Vous en aurez peut-être l'occasion, murmura Miranda. Elle vient vers nous... non, attendez.

Elle saisit le coude de Poppy. Une autre option, nettement plus agréable, lui traversa l'esprit. Puisqu'elle souhaitait en savoir davantage sur Archer et Victoria, aussi bien l'apprendre de la bouche même de l'intéressée.

— S'il vous plaît, laissez-moi m'en occuper, chuchotat-elle. Vous connaissez l'adage.

— Quel adage? demanda sombrement Poppy en voyant Victoria approcher.

— Garde tes amis près de toi, et tes ennemis encore plus près... Victoria, dit Miranda en passant de l'autre côté de la table et en inclinant la tête. Il me semblait bien vous avoir reconnue.

— Il est navrant que nous n'ayons pas réussi à persuader vos sœurs de nous accompagner, dit Victoria alors qu'elles entraient à sa suggestion dans le salon de thé, petit, mais bondé.

L'établissement accueillait principalement des femmes de la classe moyenne, épouses de médecins ou d'avocats, souhaitant se rafraîchir au terme d'une journée éprouvante dans les boutiques.

— Au contraire, dit Miranda. Je devrais vous remercier de m'avoir épargné un après-midi de chamailleries. Mes sœurs, je le crains, ont des opinions trop divergentes pour bien s'entendre.

Victoria sourit.

— Cela se comprend.

Elles s'installèrent à une table retirée. Dès que le maître d'hôtel quitta la petite alcôve, Victoria se tourna vers Miranda, et la flamme vacillante de la lampe donna à sa figure outrageusement blanche l'aspect d'un masque.

— Je suis ravie que nous prenions le thé ensemble. J'ai pensé à vous inviter, mais j'avais l'impression que vous refuseriez.

— À cause de la scène à laquelle j'ai assisté ce soir-là, dit Miranda en soutenant son regard, estimant inutile de tourner autour du pot.

Les lèvres peintes de Victoria se retroussèrent légèrement.

— Ne me jugez pas mal, *mon amie*[5]. Archer m'a brisé le cœur autrefois. Et j'ai bien peur de ne jamais le lui pardonner. Je me suis mal conduite. Je suppose que je m'exprime trop passionnément, conclut-elle en haussant les épaules.

En dépit de son peu d'expérience en matière d'amour, Miranda savait que Congreve avait raison : il n'y a rien de plus terrible que l'amour qui s'est transformé en haine, et une femme dédaignée est plus à craindre que toutes les furies vomies par l'enfer.

— Je ne voulais pas vous épier, dit-elle, espérant que le fait de s'excuser inciterait Victoria à se montrer plus loquace.

— Bah, dit Victoria avec un sourire apparemment sincère, je n'en attendais pas moins. J'aurais fait de même. Toutefois, ajouta-t-elle en se penchant en avant, je crois que

---

5. N.d.T. : En français dans le texte original.

nous devrions cacher notre petit *tête-à-tête*[6] à Benjamin. Si quelqu'un doit s'opposer à notre rencontre, c'est bien lui.

Benjamin. Miranda tendit la main vers sa serviette et les baleines de son corset lui pincèrent la peau.

— Archer est…

— Très protecteur ? compléta Victoria avec un rire léger. Je suis bien placée pour le savoir, continua-t-elle en disposant sa serviette sur ses genoux d'un geste gracieux. Il aimait à répéter cette phrase, notre Archer. Gardez les ignorants dans l'ignorance, et les innocents à l'écart.

Le thé arriva, épargnant ainsi à Miranda l'obligation de répondre. Les serveurs en livrée blanche disposèrent le service avec des gestes précis : une théière de porcelaine anglaise dont s'échappait une vapeur odorante, des tartelettes consistantes, des pâtisseries gorgées de fruits et nappées de confiture cramoisie et de crème anglaise jaune safran, et des scones chauds accompagnés d'un petit bol de crème grumeleuse d'un blanc neigeux. Un moment plus tôt, Miranda était affamée. Maintenant, toute cette nourriture lui ouvrait autant l'appétit qu'une nature morte.

— Et vous ? demanda Miranda, après le départ des serveurs, en se versant précautionneusement du thé, dont le parfum jaillit dans un nuage de vapeur et se mêla à ceux du lait chaud et du citron. Croyez-vous que les ignorants doivent le demeurer ?

Victoria la regarda de ses yeux d'un gris si lumineux que, pendant un moment, Miranda ne pensa qu'à Archer. Elle détourna le regard.

— Que voulez-vous me demander ?

---

6. N.d.T. : En français dans le texte original.

La voix grave et riche de Victoria glissa sur Miranda. Celle-ci reposa brusquement le crémier.

— Que savez-vous du West Moon Club?

Elle se retint pour ne pas jurer tout haut. Les mots lui avaient échappé. Elle ne pouvait plus les retirer. Malheureusement, ce n'était pas les bons. Elle avait eu l'intention de l'interroger au sujet de Lord Marvel et d'Archer. Elle ne s'expliquait pas son erreur.

Le front lisse de Victoria se plissa comme si cette question l'étonnait également.

— Voici un nom que je ne m'attendais certes pas à entendre, dit-elle lentement. Et vous, ma chère, que savez-vous de ce club?

Miranda tripota sa serviette, puis la laissa tomber.

— Vous l'avez connu avant l'accident. Son défigurement est le résultat des... activités du club, répondit-elle, peu désireuse d'en dire davantage tout en étant consciente d'en avoir déjà trop dit.

— Vous croyez que ce qui est arrivé à Archer est la raison pour laquelle quelqu'un assassine les membres du club?

— Je n'arrive pas à me figurer autre chose, dit Miranda avec raideur.

— Je n'en sais pas plus que vous, dit Victoria en haussant les épaules. Est-ce l'œuvre d'un dément? L'assouvissement d'une froide vengeance? Je l'ignore. Tout ce que je sais, c'est que leurs secrets ne datent pas d'hier. Leurs masques sont plus anciens que celui d'Archer.

Victoria sirota lentement son thé, ses yeux gris étudiant Miranda au-dessus de la bordure dorée. Elle reposa délicatement la tasse avant de replier ses bras minces devant elle.

— Mais ce n'est pas vraiment ce que vous voulez savoir.

— Non ? la défia affablement Miranda dont le cœur battait follement contre ses côtes.

Victoria s'appuya de tout son poids léger sur ses avant-bras.

— Vous vous demandez si j'ai vu ce que ce masque dissimule.

— Je sais que vous l'avez vu. Je… comment…, articula Miranda, les mâchoires douloureuses.

Elle ne pouvait pas, ne voulait pas, poser la question fatidique à Victoria.

— Pauvre chérie, alors c'est qu'il ne vous l'a pas montré.

Ce n'était pas une question. Miranda tourna les yeux vers la parcelle de fenêtre que ne recouvraient pas les tentures et derrière laquelle les silhouettes sombres des voitures défilaient bruyamment.

— C'est sans importance.

— Au contraire, murmura Victoria, au-dessus des relents du lait et des fleurs fanées. Il est l'homme à côté duquel vous vous allongez chaque soir. Avec lequel vous vous levez chaque matin pour accueillir le soleil. À qui faire confiance, si ce n'est à votre époux ?

Miranda aurait préféré mourir plutôt que d'avouer que telle n'était pas exactement leur situation. La petite alcôve tangua devant ses yeux, monstrueusement amplifiée comme sous une loupe. Elle cilla pour retenir ses larmes, refusant de les laisser s'échapper de ses paupières.

La voix de Victoria lui caressa la peau, à la fois rassurante et sombre.

— Que diriez-vous si je vous affirmais que ce qu'il cache est extraordinaire et très beau ?

Miranda laissa échapper un halètement douloureux. C'était trop cruel. Le sourire de Victoria s'élargit.

— Une beauté infinie. Et non une laideur monstrueuse comme il le prétend. Vos craintes s'en trouveraient-elles dissipées ? Vous serait-il plus supportable de savoir que vous ne vivez pas avec un monstre ?

En dépit de sa langue pâteuse et de ses lèvres desséchées, Miranda réussit à parler.

— Je dirais que vous mentez.

Victoria étudia son visage pendant un moment, puis éclata d'un rire aussi argentin que le tintement des clochettes d'argent d'un traîneau glissant sur la neige.

— Ah, mais quel beau rêve tout de même, non ?

— Ce qui se cache sous ce masque ne m'importe pas, répliqua Miranda en enfonçant les doigts dans ses jupes bleu-vert.

— Pourtant, vous êtes là, à me poser ces questions, car votre curiosité l'emporte sur votre fierté. Comment pourriez-vous ne pas vouloir savoir ?

— Je vous ai interrogée sur le West Moon Club, car je souhaite aider Archer. Non le démasquer.

Un mensonge. Et elles en étaient conscientes l'une comme l'autre.

Victoria conserva sa mine pensive et le silence s'intensifia. La rumeur de la salle à manger et le choc de l'argenterie sur la porcelaine leur parvenaient de loin, puis la chaise de Victoria craqua sous elle lorsqu'elle appuya sa tempe sur son poing.

— Dans ce cas, que voulez-vous savoir ?

— Comment se fait-il que vous en sachiez autant sur le West Moon Club ?

— Pas autant que vous croyez. L'homme que j'aimais en était membre, dit-elle, et l'arc délicat de sa lèvre inférieure trembla.

— De qui s'agissait-il ? demanda Miranda, qui avait l'impression que le sol tanguait sous elle.

— Je…, commença Victoria les yeux brillants. Je l'ai perdu il y a longtemps déjà.

À la vue du chagrin sincère qu'exprimaient les yeux de Victoria, Miranda faillit lui presser la main, mais n'acheva pas son geste, répugnant inexplicablement à la toucher.

— On dit que le temps fait oublier les douleurs, mais je n'en crois rien.

Victoria croisa le regard de Miranda et ses larmes menacèrent de se répandre. Avec un rire léger, elle les chassa vivement de sa main gantée.

— Ah, quel dommage que j'aie autant de temps à moi.

Elles gardèrent le silence pendant quelques instants.

— Il ne s'agissait donc pas de Lord Marvel ?

Ou d'Archer ?

Victoria retrouva son petit sourire entendu et assuré.

— Vous parlez de la querelle opposant Marvel à Archer.

Elle remua son thé une fois de plus. Les petits tintements atteignirent les nerfs de Miranda avec la force d'une enclume.

— Archer ne se faisait pas à l'idée que Marvel prenne sa place.

Dans la tasse de Miranda, le thé froid lâcha un nuage de vapeur. Elle se calma promptement.

— Prenne sa place?

Les joues de Victoria se gonflèrent et ses yeux brillèrent comme si elle était tout à fait consciente des tourments qu'elle infligeait à Miranda.

— Évidemment, nous n'étions plus ensemble. Néanmoins, continua-t-elle en tapotant pensivement le bord de sa tasse, une certaine jalousie planait, car Archer n'aime pas être remplacé. En rien. Ils ont donc débattu de la question. J'imagine, dit Victoria en haussant le sourcil, que vous êtes au courant de l'issue de cette discussion?

Miranda hocha la tête avec raideur, et les petites dents de Victoria, semblables à des perles, étincelèrent derrière ses lèvres fardées de rouge.

— Et vous a-t-on raconté comment les membres les plus âgés l'ont chassé?

Voyant que Miranda secouait la tête comme une automate, Victoria enchaîna.

— Sa présence les embarrassait, témoignait de leur échec. Et il était indomptable. Le pauvre Archer n'a jamais réussi à se maîtriser.

Elle inclina la tête et prit une gorgée de thé.

— Un bon motif de vengeance, n'est-ce pas?

Miranda ne pouvait le contester. Elle resta donc assise, pétrifiée, les baleines lui pinçant les côtes, la bande de soie froide entourant son torse se resserrant à chaque respiration.

Victoria parut saisir que Miranda oscillait entre la loyauté et la logique.

— Ma chère Miranda, je ne crois que ce soit lui qui fasse ces choses. Tuer en catimini ne lui ressemble pas. Lorsqu'il se met en colère, Archer offre un spectacle mémorable et retentissant.

Elle détourna le regard d'un air attendri comme au souvenir d'un moment intime, et Miranda eut l'impression que son col l'étranglait. Elle déglutit péniblement, s'obligeant à inspirer une goulée d'air frais, car la pièce se réchauffait dangereusement.

— Il est indéniable, poursuivit Victoria, qu'il fait un coupable tout désigné pour qui souhaiterait lui faire endosser la culpabilité...

— L'aimez-vous encore, Victoria?

Elle n'avait plus du tout envie d'entendre les théories de Victoria. Elle voulait uniquement savoir ce qu'il en était.

Victoria pencha la tête. L'image d'une grande araignée enveloppant sa proie dans ses longs fils soyeux avant de la vider de son sang traversa l'esprit de Miranda. Et elle songea qu'Archer avait eu raison de la mettre en garde contre Victoria.

— Je crois que vous connaissez la réponse, gronda Victoria d'une voix rappelant un orage sur le point d'éclater.

Une sueur froide se répandit sur la peau de Miranda, qui sentit la colère l'envahir. La pièce se réchauffa et, au-dessus d'elles, la flamme des lampes à gaz se fit incandescente. Les sourcils froncés, Victoria leva les yeux vers elles. Miranda inspira une première fois. Puis une seconde fois, en refoulant ce sentiment bien connu de *besoin*. Le besoin de donner libre cours à sa colère et, du même coup, de se libérer de la souffrance lovée au fond d'elle. *Maîtrise-toi, Miranda. Ne laisse pas ce monstre s'emparer de toi.*

— Nourrissez-vous l'intention de le reconquérir? demanda-t-elle.

Victoria fit la moue comme pour s'excuser, mais sans y mettre beaucoup de sincérité.

— Et si cela était?

La lampe au-dessus de Victoria oscilla violemment lorsque Miranda prit la parole.

— Dans ce cas, vous devrez me passer sur le corps.

Avec une vivacité surprenante, Victoria saisit le poignet de Miranda dans un étau d'acier.

— Vous me plaisez, Miranda. Bien malgré moi. Je vais donc vous donner un conseil. Si vous souhaitez conserver votre époux, méfiez-vous de tout ce que l'on vous dira. Tout le monde ment. Surtout votre mari. S'il l'estime nécessaire pour votre protection, Archer n'hésitera pas à faire usage de tous les faux-fuyants à sa disposition pour vous garder dans l'ignorance. Ne le laissez pas faire, sinon vous risquez de le perdre à jamais.

Chapitre 17

Tout le monde ment. Miranda ne pouvait empêcher la mise en garde de Victoria de résonner dans sa tête comme une ritournelle. Quels étaient les mensonges d'Archer ? Pourquoi éprouvait-il le besoin de mentir ?

Le chant plaintif d'un violon se mêlait aux cris et aux rires gras. En dépit de l'heure tardive, des petits garnements se déplaçaient sans bruit, glissant leurs petits doigts semblables à des pattes d'araignée dans la poche des badauds sans méfiance. Avec un peu de chance, ils voleraient assez pour survivre. Certains n'avaient guère plus de trois ans — des arnaqueurs et des escrocs en formation.

La pénombre bleutée enveloppait Miranda, seules les tavernes bénéficiaient d'un peu de lumière. Ses bottes écrasèrent quelque chose dont le toucher et le son lui rappelèrent désagréablement ceux des os, et elle se dit que l'obscurité était une bénédiction. Pour plusieurs raisons, du reste. Le chapeau melon enfoncé sur sa tête et le col relevé de son manteau de mauvaise qualité dissimulaient une bonne part de son visage. Elle s'était barbouillé la peau avec de la terre lorsqu'elle s'était glissée furtivement dans le jardin après qu'Archer se fut enfoncé à cheval dans la nuit. L'expérience lui avait enseigné qu'Archer était parti pour un bon bout de temps — parti faire des choses dont elle n'avait pas la moindre idée, mais qui, soupçonnait-elle, étaient aussi clandestines que sa propre mission. Le meurtre de Cheltenham et l'agression au musée l'avaient profondément perturbé. Depuis, il sortait chaque soir, lorsqu'il la croyait endormie. Elle savait qu'il cherchait le meurtrier. Il avait beau faire de son mieux pour le lui cacher, elle pouvait voir la frustration et la rage étinceler dans son regard, juste sous la surface. Et cela suscitait en Miranda un violent besoin de le protéger et de découvrir ce qu'elle pouvait, où elle le pouvait.

L'air froid, lourd de suie glacée, lui emplissait les poumons. Elle résista à l'envie d'enfoncer la tête dans son col. Ici, il fallait marcher avec assurance, sinon on se faisait remarquer. Mais l'odeur la fit larmoyer. Oignons, urine, excréments, viande décomposée... L'odeur de pourriture était la pire, elle lui imprégnait la bouche et la gorge, lui annonçait ce qui l'attendait : la mort et la décomposition. Elle serra les lèvres et continua sur sa lancée.

Sa cible se tenait derrière l'un des rares réverbères allumés. Dépassant les autres d'une tête, il était aussi dégingandé qu'une échelle de jardinier, et la lumière vacillante éclairait sa tignasse d'un brun terne. Il était plus vieux, comme elle. Un éventail de fines ridules marquait le coin de ses yeux bruns rieurs. Mais le sourire. Son sourire, qui dévoilait ses dents écartées, n'avait pas changé et exprimait à la fois de l'humour et de la malice. Il était entouré d'un groupe d'adolescents et de garçons plus jeunes que lui, qui observaient chacun de ses gestes et copiaient son attitude. Après avoir gravi les échelons un à un, c'était lui maintenant le chef de cette petite troupe. Son chapeau melon de velours vert et ses habits informes de couleur moutarde étaient un peu moins miteux que ceux de ses compagnons. Un jour, peut-être, il serait le maître de la zone entière.

Elle ralentit le pas. Comment faire pour lui parler en tête-à-tête ? Elle ne voulait pas aller le trouver au milieu de son gang. Résolue à attendre, elle s'appuya contre un réverbère éteint. L'allumeur de réverbères était passé à côté. Comme il était passé à côté de la plupart des réverbères de la rue. Ce quartier n'était pas destiné à être éclairé, ni du reste à être approvisionné en eau fraîche.

Une soudaine colère enflamma sa poitrine et, avec elle, une idée. Peut-être était-elle la seule à sentir l'odeur à la fois âcre et sucrée du gaz fuyant des réverbères inutilisés jusque dans l'étroit caniveau plein de détritus longeant West Street. Il y en avait assez pour flamber. Il suffirait d'une petite étincelle. Ses reins frémirent d'excitation et une puissance familière l'enflamma. Elle enfouit les mains au fond de ses poches pour dissimuler leur tremblement, et ses doigts s'enroulèrent autour de la pièce qui s'y trouvait. Elle s'y cramponna comme à une bouée. Si elle manquait son coup, tout West Street risquait de s'enflammer comme une torche. En réalité, l'air vicié et saturé de brouillard de Londres était en soi une bombe incendiaire prête à exploser. Pas d'extravagance, se jura-t-elle tandis que son corps se couvrait de sueurs froides. Juste une petite étincelle, dirigée avec précision vers le caniveau.

Un joueur d'orgue de Barbarie et son singe passèrent près d'elle en dansant. Puis, elle passa à l'action. Un frisson de plaisir parcourut ses membres, et le caniveau de West Street s'enflamma brusquement en sifflant. Une rivière de feu jaune se répandit dans la nuit entre les attroupements, provoquant des hoquets de surprise. Dans les éclats de rire et le brouhaha général, Billy Finger leva la tête. Ses yeux bruns balayèrent la foule et finirent par trouver ceux de Miranda. L'espace d'une seconde, ils se rétrécirent. Miranda toucha le bord de son chapeau, et le sourire familier aux dents écartées lui répondit. Le sort en était jeté.

— Salut, trésor, dit-il en la rejoignant. Tu sais faire une entrée remarquée, hein.

Une puissante odeur de gras, de transpiration et de lotion capillaire — vraisemblablement le fruit d'un récent vol par effraction — le suivait.

— Et comment va ma poulette préférée par cette belle nuit ?

— Ne m'appelle pas comme ça, siffla-t-elle à voix basse.

— Quoi ? dit-il en levant ses sourcils plumeux. Poulette ?

— Poulette, trésor, répliqua-t-elle en raidissant les épaules pour les faire paraître plus larges. N'oublie pas que je suis un homme.

Le sourire aux dents écartées réapparut.

— Ouais. Un sacré mec, pouffa-t-il en lui soufflant son haleine empuantie au visage. En te voyant, faut être vieux et aveugle pour pas vouloir mettre son joujou au pâturage.

— Ne sois pas dégoûtant, dit-elle en enfonçant le visage dans son col où l'air était plus pur. Je n'ai pas l'intention de me montrer la figure…

— Eh, Billy, c'est qui l'gandin ?

Billy se tourna en grondant vers le jeune voyou qui venait de se joindre à eux.

— C'est pas un gandin ! C'est Pan, un mec bien et un ami à moi et, à ta place, je surveillerais mon langage.

— T'énerve pas, dit en reculant le voyou qui ne devait pas avoir plus de seize ans.

— La ferme, rétorqua Billy en redressant brusquement la tête. Rends-toi utile et garde un œil sur Meg. Des vieilles putes crèchent dans sa zone.

Le jeune s'empressa de détaler.

— Tu t'es lancé dans le commerce de la chair ? demanda Miranda qui sentit son estomac se soulever à l'idée que Billy soit un souteneur.

— Faut bien qu'un homme gagne sa croûte, non ? riposta Billy avec un rictus.

Il suça quelque chose entre ses dents et le recracha.

— Et t'es trop vieille pour passer inaperçue dans l'coin, Pan.

Ce qui était vrai. Aussi habile était-elle à se fondre dans le décor, elle était désormais trop grande pour qu'on la prenne pour un jeune homme et trop svelte pour ressembler à un homme adulte en dépit de son accoutrement volumineux.

— On en a vu de toutes les couleurs, toi et moi, poursuivit-il, mais là, c'est trop dangereux. Même pour toi.

Son regard ne perdait jamais complètement sa dureté, mais, en cet instant, il s'adoucit brièvement sous l'effet de l'inquiétude.

Elle l'observa, éprouvant le même sentiment d'étrangeté qu'elle ressentait toujours en sa présence. Incroyable que le jeune garçon qui n'eût pas hésité à la violer dans une ruelle trois ans plus tôt fût aujourd'hui presque un ami. Leur route s'était croisée une seconde fois lorsque, son père étant ruiné, Miranda avait été réduite à vivre de petits larcins. Seul Billy Finger, qui entre autres activités répréhensibles aimait faire les poches, s'en était rendu compte un jour qu'il l'épiait en la voyant dérober le porte-feuille d'un richard dans Bond Street.

Il l'avait suivie et de nouveau serrée dans une ruelle humide. Comme cette fois aucun inconnu mystérieux ne se portait à son secours, Miranda avait dû lui montrer de quel bois elle se chauffait. Mais elle s'était laissé emporter, et les flammes avaient pris possession de la ruelle entière. Les cris pitoyables de Billy pesaient toujours sur sa conscience. Horrifiée par l'ampleur des dommages qu'elle avait causés, elle avait étouffé les flammes consumant ses vêtements en loques, l'avait ramené chez elle et enveloppé dans des compresses de lait froid, lait qu'elle avait volé au marché.

À compter de ce jour, Miranda avait eu un partenaire. C'était Billy qui lui avait enseigné à abuser les gens, à feindre d'être une cliente honnête, à utiliser ses charmes pour dis-traire le commis tandis que Billy, s'occupant du vol proprement dit, s'emparait du butin. L'époque la plus misérable de son existence.

Malgré tout, des liens semblables à des liens d'amitié s'étaient forgés entre eux. Il lui avait enseigné bien plus de choses qu'une femme respectable ne pouvait même ima-giner. Et lorsqu'il se faisait prendre la main dans le sac, il tenait sa langue, ne la balançait pas et subissait son châti-ment. Il n'était plus son partenaire, mais n'en demeurait pas moins un informateur inestimable lorsqu'elle avait besoin de lui. Aujourd'hui, elle avait besoin de lui. Il lui fallait retourner chaque pierre.

Dans le caniveau, les flammes vacillèrent puis s'étei-gnirent, et la foule se reforma. Seul un occasionnel éclat de rire nerveux indiqua qu'un incident fâcheux s'était produit.

— Que peux-tu m'en dire ? demanda Miranda en lui tendant la pièce d'Archer.

Il la retourna entre ses doigts courts et Miranda entrevit la peau luisante et recroquevillée labourant son poignet gauche. Des cicatrices qui lui avaient valu le sobriquet estimable de Bill le Cramé. Les doigts de Miranda s'engourdirent.

— Drôle de pièce. Tu cherches un faussaire, hein ? J'en connais quelques-uns...

— Non, dit-elle. Je n'ai pas besoin de fausse monnaie — cette idée lui parut risible —, mais j'ai pensé que cette pièce pouvait indiquer une adresse.

— Possible. J'ai entendu dire que des richards utilisaient ce genre de conneries dans leurs petits clubs. Des foutus amateurs, si tu veux mon avis, dit Billy en plissant dédaigneusement son nez busqué et tordu par de trop nombreuses fractures.

Elle sourit, mais à peine ; si Billy s'apercevait qu'il la faisait rire, il commencerait à faire le drôle et perdrait le fil de la conversation.

— C'était juste une hypothèse, dit-elle en haussant les épaules.

À l'idée qu'elle soit en train de perdre son temps, elle sentit une brûlure dans son ventre.

Billy s'approcha. Dans leur dos, les rires des prostituées parurent s'élever puis retomber dans le tintamarre de West Street.

— Mais ça n'a rien à voir avec les meurtres de la haute, hein ? J'ai entendu dire que ton nouveau légitime est mouillé jusqu'au cou. *Lord* Archer, qu'il s'appelle ?

— Comment tu le sais ? demanda-t-elle, les tempes battantes sous le choc.

Il se balança sur ses talons, les pouces glissés sous les revers de satin à carreaux verts et jaunes de sa veste. Un tel accoutrement aurait dû être illégal.

— J'ai pas la tête dans le cul. J'ai entendu dire que tu t'étais passé la corde au cou avec Lord Archer. Un petit malin, celui-là, si faut croire les journaux, dit-il en plongeant un regard acéré dans le sien. Qu'est-ce tu fais avec ce richard ?

— J'ignorais que tu savais lire, dit-elle, sincèrement étonnée.

— Ben non, dit-il en haussant ses sourcils clairsemés, j'sais pas lire. C'est Meg qu'est instruite. Je l'écoute pas, d'habitude, sauf pour c'te fois-là…

Il tira de la poche intérieure de sa veste une coupure de journal pliée.

Ses coins étaient déchiquetés et l'une de ses marges arborait une tache de graisse, mais on l'avait soigneusement rangée dans du papier sulfurisé pour la protéger de tous dommages supplémentaires. Miranda la déplia d'une main tremblante. À côté de l'article décrivant Archer comme un témoin important dans l'affaire des meurtres se trouvait un croquis représentant Miranda, qualifiée de mystérieuse et exotique nouvelle épouse d'Archer. Le dessinateur avait donné à ses lèvres un petit rictus suffisant, sinon il avait assez bien saisi l'essence de sa personnalité.

Billy se pencha sur l'article, lui envoyant en plein nez une nouvelle bouffée de son haleine au parfum d'oignon trop mûr.

— Le dessin est pas mal, à mon avis.

— En effet, dit-elle d'une voix rauque.

Ces articles tendancieux ne la bouleversaient plus. Mais que Billy conserve sur lui un croquis la représentant… La culpabilité lui serra la gorge de ses doigts durs. Elle n'avait pas pensé à lui une seule fois, même vaguement, au cours de la dernière année.

Elle lui rendit le croquis en évitant soigneusement son regard.

— As-tu entendu parler d'un West Club ? Ou d'un Moon Club ?

— Le seul club par ici, dit-il en secouant la tête, c'est le Club du Ciel et de l'Enfer.

Il montra du pouce un solide édifice situé trois maisons plus loin et dont les portes grandes ouvertes laissaient entrer et sortir un flot continu de dandys et de voyous londoniens. Sur la petite enseigne surmontant la porte, on pouvait lire le mot CIEL doté d'une paire d'ailes et d'une flèche bleue pointant vers le haut, suivi du mot ENFER dont la fourche rouge pointait vers le bas.

— Si t'as envie de t'envoyer en l'air avec une poulette, tu grimpes au ciel.

Elle inclina vivement la tête en voyant une poignée de gentilshommes descendre d'une voiture qui s'arrêtait. Certains d'entre eux, qui lui parurent vaguement familiers, figuraient sans doute au nombre des gens courant les mêmes réceptions qu'elle.

— Et pour aller en enfer ? dit-elle en examinant les hommes sous le bord de son chapeau.

— C'est moins rose, trésor. Un peu de ceci, un peu de cela, dit-il en faisant habilement virevolter la pièce d'Archer entre ses jointures. Tu veux aller voir ? demanda-t-il, le regard malicieux.

— Non merci, dit-elle en s'emparant de la pièce entre deux tours. Y a-t-il une Moon Street à Londres ?

— Pas à ma connaissance, dit-il en se grattant le cuir chevelu, ce qui eut pour effet de mettre son chapeau encore plus de travers. S'il y a quelqu'un dans le coin qui a entendu parler de ce West Moon Club, je le retrouverai, d'accord ?

— Merci, Billy, dit-elle, et elle lui tendit une liasse de billets d'une livre.

— Garde ton pognon, dit-il en repoussant sa main. Ça s'fait pas entre nous.

Ses larges joues se colorèrent de rose vif. Ils détournèrent tous deux le regard dans un silence embarrassé, et elle remarqua qu'un homme plus âgé se dirigeait vers eux. Il se déplaçait avec une assurance qui se faisait sentir dans toute la rue.

L'homme n'était pas très grand ; il atteignait à peine les épaules de Miranda et portait un modeste costume noir sous une épaisse cape noire, mais la foule s'écartait devant lui avec une déférence semblable à de la peur. Billy tourna le regard vers lui et blêmit. Il fit le geste de prendre le coude de Miranda, mais s'arrêta, comprenant qu'il révélerait ainsi qu'elle était une femme.

— On fiche la camp.

Il conserva une attitude décontractée, évitant de regarder l'homme, tout en enregistrant sa présence de tous ses sens aux aguets.

— Qui est-ce ? murmura-t-elle tandis qu'ils marchaient vers une petite ruelle.

— Tom le Noir. C'est le chef des Dial's. Sait qui est à sa place et qui l'est pas. Il aime pas tellement les étrangers, sauf ceux qui payent. Viens.

Ils tournèrent le coin, pensant se retrouver en sûreté dans la ruelle, mais ils frappèrent un mur d'hommes. La troupe bigarrée les lorgnait avec divers degrés d'humour et de malice.

— T'es pressé, Billy? lança une voix mélodieuse dans leur dos.

Billy laissa échapper un juron obscène et pivota lentement en entraînant Miranda avec lui.

L'homme, qui selon Billy se nommait Tom le Noir, les considérait de ses yeux noirs brillants comme de l'onyx sous ses épais sourcils. Un chapeau haut de forme à large bord était posé de guingois sur son crâne, et ses cheveux gras et noirs comme les ailes d'un corbeau retombaient sur ses grandes oreilles et sur son haut col.

— J'suis offensé que tu me présentes pas, dit Tom d'un ton léger.

— Bon sang, Tom, dit Billy en se dandinant, j'pensais pas que ce vaurien en valait la peine.

— Tu penses trop, fiston.

Un ricanement parcourut la bande comme si ses membres formaient une seule entité.

Le dos raide et le cœur battant, Miranda ne pouvait que rester là et attendre la suite. Les yeux noirs du chef ne l'avaient pas lâchée un seul instant.

— C'est un cousin de l'East End, articula Billy de ses lèvres livides. C'est juste un gamin. Y'a un p'tit grain dans le crâne.

— Va te faire foutre, Billy. Tu te payes not' tête? Faudrait être bas du plafond pour pas voir que c'est une poulette. Même si elle s'est déguisée en homme.

Des mains robustes l'arrachèrent à Billy. Sa tête frappa le réverbère de fonte contre lequel deux voyous la plaquèrent pour la soumettre à l'examen de Tom. Le petit homme retira son chapeau et s'inclina poliment.

— Bien le bonjour, ma jolie.

Deux autres voyous s'emparèrent de Billy, dont le grand corps s'affaissa avec résignation. Le chef s'approcha de Miranda et une odeur de gin et de mâle qui ne se lavait jamais lui frappa les narines avec la violence d'une brique.

— C'est quoi ton nom, trésor ?

— Meg, marmonna-t-elle, s'efforçant de paraître aussi stupide que Billy l'avait affirmé.

Tentative vouée à l'échec. Une simple d'esprit ne ferait qu'une proie encore plus facile.

Il passa la langue sur ses lèvres humides et lui caressa la joue de son doigt crasseux, éraflant sa peau de son ongle long.

— C'est que t'es un beau p'tit lot.

Un sourire fendit ses traits ravagés.

— T'es chez moi, ici.

Il fit un pas vers elle et ses hommes la maintinrent fermement, lui meurtrissant la chair de leurs doigts durs.

— C'qui est chez moi est à moi. Et c'qui est à moi, je le prends.

L'excitation palpable des hommes plombait l'air, et Miranda sentit son estomac se retourner. Autour d'eux, les gens allaient et venaient, mais personne ne les regardait, personne n'étant assez fou pour cela. Elle ferma les yeux et déglutit péniblement, mais leur rire déchira le voile fragile de l'obscurité. Si elle ne réagissait pas, ils allaient la violer et la tuer. À cette pensée, une sueur froide se répandit sur sa peau. Elle frissonna, le dégoût et la rage la gagnant aussi vite l'un que l'autre. Les bruits de la nuit lui parvenaient de toutes parts. Une rue bondée de gens. De témoins. Et aussi d'innocents.

Un pouce caressa sa lèvre inférieure. Le sang lui battait aux oreilles et, avec lui, le grondement précurseur de l'orage. *Fais-le. Je ne peux pas.* Soudain, elle souhaita si ardemment qu'Archer soit là qu'elle faillit fondre en larmes. *Ne pense pas à lui.*

Des éclats de rire et des cris de joie retentissaient dans la rue. Mais ici... Un souffle chaud effleura sa joue, aussi chaud que l'éther qui se massait autour d'elle.

— Tu me branles, trésor?

Elle sentit plus qu'elle n'entendit Billy bouger, et l'empoignade qui en résulta. Elle ouvrit les yeux et vit son ami réduit à l'impuissance, un couteau sur la gorge. Les yeux exorbités, il tremblait de frayeur.

— T'es pas d'accord, Billy Finger? dit Tom sans quitter Miranda du regard. Tu veux pas que j'prenne c'qui est à moi?

L'homme parlait d'un ton léger que démentait toutefois son regard sans âme et cruel. Il savait que Billy était mort de trouille et il s'en délectait.

La pomme d'Adam de Billy s'agita.

— Ne va pas...

Le couteau lui coupa la parole.

— Ne va pas quoi? demanda Tom le Noir en fronçant un sourcil épais. Faire du mal à ta petite chérie? Tu l'aimes tant que ça? dit-il en souriant de toutes ses dents gâtées.

Billy se passa vivement la langue sur les lèvres. Il avait le teint gris et de la sueur perlait sur son front haut.

— Ne va pas l'énerver, éructa-t-il.

Tom, feignant l'étonnement, ouvrit tout grand la bouche et le haut-de-forme lui faisant office de chapeau glissa en arrière.

— Sans blague? s'esclaffa-t-il, imité aussitôt par ses hommes.

— Allons, mon vieux, dit-il entre deux hoquets, on t'a jamais montré c'qui faut faire à une poulette?

Tom reporta sur Miranda ses yeux noirs étincelants de haine et de jouissance, et fit un pas en avant. Une frayeur morbide se répandit dans les entrailles de Miranda, coula dans ses membres et les fit trembler.

— T'as besoin d'amour, trésor.

Quelqu'un lui cogna la tête, son chapeau tomba, et la moitié de sa chevelure retomba lourdement sur sa joue. Une vague de feu parcourut son échine et avec elle, l'envie de frapper. *Non. Il y a trop de gens.*

— Ne faites pas ça.

Elle ne voulait pas le faire. La figure devant elle se mit à tanguer et elle sentit qu'elle n'arrivait plus à maîtriser son besoin.

— Trop tard pour pleurnicher, dit-il en lui décochant un sourire tordu.

Une chaleur incandescente lui tendit la peau et fit crépiter ses cheveux. Elle entendit vaguement Billy gémir, le vit tenter d'échapper aux mains qui le retenaient captif, de fuir loin d'elle. Mais Tom le Noir posa ses mains rudes sur elle. Les yeux rieurs, ses hommes le regardèrent déchirer sa veste. L'air froid traversa sa chemise de fine batiste. Un gamin à la poursuite d'une bouteille brisée se glissa entre les jambes des hommes. Trop d'innocents. Le sang lui battait aux oreilles.

— Beau p'tit lot, en effet, marmonna-t-il avant de lui empoigner brutalement les seins.

Un grondement éclata dans ses oreilles. Elle n'arrivait plus à réfléchir ; la chose avait pris le dessus. Elle s'échappa de Miranda dans une formidable vague de chaleur. Au-dessus de sa tête, la lanterne du réverbère éclata dans une explosion de feu et une pluie de verre.

Tom, en proie à d'intenses flammes jaunes, fut projeté en arrière. Son hurlement se mêla aux détonations des réverbères explosant dans un bruit de canonnade tout le long de West Street.

Dans un chaos indescriptible, les hommes et les femmes se mirent à crier et les malheureux spectateurs, à tenter de fuir. La foule emporta Miranda tandis que le feu bondissait vers l'édifice délabré derrière eux. Les vieilles poutres et les pièces vides se transformèrent en poudrière sous l'assaut des flammes, et la charpente s'enflamma tel un brasier.

— Billy !

Son appel rauque se perdit dans les cris de la foule paniquée. Tom le Noir se tordait sur le sol, et un cri inhumain sortait de son corps dévoré par le feu.

— Billy !

Les genoux de Miranda craquèrent en touchant les pavés durs et le monstre rouge s'éleva. Il la regarda dans les yeux, lui posa sur les joues un baiser brûlant. Pendant un bref moment de répit, elle entrevit dans les flammes la silhouette familière de son ami, qui s'enfuyait dans la nuit déchaînée, puis un coup violent arriva par-derrière et la jeta par terre.

Suffoquant sous des jupes imprégnées d'une odeur nauséabonde de poisson et de laine mouillée, elle s'efforça de repousser la femme affalée sur elle. Elles tentèrent toutes deux de se relever et leurs membres s'entremêlèrent.

— Lâchez-moi! cria la femme hystérique.

Elle repoussa Miranda d'un coup de pied dans les côtes et partit en courant. Quelqu'un écrasa de son pied la main de Miranda et elle fondit en larmes. Aveuglée par les gens qui fuyaient et l'épaisse fumée, elle n'arrivait plus à distinguer le dessus du dessous.

Soudain, des mains, fortes et fermes, s'emparèrent d'elle. Elle se retrouva aussitôt debout, attirée contre une poitrine robuste. La fumée noire lui brûla la gorge tandis qu'ils se ruaient en avant, renversant des gens, franchissaient une vieille porte de bois et s'engouffraient dans un édifice de brique désaffecté, paisible et frais.

Haletante dans l'obscurité, elle tenta de bouger. Au lieu de relâcher son étreinte, son sauveur la pressa fermement contre le mur. Il tourna la tête, et son souffle lui effleura l'oreille. Elle se cabra, battit vainement des bras. Une grande main se plaqua sur sa bouche, un bras la coinça dans un étau.

— Calmez-vous, siffla-t-il. Calmez-vous, enfin!

Elle lança le pied en avant, trouva un tibia. L'homme laissa échapper un grognement sourd et resserra son étreinte.

— Je vous ai sauvé la vie.

Malgré sa panique, elle eut l'impression de reconnaître la voix et elle cessa de se débattre.

— Là, souffla Lord Ian Mckinnon en retirant sa main. Du calme. Je n'ai pas du tout envie de subir le même traitement que le pauvre cuistre là-bas.

Comme c'était toujours le cas, le fait d'avoir laissé le feu s'échapper l'avait physiquement épuisée. Elle s'affaissa contre le mur froid et humide, et inspira profondément. L'air était mouillé et sentait la pourriture, mais, grâce au ciel, il n'était pas enfumé. Au loin, la cloche des pompiers résonna dans un bruit de métal s'entrechoquant. Mckinnon recula légèrement, sans toutefois lâcher Miranda. Celle-ci leva les yeux et vit qu'un sourire éclairait ses traits accusés.

— C'est un sacré tour, jeune femme.

— J'ignore de quoi vous parlez.

Des canines acérées pointèrent sous sa fine moustache.

— Vous savez fort bien de quoi je parle. J'ai tout vu.

Il s'inclina vers elle jusqu'à ce que leurs souffles se mêlent.

— Jusqu'à l'instant précis où il s'est libéré.

Son estomac se révulsa, mais elle feignit le plus grand calme.

— Vous avez vu qu'on m'attaquait, dit-elle sans tenir compte de sa remarque, et vous n'avez rien fait ?

En entendant sa voix contre son oreille, elle sentit un fourmillement de malaise lui parcourir l'échine.

— Je vous ai regardée vous défendre. J'ai vu votre regard. Vous n'étiez pas réellement effrayée. Et, dit-il en s'écartant légèrement pour plonger son regard dans le sien, je trouve cela intéressant.

— Que voulez-vous ?

Il l'étudia en prenant tout son temps.

— Que faites-vous ici ? demanda-t-il au bout d'un moment. Ne me dites pas que c'est pour le plaisir de vous déguiser. Je ne vous croirais pas.

Elle tenta de repousser son corps lourd, mais il ne broncha pas. Il en profita plutôt pour adopter une position plus confortable et se pelotonner contre elle. L'estomac de Miranda se noua. Son étreinte avait beau être des plus intimes, elle la laissait de glace et l'irritait.

— Allez-vous enfin me lâcher ?

Elle le repoussa de nouveau.

— Pas avant que vous m'ayez répondu.

— Je ne vous dois rien.

Il eut un rire bref tandis qu'elle continuait à se débattre.

— Je vous ai sauvé la vie.

Ce qui était précisément la raison pour laquelle elle n'éprouvait pas à son endroit la violente colère qu'elle avait ressentie à l'endroit de Tom le Noir. Cependant, cela ne diminuait en rien son envie de lui faire ravaler son sourire suffisant.

Mckinnon s'esclaffa encore.

— Peu importe, lui murmura-t-il à l'oreille. Je sais.

Il plongea la main dans la poche de Miranda.

Elle hurla, rua, sentit le feu l'envahir de nouveau. Mais il la lâcha aussitôt et bondit vivement en arrière.

— Du calme, dit-il d'un ton léger. Refroidissez-vous. Je cherchais simplement ceci.

Il leva très haut la main et un éclat doré scintilla dans la maigre lumière. La pièce d'Archer. Elle gémit en silence.

Mckinnon jeta un œil sur la pièce, puis haussa un sourcil interrogateur.

— Vous tentez de blanchir sa réputation, n'est-ce pas ? dit-il en souriant. Si vous croyez que le fait de percer à jour les secrets du West Moon Club exonérera Archer, vous vous leurrez.

Elle s'affaissa contre le mur en suffoquant.

— Vous connaissez le West Moon Club ?

Il lança la pièce dans les airs et la rattrapa gracieusement.

— Mon père en est membre, non ? dit-il, et il lui jeta la pièce. J'en sais plus que je ne le voudrais.

— Dans ce cas, vous allez…

Elle n'acheva pas sa phrase, et il sourit.

— Ce n'est jamais aussi simple, n'est-ce pas ? dit-il.

Il soutint son regard et un silence lourd de sens tomba entre eux.

— Je m'en vais.

Elle fit le geste de partir, mais il s'avança d'un pas, sans la toucher, mais en l'empêchant néanmoins de se déplacer.

— Votre inquiétude est justifiée. Archer a le dos au mur et il le sait.

Mckinnon avança. Miranda recula et ses épaules rencontrèrent le mur de brique froid. Le remarquant, il s'arrêta et la considéra d'un œil rusé.

— Vous êtes prête à tout pour lui venir en aide, n'est-ce pas, jeune femme ? demanda-t-il d'une voix trahissant son admiration.

Elle pressa ses mains contre le mur.

— Je crois que vous visez trop haut.

Mckinnon secoua lentement la tête, un sourire féroce aux lèvres.

— Je ne le crois pas.

Il avança d'un pas.

— Nous le saurons bientôt.

Chapitre 18

L e Rusty Spanner[7] était situé au milieu d'une rue étroite et sinueuse à deux pâtés de maisons des quais de Londres. Les émanations de goudron sortant de la fabrique de voiles voisine l'emportaient sur tout : le lourd parfum du thé, l'odeur saumâtre de la mer et du poisson séché, les exhalaisons sulfureuses des tanneries et la puanteur collective due à un trop grand nombre de personnes et de denrées réunies dans un endroit exigu.

S'efforçant d'ignorer la brûlure dans son nez, Archer descendait la rue, dont les édifices bas et de guingois n'étaient pas sans rappeler une rangée de dents inférieures de traviole. L'endroit était sombre, exception faite de la lumière dorée s'échappant des fenêtres des tavernes escortée d'un joyeux brouhaha. Quelqu'un avait mis la main sur un accordéon et, à entendre les chants pleins d'entrain qui l'accompagnaient, il était évident que les clients avaient déjà un petit coup dans le nez. Mais juste un petit. En effet, dès qu'Archer franchit le seuil, la musique s'interrompit, ponctuant son entrée d'une plainte mourante. À travers l'écran de fumée de tabac épais et gris, une multitude de regards

---

7. N.d.T. : La clé rouillée.

vitreux se fixèrent sur lui. Toutefois, cela ne dura pas. Le chanteur reprit son chant, d'une voix d'abord incertaine, puis l'accordéoniste le suivit. Les clients recommencèrent à faire la fête, mais Archer ne s'en crut pas pour autant à l'abri d'une attaque. Tandis qu'il se frayait un chemin jusqu'au comptoir, il sentait les regards durs dans son dos. Il dut baisser le front, car les poutres grossièrement équarries du plafond étaient si basses qu'en se redressant de toute sa taille, il les aurait sans doute frôlées de la tête.

Il imaginait la scène s'il s'était présenté dans son accoutrement habituel : le haut-de-forme noir, le masque et la grande cape auraient déclenché une véritable émeute. Il s'était vêtu comme eux — lourd caban au col relevé et épais, bonnet de laine tiré sur le front — et avait enveloppé sa figure d'une écharpe de lin. Mais les marins étaient des gens superstitieux. Au mieux, ils croiraient qu'il avait été victime d'un accident, ce qui ferait de lui un porte-malheur. Il ne pouvait le leur reprocher. Il se souvenait de ses voyages en mer et de ce sentiment d'impuissance mêlée d'excitation. Il fallait avoir des nerfs d'acier pour remettre sa vie entre les mains de cette maîtresse impétueuse qu'était la mer.

En ce moment, il n'avait pas peur, il ressentait uniquement un cuisant mélange d'espoir et de fureur. De fureur au souvenir de Cheltenham. Ses poings lui faisaient mal tant il avait envie de frapper à la pensée du pauvre vieillard égorgé comme un porc. Et d'espoir. Ce sentiment poisseux lui pesait sur l'estomac comme du pudding visqueux depuis que Leland lui avait fait parvenir un message au sujet de Dover Rye, ancien administrateur et capitaine d'Hector Ellis. Apparemment, Dover aurait volé Ellis tout ce temps, truand escroquant un autre truand. Dover commandait Le

Rose lorsque l'équipage de celui-ci avait pillé le navire d'Archer. Seul Dover avait survécu. Depuis, il se cachait dans quelque gargote de bas étage.

L'homme derrière le bar le regarda approcher. Massif, il avait la poitrine large comme une grand-voile, les bras épais comme des mâts, les cheveux cuivrés et la peau rougie par le soleil. Il posa la chope qu'il était en train d'essuyer.

— Qu'est-ce j'vous sers ?

Sa voix avait un ton nettement inamical. Et des inflexions à la fois cockneys et écossaises.

Archer se jucha sur un tabouret.

— Une bière.

Il posa une pièce sur le comptoir et une grande chope de bière sirupeuse se matérialisa devant lui. Archer but pendant un moment, très conscient que le tenancier ne s'était pas éloigné, mais continuait plutôt à l'observer d'un œil mauvais — un œil malin qui savait qu'Archer n'était pas là pour la bière ou pour la compagnie.

Archer reposa la chope et planta son regard dans les yeux délavés.

— Je cherche un homme, dit-il sans préambule.

— Ouais ? répondit le patron avec un sourire aux rides profondes. 'Y a un bordel en bas de la rue pour les magiciens dans vot'genre. Seriez mieux d'aller leur demander.

Archer gloussa silencieusement, conscient que cela irriterait le patron.

— Et vous le savez pour y être allé vous-même, n'est-ce pas ?

Un éclat menaçant assombrit les yeux du tenancier.

— J'sais aussi faire disparaître un homme quand j'en ai envie.

Un homme costaud percuta l'épaule d'Archer. Celui tourna le regard vers le type et croisa une paire d'yeux bruns sous des sourcils blancs et broussailleux, qui restèrent plongés dans les siens un moment, puis l'homme retourna à son verre. Archer réprima un soupir. Il ne souhaitait pas s'en prendre à ces hommes. Moins encore à l'homme assis à côté de lui; le costaud devait approcher les soixante ans.

Il avala lentement une gorgée de bière.

— Je cherche Dover Rye.

Le tenancier hésita à peine, mais assez.

— Connais pas.

— Non?

Archer se recula un peu sur son siège.

— Pourtant, on m'a dit que cet établissement était tenu par un dénommé Tucker Rye, le fils de Dover Rye.

L'homme cilla à peine.

— On vous a mal informé.

— Tucker!

Le cri fit sursauter plus d'un client.

Une femme, courte, mais large, surgit au sommet de l'escalier branlant situé au fond de la pièce.

— Tucker Rye!

La figure du patron se marbra de deux nuances de rouge.

— Baisse le ton, Mabel! Tu vois pas que j'suis devant toi? s'écria-t-il en jetant à Archer un regard inquiet.

Mabel ne se laissa pas démonter.

— Ça fait une foutue heure que j'attends que tu descendes les tonneaux. T'as intérêt à te botter le cul...

— Et toi, à la fermer!

Tucker Rye ne quittait pas Archer des yeux. La mégère s'approcha, l'examina à son tour et figea sur place, bouche bée et les yeux écarquillés. Rye serra ses gros poings, une lueur de défi dans ses prunelles délavées.

— Feriez mieux de filer avant que j'appelle mes amis.

— J'ai vu pire qu'une taverne pleine d'hommes comme ceux-ci, dit Archer.

L'homme se raidit et leva la tête, prêt à se battre.

Archer sourit à peine.

— Je vous jure que vous ne viendrez pas à bout de moi. Et que je vais hanter cet endroit jusqu'à ce j'obtienne ce que je veux.

Il désigna du regard un angle de la pièce où se trouvait un box sombre et inoccupé.

— Si on allait s'asseoir un moment ?

Rye abattit son poing sur le comptoir avec irritation.

— D'accord.

— Que voulez-vous à p'pa ? demanda Rye dès qu'ils furent assis.

— Il s'occupait des quais d'Hector Ellis et commandait ses navires.

Les yeux de Rye se rétrécirent.

— Ouais. Un sale type, c'te Ellis. On fait plus affaire avec lui depuis des années.

— On ? Vous avez donc également travaillé pour lui ?

L'homme durcit le visage, fâché de son lapsus.

— Ouais.

Archer s'adossa.

— Il est donc possible que vous ayez navigué sur le *Rose*.

Les narines charnues de Rye frémirent, et Archer se pencha en avant, faisant en sorte que la faible lueur de la lampe éclaire pleinement son visage enveloppé de gaze.

— Pardonnez-moi, dit Archer. J'avais oublié. Le *Rose* a sombré au large de la côte géorgienne. Vous devriez donc être mort. Sauf s'il a fait halte ailleurs. Dans le but, peut-être, de se délester de son équipage et de sa cargaison avant de s'en retourner sombrer dans l'Atlantique.

De frustration et de rage, Archer faillit frapper la table, ou Rye. Il avait été fou de ne pas y avoir songé avant.

— Qui êtes-vous ?

La question ne venait pas de Rye, mais du vieux loup de mer qui s'était assis à côté de lui au comptoir. Debout près de la table, il se dressait au-dessus d'eux et fixait Archer d'un regard dur, quoique pas tout à fait hostile.

Archer faillit ne pas répondre, mais un doute se glissa dans son esprit et il prit le parti d'être honnête.

— Lord Benjamin Archer. Et vous êtes Dover Rye.

— C'est au sujet de quelque chose qu'Hector Ellis a fait, dit Dover en s'assoyant à côté de Tucker Rye.

Le labeur avait gonflé ses mains au point qu'elles semblaient être de bois et non de chair.

— Et vous demandez justice, hein ? Parce que j'aime autant vous le dire tout de suite, mari de Pan ou non, si vous êtes venu pour nous prendre, vous ne sortirez pas d'ici.

Archer considéra longuement les deux hommes.

— C'est le *Rose* qui m'intéresse. Étiez-vous sur ce navire ?

Sur ce, Dover tira de sa poche une pipe sculptée dans un os de baleine et l'alluma sans se presser. D'épaisses volutes de fumée s'élevèrent, puis se fondirent dans le nuage bleuâtre flottant sur la pièce. Derrière eux, les hommes recommencèrent à chanter en marquant le rythme de leurs pieds.

— Nous vous avons volé, déclara finalement Dover en plissant ses yeux foncés dans la fumée. Ça, je le sais. Tout comme je suis au courant de votre arrangement avec Ellis. Si on peut appeler ça un arrangement.

Archer se cala sur son siège.

— Vous savez donc de quoi je suis capable.

— Ouais, fit Dover en tirant vigoureusement sur sa pipe. À ce que j'en sais, vos pertes vous ont été grassement remboursées. Plus que grassement, à mon avis.

Il abaissa sa pipe.

— J'espère que vous traitez bien Mlle Miranda.

Miranda. Il n'avait pas envie de penser à elle maintenant. Il rêvait d'elle avec la même constance qu'il mettait à respirer. Des rêves éveillés. Il suffisait qu'il laisse son esprit vagabonder pour qu'il se tourne immédiatement vers elle. Sa peau soyeuse et lisse, son petit corps pressé contre le sien comme s'il était fait pour s'y lover. Il était allé trop loin dans la ruelle. La montée d'adrénaline due au combat, sa peur et sa colère — les circonstances avaient concouru à le pousser à bout et à lui faire perdre la tête. C'était une erreur qu'il ne répéterait pas. Mais qu'il ne regrettait pas.

Archer s'obligea à prendre un ton léger.

— Croyez-vous Miranda capable de se contenter de moins ?

Dover s'esclaffa bruyamment et son fils sourit. Visiblement, tous deux connaissaient fort bien Miranda.

Mabel posa trois chopes devant eux et s'éloigna vivement. Dover prit une gorgée de bière, Archer l'imita.

— Que cherchez-vous au juste ? demanda le marin.

— Un coffret. De laque noire. De la taille d'une boîte à cigares.

Il aurait dû aborder le sujet avec davantage de délicatesse, mais son impatience avait pris le dessus.

Tucker Rye prit une longue gorgée et eut un sourire comblé. Archer ne pouvait pas le lui reprocher. On suffoquait dans la taverne et la bière était froide. Archer prit également une longue gorgée.

Dover déposa sa pipe et changea de position sous la lueur enfumée de la lampe à gaz dont la mèche n'était pas taillée. Ses traits ravagés vacillèrent entre l'ombre et la lumière.

— Le coffret a été apporté à Leith, avec le reste. On a vite trouvé le vin de Madère caché dans la cale. On l'a vendu avec le safran à Amsterdam. C'est plus tard qu'on a trouvé la caisse remplie de paille avec rien dedans sauf ce petit coffret. Le collier de perles qu'il contenait était de bonne qualité et on en a obtenu un bon prix.

Archer desserra à peine les dents.

— Et le coffret ?

Dover releva ses sourcils broussailleux et haussa légèrement les épaules.

— L'ai donné à mon gars, dit-il en montrant Tucker. Il me l'a demandé.

— C'est le coffret que vous voulez, demanda Tucker Rye, ou l'anneau qu'était dedans ?

Les deux hommes se tournèrent vers lui, étonnés. Tucker Rye haussa les épaules.

— J'ai trouvé la petite fente secrète et l'anneau la nuit même. J'ai gardé ça pour moi, dit-il avec un clin d'œil d'excuse à son père.

— Ouais, sourit Dover, quelle sorte de fils tu serais si tu renonçais facilement à ce genre de trésor?

Le père et le fils eurent un rire complice.

Tout en sirotant sa bière en compagnie des deux hommes, Archer sentit une douce chaleur l'envahir. Il y avait si longtemps qu'il avait partagé un verre qu'il en avait oublié ce qu'on ressentait. Curieusement, c'était réconfortant, tout comme l'était le bourdonnement insouciant l'entourant. Miranda aimerait cet endroit. Il ressentit le désir qu'elle soit assise près de lui. *Ne pense pas à elle.*

— J'suis une foutue grande gueule, poursuivit Tucker au bout d'un moment, et j'm'en suis vanté à la taverne.

Il eut un rire sans joie.

— Un homme m'a proposé de le jouer. On a lancé les dés trois fois, et il l'a gagné.

— C'est c'qui arrive quand on joue, rétorqua le vieux Dover en reniflant avec dégoût.

Archer posa sa grande main sur la table.

— Qui a l'anneau?

— J'sais pas. Pourrait être n'importe où. Les marins ont pas l'habitude de garder bien longtemps ce genre de trésor.

La fatigue envahit Archer, pesant sur ses paupières au point de lui donner envie de les fermer.

— Donnez-moi un nom.

Avec un sourire tordu, tremblant sur les bords, Tucker se pencha en avant, et la flamme éclaira le tatouage délavé sur son avant-bras — un loup noir entouré des mots DEI DONO SUM QUOD SUM. Saisissant le regard d'Archer, Rye sourit.

— Vous commencez à comprendre, hein?

L'information jaillit des profondeurs de la mémoire d'Archer. DEI DONO SUM QUOD SUM — *par la grâce de Dieu, je suis ce que je suis.*

— Le clan Ranulf...

— C'est ça, mon vieux. Lord Alastair Ranulf, comte de Rossberry.

Dover s'esclaffa bruyamment et Archer serra les poings.

— Vous saviez pas qu'il a toujours eu Ellis dans sa poche, hein?

Il s'esclaffa de nouveau, et son visage ridé se plissa méchamment dans la fumée.

— Ellis n'a pas assez de tête, ni assez de couilles, pour être un pirate. C'est l'autre qui nous a donné l'ordre de pourchasser votre navire.

Archer retomba lourdement contre le dossier de son siège.

— Je vais...

Tucker secoua la tête, sachant fort bien ce qu'impliquait la sourde menace d'Archer.

— Ça vous servira à rien, mon vieux.

Archer inspira péniblement, et autour de lui les chants s'assourdirent.

— Oh?

— On nous a dit que vous viendriez nous chercher, dit l'homme, une étincelle de malice dans le regard. On nous a dit de prendre bien soin de vous quand vous le feriez.

Archer comprit trop tard la nature du sentiment qui l'envahissait. Un bruit de pas retentissait déjà dans son dos. Il se projeta en avant, envoyant valser sa chope vide et renversant son siège. *Trop tard.* Avant qu'il puisse se retourner, un sac lui recouvrit la tête et des hommes se jetèrent sur lui. Son menton frappa la table avec un craquement. Il tomba, les genoux liquéfiés et l'esprit embrouillé par la drogue, et les hommes le ligotèrent fermement. Un violent coup de pied porté à son flanc gauche lui coupa le souffle et, en dépit de l'obscurité qui l'envahissait, il entendit vaguement les dernières paroles du vieux Dover, étouffées par le tissu épais lui enveloppant la tête.

— Arrangez-vous qu'on n'en retrouve pas un seul morceau.

Archer reprit connaissance en hoquetant comme si on l'avait aspergé d'eau froide. Il n'était pas resté inconscient très longtemps. Des hommes le portaient. Quatre, à en juger par les mains sur son corps.

— Seigneur, il est plus lourd qu'un canon!

— Et tout aussi massif, dit celui qui lui tenait les jambes.

Archer ballottait mollement au rythme de leur progression difficile. Il avait la tête lourde, l'esprit embrouillé. La drogue qu'ils lui avaient donnée aurait sans doute tué un homme ordinaire. Dans son cas, cependant, l'effet ne durerait qu'un moment. Une goulée d'air frais aurait été bienvenue, mais le sac sur sa tête était noué trop serré.

— La ferme, vous deux. Nous sommes presque arrivés.

C'est alors qu'il le sentit. Le feu. L'odeur âcre d'objets, de bois, de caoutchouc ou de métal, en train de brûler; tout et n'importe quoi. Le choc lointain des bouées et la plainte d'une corne de brume lui indiquèrent qu'ils n'avaient pas quitté le port. Dans cette zone, un seul endroit dégageait une forte odeur de fumée — le Queen's Pipe, un immense four destiné à la crémation de biens prohibés. Ils avaient l'intention de le jeter au feu. La terreur le submergea, sensation à la fois inconnue et déplaisante. Il réagit aussitôt, et écarta largement les bras et les jambes. Il tomba par terre et les liens épais qui le retenaient se cassèrent net.

— Seigneur! Il est vivant!

Il frappa durement le sol et se releva aussitôt, arrachant l'étoffe lui enveloppant la tête.

— Attrapez-le!

Archer eut à peine le temps d'entrevoir une venelle obscure et les planches mouillées du quai qu'ils se jetaient sur lui. Archer, un large sourire aux lèvres, s'écroula sous les coups qu'ils lui assenaient de leurs bras, de leurs poings, de leurs pieds et de leurs jambes. Les coups pleuvaient sur lui. Il attendit qu'ils se fatiguent, puis utilisa son poing, le droit. La période de grâce était terminée. Il balança son poing de toutes ses forces et sentit le craquement agréable des os lorsqu'il cogna la mâchoire d'un homme. Son pied percuta le ventre d'un autre homme, qui tomba à la renverse sur un tas d'ordures. Les deux autres s'élancèrent vers lui, armés de couteaux.

Archer pivota, saisit l'un des hommes par le bras, lui brisa le poignet et lui écrabouilla le nez à l'aide de son front. Clac. Bang. Quelque chose s'empara de lui. Un brouillard de fureur blanc qui faisait bouillir son sang, battre son cœur. La lumière. La force. Elle déferlait en lui.

Il mit un moment à s'apercevoir que les coups avaient cessé, et qu'il n'entendait plus qu'un gargouillement semblable au bruit que produit une canalisation obstruée. Archer cligna, sa vision redevint nette, et il vit qu'il serrait un cou, que ses doigts étaient en train d'écraser la trachée de l'homme. Le type en question était baraqué, presque autant que lui. Archer le souleva de terre, le maintint dans les airs, prêt à lui arracher son dernier souffle. *Arrête!* L'homme, les yeux exorbités, la bouche ouverte, griffait désespérément la main gantée d'Archer. Après un dernier gargouillis, il cessa de lutter. Mais Archer continua de serrer, la main crispée autour de cette gorge charnue, incapable de lâcher prise. La poitrine d'Archer se gonfla.

Le type se balançait au bout de son bras comme une chiffe molle. *Arrête !* L'homme frappa le sol avec un bruit sourd. Archer baissa les yeux sur sa main. Il avait tué de la seule force de sa main gauche. Sa main humaine. Tremblant, il retira son gant, convaincu que sa chair serait altérée. Voyant qu'elle ne l'était pas, une vague de soulagement le submergea et il tomba à genoux, en fléchissant les doigts pour vérifier leur fonctionnement. Ils ne s'étaient pas encore métamorphosés. Mais ils étaient plus forts.

Les corps rompus des hommes qu'il avait massacrés jonchaient le sol autour de lui. Il les avait tous tués. Au-dessus de lui s'étendait un ciel étincelant comme de la poussière de diamant que seules des volutes de fumée noire apportées par le vent déchiraient. Il leva les yeux, tenta de reprendre son souffle. Le goût du sang, le brouillard blanc — jamais la pulsion n'avait été aussi forte. La honte le submergea. Il aurait dû se contenter de partir, d'abandonner ces hommes à leur sort. C'est ce qu'il fit aussitôt, ses pas résonnant sourdement sur le vieux bois tandis qu'il s'éloignait de l'amas de corps démolis.

Il rentra chez lui, oppressé par un grand vide. Il aurait voulu pouvoir s'écrouler, se rouler en boule afin de lutter contre sa douleur. Le meurtre infectait sa chair et coulait dans ses veines comme une drogue, réclamant une nouvelle dose ; il était en train de perdre la bataille.

Malgré sa détermination à garder ses distances, Archer se retrouva debout devant la porte laquée de blanc de la chambre de Miranda, le poing levé mais hésitant. En passant devant pour regagner sa propre chambre, il était certain d'avoir entendu un petit sanglot.

Il serra le poing. Peut-être s'était-il trompé. Il n'entendait plus rien maintenant, sauf le tic-tac de l'horloge du vestibule, et les craquements et grognements sourds de la demeure se disposant à sombrer dans le sommeil. Il fit le geste de s'éloigner et... là! Encore ce bruit étouffé. Miranda pleurait. Dans son oreiller, devina-t-il. Surmontant la nervosité qui faisait battre son cœur, il prit son courage à deux mains et frappa à la porte. Le silence retomba aussitôt. Puis...

— Oui?

Sa voix était rauque et effrayée.

Il sentit l'agitation l'envahir.

— Miranda, dit-il, est-ce que ça va?

Un silence encore plus lourd lui répondit. Archer appuya sa paume contre la porte froide, hésitant entre partir ou la forcer et apaiser son inquiétude.

— Entrez, dit une voix vacillante.

Il faisait plus chaud dans la chambre que dans le couloir, grâce à une bonne flambée et à la chaleur que dégageait le corps de Miranda. Et son odeur imprégnait l'air. Un parfum d'herbes sauvages et un autre, frais et doux, comme celui des pivoines printanières. Bien que l'endroit fût plongé dans l'obscurité, il se déplaça aisément, y voyant aussi clair qu'en plein jour.

Miranda se redressa sur son siège, sa chevelure couleur d'or et de rubis ruisselant sur ses épaules et dans son dos. Une chaste chemise de nuit lui couvrait entièrement la gorge et les bras. *Mais même ainsi.* Il fit un pas et ses genoux se liquéfièrent. Doux Jésus, une femme n'avait pas le droit d'être aussi attirante dans une telle enveloppe d'innocence.

Miranda chercha à tâtons les allumettes.

— Non, dit-il en s'approchant. N'allumez pas.

Elle hésita, avec ce charmant froncement qui plissait la peau délicate entre ses sourcils, puis elle se cala contre ses oreillers.

— Je voulais vous éviter de trébucher.

— Inutile.

Il s'avança près du lit et elle sursauta en le découvrant si près.

— Je connais les lieux.

Avec un faible sourire, elle regarda dans la direction de sa voix, mais son regard le rata de plusieurs centimètres. Des traînées de larmes argentées marbraient la courbe de ses joues.

— Pourquoi pleurez-vous ?

Elle se mordit la lèvre inférieure.

— Vous assoirez-vous près de moi ?

Il ne put résister à ses grands yeux et au tremblement de sa bouche gonflée. Il s'assit précautionneusement sur le lit. Ce qui lui parut dangereux. Le doux parfum de Miranda l'enveloppa, lui procurant un léger vertige et lui faisant battre le cœur. Il inspira pour retrouver son calme. C'était cela ou poser la tête sur ses genoux et la supplier de le prendre dans ses bras.

— Archer ? dit-elle en rompant le silence. Est-ce que vous... ?

Elle se mordit de nouveau la lèvre et secoua vigoureusement la tête.

— Peu importe.

— Dites-moi, la pria-t-il doucement.

— Est-ce que vous…

Ses joues se parèrent d'une délicate teinte rosée.

— Resteriez avec moi ?

Sa demande, formulée d'une voix étranglée, lui coupa le souffle. Il s'efforça de le retrouver, son cœur cognant contre ses côtes comme un lapin affolé contre les barreaux d'une cage.

Percevant son trouble, Miranda s'empourpra davantage.

— C'est tout simplement que…

Un frisson violent la saisit.

— Oh, Seigneur… Oubliez cela. C'était ridicule…

— Entendu, dit-il.

Au bout d'un moment, elle se cala contre ses oreillers. Mais ses joues demeurèrent roses d'embarras. Lentement, les mains tremblantes, Archer retira sa veste et ses bottes. Puis ses gants. Il ne pouvait plus les supporter. Déjà, sa peau brûlait d'impatience. Il garda les bandelettes qui lui couvraient le visage. Elle ne pouvait pas le voir, mais, dehors, un orage couvait, et il aurait suffi d'un seul éclair pour qu'elle voie tout.

Soudain baigné de sueur froide, il s'installa dans le lit à côté d'elle. Il ne se faisait pas assez confiance pour se glisser sous les couvertures. Bon sang, il se faisait à peine assez confiance pour s'allonger près d'elle. Pourtant, c'était le paradis. Le serrement et la tension de son ventre se relâchèrent dès qu'il s'allongea et sentit la chaleur de son corps tout près du sien.

Miranda s'écarta un peu pour lui faire de la place et lui abandonner un oreiller. Allongés avec raideur sur le matelas moelleux, ils contemplèrent le plafond. Elle reposait à cinquante centimètres de lui. Il avait l'impression qu'elle n'était en réalité qu'à cinq centimètres. Sa verge en prit conscience et commença à s'émouvoir. Archer lui ordonna de se calmer. L'en supplia, en fait. La salope n'en tint pas compte.

— Et maintenant, murmura-t-il, incertain de réussir à maîtriser sa voix, me direz-vous pourquoi vous pleurez?

Sa lèvre inférieure disparut entre ses dents.

— Je me suis mise au lit... bouleversée. J'ai fait un cauchemar.

Frissonnante, elle cligna des yeux.

— J'ai vu une tombe. Et vous gisiez, glacé, sur le sol. Vous étiez mort.

Il aurait voulu la remercier de se confier à lui par un baiser sur la joue, mais ses mots le glacèrent et l'appréhension lui noua les entrailles. Il se tourna vers elle.

— Vous et moi faisons les mêmes rêves.

Elle se tourna à son tour, sa main effilée et pâle reposant entre eux sur le lit.

— Il me déplairait que vous mouriez, Archer.

Le cœur d'Archer cessa de battre, sa gorge se serra. Lentement, il tendit la main vers elle. Elle hoqueta de surprise lorsqu'il la toucha de ses doigts nus. Il ne s'en soucia pas. Leurs doigts s'enlacèrent. À l'intérieur de lui, quelque chose s'apaisa, comme si le fait de tenir sa main l'avait en quelque sorte ancré. Son âme en soupira d'aise.

— Cela me déplairait également.

Il avait voulu s'exprimer avec légèreté, mais sa voix était rauque.

Ils se tinrent la main dans le noir, et il sentit le pouls de Miranda battre contre son poignet. Incapable de résister, il caressa du pouce la peau soyeuse au dos de ses doigts. Une légère odeur de fumée, semblable à celle d'une allumette que l'on vient de souffler, émanait d'elle. Peut-être venait-elle de tisonner le feu. Elle bougea, et l'odeur s'estompa, remplacée par son doux parfum naturel. Son souffle chaud se posa sur la peau froide d'Archer. Imitant son geste, elle laissa son pouce glisser sur le dos de sa main. Archer sentit la caresse sur tout son corps. Il n'osait pas bouger et respirait trop vite et trop légèrement.

— Votre main, murmura-t-elle.

Comprenant ce qu'elle entendait par là, il sourit.

— Ne vous réjouissez pas trop vite. C'est ma main gauche.

Son sourire s'accentua lorsqu'il la vit sourciller de déception. Sa belle Miranda aimait le mystère. Qu'on lui arrache une petite pièce du casse-tête l'irritait visiblement.

— Vous n'êtes qu'un affreux taquin, Archer, murmura-t-elle.

Il gloussa. Dieu que c'était bon d'être avec elle. Les horreurs de la nuit se dissipèrent, se replièrent dans l'ombre, inoubliables, mais moins réelles.

— Oui, répondit-il en chuchotant. Mais vous aimez cela.

Miranda baissa les yeux et la frange épaisse de ses cils ombragea ses joues.

— Mmm… dit-elle avec un petit sourire. J'espère que vous ne m'en tiendrez pas rigueur au matin.

— Jamais, promit-il.

La chaleur se répandit en lui, son contentement tempéré toutefois par le désir, doux, mais presque douloureux, de la serrer contre lui. Il déglutit péniblement. De sa main libre, il lui caressa les cheveux et replaça une boucle vagabonde derrière son oreille. Il tremblait, tant son désir de l'embrasser était grand. Mais il ne le ferait pas. Un baiser, et il lui ferait l'amour. C'était possible. Dans le noir, elle ne verrait rien. Mais sa Miranda ne saurait se satisfaire de si peu. Elle voudrait voir ce qu'il cachait. Et il ne le supporterait pas.

Il pensa involontairement à une autre femme. Marissa, son ancienne fiancée. Il s'agissait d'un mariage de convenance. Toutefois, Marissa avait été sa confidente et une amie de longue date. Jusqu'à ce qu'il lui révèle ce qu'il avait fait et qu'il lui montre sa main, qui avait déjà commencé à se métamorphoser. Son expression de dégoût et d'horreur, sa colère pleine d'amertume à l'idée de sa « dépravation et de son terrible égarement » le brûlaient encore aujourd'hui. *Vous êtes devenu une créature cauchemardesque, Benjamin.* Elle l'avait quitté sans un dernier regard. Et, aujourd'hui, elle était morte, partie à jamais. Comme tant d'autres.

Miranda releva les paupières et le considéra avec une tendre inquiétude.

— Vous frissonnez Archer. Venez sous les couvertures.

Il ferma les yeux pour résister à la tentation.

— Je me réchauffe de minute en minute, je vous assure.

Il attira sa main, qu'il tenait toujours, plus près de lui, tout contre son cœur.

— Dormez maintenant. Je suis là.

Elle ferma les yeux sur un soupir, et sa main se détendit dans la sienne. Les bruits de la nuit flottèrent autour de lui pendant un moment avant d'être rompus par la voix basse de Miranda.

— J'étais une voleuse.

Archer se tendit, surpris. Elle le lui avait dit. Bien entendu, il savait ce qu'elle avait été. La rage s'était emparée de lui lorsque son agent d'affaires lui avait raconté comment Ellis, après avoir dilapidé l'argent que lui avait remis Archer, avait obligé Miranda à voler. Le fait qu'Ellis eut réussi à lui dissimuler ses méfaits si longtemps avait certes stupéfié Archer, mais avait également affermi sa volonté de demander la main de Miranda dès son retour à Londres.

— C'est mon père qui m'a enseigné. Il vient des rues, du gang des Seven Dials. Il m'a appris à parler comme eux, à me comporter comme eux, à me fondre à eux.

Elle eut un rire bref.

— Ma mère avait consacré sa vie entière à faire de moi une lady, et il a tout détruit en une nuit.

Il l'étreignit plus fortement, et elle lui répondit d'un sourire tremblant.

— J'ai commencé par faire les poches des richards tout en leur décochant un beau sourire.

Elle s'exprimait dans le langage de la rue, celui qu'elle avait appris pour survivre, et son accent n'était plus le même. Sa voix chaude s'épaissit, se durcit.

— Puis, j'ai jeté de la poudre aux yeux des commis innocents et j'ai dérobé des bijoux dans des boutiques.

Elle déglutit péniblement.

— Ils ne regardaient pas plus bas que ma poitrine, ne voyaient pas mes mains qui s'activaient.

Lentement, elle fit courir le renflement de son pouce sur les jointures d'Archer, dont l'attention se trouva divisée entre son récit et la douceur de sa caresse. On aurait pu croire que le fait de porter des gants depuis si longtemps aurait rendu ses nerfs moins sensibles. Au contraire, ils étaient plus réceptifs, et chaque caresse, chaque effleurement le torturaient. Elle se tendit, et il le sentit aussitôt, mais elle lui serra tout simplement la main un peu plus fort, comme s'il s'agissait d'une bouée.

— Au début, j'aimais cela, dit-elle. Parce qu'ils se laissaient prendre, trop stupides pour voir autre chose qu'un joli visage.

Elle sourcilla violemment.

— Je les haïssais autant que je me haïssais.

— Si vous me demandez de vous haïr à mon tour, j'ai le regret de vous annoncer que je ne vous obéirai pas.

Elle eut un sourire réticent.

— Non ?

Il lui pressa la main.

— Jamais.

Le sourire de Miranda s'évanouit.

— C'est la deuxième fois que je vous révèle un pan honteux de mon passé. Et, les deux fois, vous ne m'avez pas jugée.

Archer promena son pouce sur la douce vallée séparant son pouce de son index.

— Et pourquoi vous jugerais-je, dit-il tranquillement, alors que j'ai sûrement fait pis.

— Vraiment ? demanda-t-elle du même ton.

Ses yeux ressemblaient à deux globes de lumières dans l'ombre.

— J'ai enfreint tous les commandements, sauf… le cinquième et le neuvième, si ma mémoire est fidèle. J'ai toujours honoré mon père et ma mère, dit-il d'un ton exagérément solennel. Et je ne me souviens pas avoir fait de faux témoignages.

Un sourire erra sur les lèvres de Miranda avant de disparaître.

— Et vous avez tué ?

Paisiblement allongé sur un lit douillet près de sa femme, Archer revit avec une netteté implacable le visage de tous les hommes qu'il avait tués. Son cœur se glaça. En dépit de ses coups de gueule, il n'était pas un homme violent. Ses parents lui avaient enseigné la valeur de la vie. Mais, cela, c'était avant. La voix de Victoria résonna dans sa tête. *Je suis la seule à savoir qui vous êtes en réalité.* Il déglutit, se sentit malade. Que Dieu le protège.

— Oui.

Quel droit avait-il d'être près de Miranda ? Sa conscience lui ordonna de fuir ; son cœur le cloua sur place.

— Quoique je vous jure que, chaque fois, c'était pour me défendre, il n'en demeure pas moins que j'ai pris des vies.

De ses dents nacrées, Miranda mordit le doux renflement de sa lèvre et un frisson la secoua. Le tonnerre grondait au loin, sourd et menaçant. Une vieille frayeur enfantine parcourut l'échine d'Archer, lui donnant envie de se blottir sous les couvertures. Il tenta de s'écarter, mais elle s'y opposa.

— Le fait que l'on ait agi ainsi, mû par un violent instinct de survie, n'amoindrit pas le sentiment de culpabilité, n'est-ce pas ?

Elle s'exprimait avec l'assurance de qui est passé par là. Il fit le vœu de faire en sorte qu'elle ne ressente plus jamais cette culpabilité. Qu'elle n'ait plus jamais à voler, qu'elle n'ait plus rien à craindre. Même s'il mourait, sa fortune lui assurerait la sécurité.

Il s'obligea à répondre.

— Non, en effet.

Elle hocha la tête, ses cheveux soyeux semblables à une coulée de soie rouge sur l'oreiller. La pluie fouetta la fenêtre, puis une violente rafale la secoua, réclamant le passage.

— Je n'avais jamais raconté cela à personne, dit-elle au bout d'un moment.

Sous sa tête, l'oreiller bruissa doucement lorsqu'il se tourna vers elle.

— Pourquoi me l'avez-vous raconté à moi ?

La petite main de Miranda serra plus fortement la sienne et elle l'attira vers elle.

— Toute ma vie, j'ai misé d'abord sur ma beauté, ensuite sur mon intelligence. C'était ce que l'on attendait de moi, voire ce qu'on exigeait. Mais vous m'avez percée à jour dès le premier instant. De tous les hommes que j'ai connus, vous êtes le seul à avoir vu au-delà de mon visage, souhaité me connaître telle que je suis. Et je me surprends à désirer que vous me connaissiez entièrement.

Je vous aime. Pendant un moment angoissant, il craignit l'avoir dit tout haut. Son âme, elle, l'avait littéralement crié. Pendant trois longues années, il n'avait pas vécu un seul jour sans penser à elle. Elle lui avait empli l'esprit jusqu'à devenir la quintessence de la femme parfaite, au point où il avait redouté, lorsqu'il était venu à elle, qu'elle ne soit pas à la hauteur de son impossible rêve. Ce qui avait été le cas. Certes, la vraie Miranda était brave, loyale et pragmatique. Elle était également inquisitrice, querelleuse et opiniâtre. La vraie Miranda était humaine et, bon sang, elle lui coupait le souffle. Il savait qu'il l'aimerait jusqu'à la fin des temps. Que devait-il faire ?

Le tonnerre gronda sur la demeure et leurs souffles se mêlèrent.

— Et vous? réussit-il à articuler en dépit de sa gorge contractée. Ne m'avez-vous pas offert le même cadeau? Je porte ce maudit masque depuis des années, et personne n'en a eu cure.

Entre eux, l'air se fit lourd, languide. Il ne l'embrasserait pas. Non. Son cœur lui martelait follement les côtes. Il pouvait cependant la prendre entre ses bras. Pas davantage. Lentement, comme un homme s'approchant d'un poulain rétif, il allongea le bras. Elle baissa les paupières lorsque sa main s'enroula autour de sa taille fine. Pendant un moment, la sensation de son corps se coulant contre le sien lui coupa le souffle et lui donna le vertige. Doucement, il posa le menton sur sa tête. Il aurait voulu enfouir le visage dans sa chevelure et la respirer à pleins poumons, rester allongé près d'elle pendant des jours à ne rien faire de plus que la serrer contre lui. Est-ce que le monde entier ignorait le plaisir insoutenable que pouvait éprouver un homme à tout bonnement tenir une femme entre ses bras?

Il était excessivement insensé de l'entraîner dans son existence. Et égoïste. Affreusement égoïste, car il ne savait que trop bien qu'il n'y avait aucun espoir pour lui. Il le savait. Il n'obéissait qu'à son fichu désir. C'était perdu d'avance. Dès le premier regard, lui aussi avait été perdu. *Trouve l'anneau.* Daoud était convaincu que l'anneau pouvait le guérir. Il allait trouver l'anneau, puis il la ferait sienne.

Miranda posa sa main fine sur le cœur d'Archer et soupira.

— Je déteste avoir peur, Archer.

Il lui caressa doucement les cheveux et s'efforça de conserver son calme. Qu'elle soit, à cause de lui, effrayée, en danger, lui donnait envie de crier.

— Moi de même.

Il posa un baiser sur sa tête, puis ferma les yeux pour repousser son sentiment d'impuissance et sa rage.

— Dormez, belle Miranda. Je suis avec vous maintenant.

Chapitre 19

— Dois-je renvoyer cette personne, milady ?

Il était plus de dix-huit heures, une heure très inconvenante pour une visite, ce que confirmait du reste la mine pincée de Gilroy. Qui plus est, le visiteur était un homme. Et il était seul. Quel rustre, laissaient entendre les narines contractées de Gilroy.

Miranda tapota du doigt la tranche de la carte de visite. Le nom y figurant la narguait. Le temps était venu pour elle d'honorer sa dette. À l'idée de ce qu'on risquait de lui réclamer, un goût amer lui emplit la bouche.

— Non, dit-elle en lissant ses jupes d'une main incertaine. Je vais le recevoir.

Sa voix ne sonnait pas juste, elle en était consciente. À son réveil, elle était seule, et elle l'avait été toute la journée. Archer l'évitait. Elle en avait l'intuition, et cela lui donnait envie de frapper quelque chose. Ou, peut-être, quelqu'un.

Elle reposa la carte. En l'absence de son mari, le visiteur servirait d'exutoire. Du reste, il lui fallait des réponses. Billy lui avait fait parvenir un message par l'intermédiaire de l'un de ses gamins. Il n'avait rien récolté, même pas une rumeur, sur le West Moon Club, ou sur une quelconque variante du nom, dans les rues de Londres. Compte tenu de la manière dont l'information circulait dans les veines des voyous londoniens, c'était plutôt étonnant.

L'homme, son haut-de-forme sous le bras, tournait le dos à la porte et étudiait les objets présents dans le salon. Il pivota lorsqu'elle entra, ses yeux bleu vif pétillants de malice.

— Ah, Lady Archer. Vous êtes plus belle de jour en jour.

— Il est plutôt tard pour une visite, monsieur, dit-elle tandis que Gilroy refermait la porte.

Le coin des yeux de Mckinnon se plissa.

— Préféreriez-vous que je me présente lorsque Lord Archer est là ?

Elle alla se poster à côté de la cheminée, dans le but d'avoir à portée de main des armes, comme les chenets et le seau à charbon.

— Vous surveillez la maison, n'est-ce pas ?

Il sourit aussitôt.

— Rien d'aussi méchant.

Il s'installa confortablement sur le canapé et les plis impeccables de sa redingote se rompirent.

— J'ai vu par hasard Archer à cheval dans Shaftsbury. Il provoque tout un émoi, vous savez.

Il poussa un soupir détendu et allongea le bras sur le dossier du canapé.

— Je crois même qu'une femme s'est évanouie.

Des imbéciles sans cervelle. Elle s'absorba dans l'examen de l'horloge de chrysocale[8] posée sur le manteau de la cheminée et attendit la suite.

Les yeux bleus la considérèrent avec un amusement croissant.

---

8. N.d.T. : Alliage de cuivre, de zinc et d'étain imitant l'or.

— Allons, madame. Ne serait-il pas plus confortable de vous asseoir ?

Il ne servait à rien de rester debout comme une statue privée de parole ; Mckinnon ne partirait pas. Elle gagna d'un pas raide le fauteuil le plus près, mais Mckinnon fronça les sourcils.

— Vous n'allez pas me laisser seul sur ce canapé ?

Son ton moqueur agaça les nerfs de Miranda comme des ongles griffant de l'ardoise. Elle leva sur lui un regard haineux, puis s'avança de mauvaise grâce vers le canapé.

— Là, dit-il lorsqu'elle se laissa choir à l'autre bout du sofa. C'est beaucoup mieux.

Il se tourna à demi vers elle, faisant en sorte que l'un de ses genoux lui touche presque la cuisse. Elle tiqua lorsqu'il effleura du bout des doigts la manche bouffante de sa robe du soir.

— Comprenez-moi bien, dit Miranda en plongeant un regard noir dans ses yeux souriants. Ma patience a ses limites. J'ai consenti à vous revoir, pas davantage. Je vous l'ai dit, quel que soit mon intérêt pour les secrets d'Archer, je ne vous autoriserai pas à poser la main sur moi.

Mckinnon se caressa distraitement la joue gauche, comme s'il sentait encore l'endroit où elle l'avait frappé ce soir-là.

— Et, je vous le répète, je n'ai pas l'intention de prendre de force ce qui n'est pas donné librement. Mais qu'en est-il de *votre* secret, Lady Archer ?

— Il demeurera secret si vous n'êtes plus qu'un tas de cendres sur mon plancher.

Un éclat de rire choqué s'échappa des lèvres de Mckinnon.

— Touché, dit-il en retrouvant son sourire suffisant. Heureusement pour moi, nous savons l'un comme l'autre que cela ne se produira pas.

Il se pencha et son souffle chaud lui balaya le cou.

— Que diriez-vous de l'arrangement suivant ? Je réponds à l'une de vos questions et, en retour, vous me donnez quelque chose que je désire.

Elle s'écarta brusquement, prête à fuir, et il leva les mains.

— Du calme ! Du calme ! Je crois que vous m'avez mal compris, Lady Archer.

Ses dents acérées étincelèrent sous sa moustache parfaitement taillée.

— Je n'ai guère le goût d'obliger une femme à venir dans mon lit en la faisant chanter. Ce serait offenser ma fierté.

— On ne dirait pas, lança-t-elle sèchement, la peau frémissante du désir de s'éloigner de lui.

Mckinnon promena son regard sur sa silhouette, s'attardant sur son profond décolleté.

— Vous sautez constamment aux conclusions et je me demande si vous n'aimez pas ce petit jeu.

Voyant qu'elle le fusillait du regard, il sourit.

— Oh, il ne fait aucun doute que je vous veux. Mais je préférerais que vous vous rendiez compte de votre erreur. Vous avez choisi le mauvais homme. Et je crains que vous ne vous en repentiez.

— Dites-moi donc, monsieur, en quoi ai-je fait le mauvais choix ?

Il croisa l'une de ses longues jambes sur l'autre.

— S'agit-il de votre première question ?

— Non. La question était rhétorique, malotru. Qu'est-ce que le West Moon Club ? Et je ne me satisferai pas de monosyllabes.

Les dents de Mckinnon étincelèrent.

— Fort bien. Il s'agit d'un regroupement d'érudits de la noblesse poursuivant un objectif commun — ils s'inté-ressent à la science et à la médecine dans le but de décou-vrir le moyen d'améliorer le sort des hommes, d'éliminer la *maladie*, dit-il en s'étranglant sur le mot comme s'il le dégoû-tait. Et, en définitive, le moyen de vaincre la mort.

Elle comprenait qu'Archer, qui rêvait de tombes et de mort, puisse trouver cette mission attirante. Elle donnait sans doute un sens à sa vie. Mais comment cette entreprise avait-elle pris une tournure si tragique ?

— Que cherchent-ils au juste ?

— C'est là, vous en êtes consciente, une nouvelle ques-tion. Mais je me sens généreux. L'immortalité, déclara-t-il, imperturbable.

— L'immortalité ?

Sous le choc, un fourmillement parcourut ses joues.

— Mais comment ? Ont-ils trouvé ? Ils le croient sans doute… Archer croit-il…

— En faisant fi de la première question, de nature répé-titive, rétorqua Mckinnon d'une voix traînante, je crois que vous venez de poser trois questions de plus. Vous me devez quelque chose.

— Fort bien, répondit-elle entre ses dents.

Le regard caressant, il appuya la tempe sur son poing.

— Éprouvez-vous du plaisir lorsque vous lui donnez libre cours ?

La chaleur enflamma aussitôt la peau de Miranda. Elle déglutit à plusieurs reprises, un goût de bile dans la gorge. Dans l'âtre, le feu gronda avec un plaisir évident lorsqu'elle y plongea le regard. *De toutes les questions.*

— Vous êtes-vous déjà brûlé? demanda-t-elle. Votre père a subi des brûlures importantes. En parle-t-il parfois? De la douleur infinie que l'on ressent quand la peau rôtit? Il m'est arrivé de me brûler les doigts en cuisinant. Je vous assure que cela a suffi à me donner des sueurs froides à l'idée d'être consumée par le feu.

Elle le regarda et vit qu'il avait pâli.

— J'ai fait griller cet homme. Certes, il avait l'intention de me souiller, tout comme la plupart des brutes écumant les rues le feraient sans y réfléchir à deux fois. Et je l'ai brûlé vif. J'ai causé des agonies intolérables, détruit des fortunes. Et vous croyez que je prends plaisir à détenir un tel pouvoir?

Mckinnon baissa vivement la tête et étudia le brocard du canapé avec un intérêt démesuré.

— Je suis navré, Miranda. J'ai parlé sans réfléchir.

Un sentiment de culpabilité inattendu la frappa. L'affreuse vérité était qu'elle éprouvait bel et bien du plaisir à donner libre cours au feu. Il courait dans ses veines avec l'ardeur du désir sexuel. Mais elle aurait préféré mourir plutôt que de l'avouer à quiconque. Une telle perversion dépassait l'entendement.

— Vous ne me croirez sans doute pas, dit-il, mais je comprends ce que l'on ressent quand la perte de la maîtrise de soi entraîne des conséquences désastreuses.

Voyant qu'elle ne le regardait pas, il s'adressa à elle d'une voix encore plus douce.

— La prochaine question vous appartient.

— Vous savez quelles sont mes questions.

La voix de Mckinnon résonna dans l'air qui les séparait.

— Ils ont découvert ce qu'ils croyaient être la clé de la vie éternelle. J'ignore de quoi il s'agit. Père refuse de me le dire. Archer a tiré la courte paille. Hélas, ils n'ont pas obtenu les résultats escomptés. Ce qui est arrivé à Archer était suffisamment horrible pour qu'il soit banni du club et que les membres s'empressent de se mettre à couvert.

Miranda entendit son souffle oppressé bourdonner dans ses oreilles.

— L'immortalité ?

— Il y a des choses plus étranges, ma chère, dit Mckinnon avec un sourire attristé. L'expérience a transformé Archer. Irrévocablement. Accès de rage, déformations physiques évidentes. Il est instable, voiré fou.

Elle bondit sur ses pieds.

— Foutaises. Vous disez cela pour me détourner d'Archer.

Il la regarda faire les cent pas.

— En dépit de vos protestations bégueules, vous savez fort bien que c'est faux. Certes, il est vrai que je souhaite vous détourner de lui. Mais je n'invente rien. N'avez-vous pas entendu ce que l'on raconte ? Qu'il aurait réduit Lord Marvel en bouillie ? Je vous assure, d'autres bruits courent…

— Des rumeurs. Ne prétend-on pas que je sors d'un bordel ?

Il ouvrit la bouche, mais elle enchaîna vivement.

— Je vis avec lui. Il n'est pas fou. Il est colérique, certes, mais il n'est pas fou.

— Donc, vous ne croyez pas qu'il ait cherché à devenir immortel?

Elle se tut. Des choses plus étranges. Ses jupes se gonflèrent en une corolle bordeaux lorsqu'elle se laissa tomber à côté de lui.

— Je ne sais que croire.

Miranda se mordilla la lèvre inférieure; toute cette histoire semait la confusion dans son esprit.

— Un nom curieux que celui de West Moon Club.

— En effet, répondit Mckinnon en se calant dans le canapé. Il s'agit d'une allusion au conte de fées norvégien, *À l'est du soleil et à l'ouest de la lune*[9].

— Je connais ce conte, dit-elle en souriant à ce lointain souvenir. L'un des marins de mon père me l'a raconté tandis que les hommes déchargeaient le navire. Un immense ours polaire épouse une jeune femme et la récompense de son obéissance en lui offrant de grandes richesses. Mais elle finit par découvrir qu'il est en réalité un prince transformé en ours par une sorcière.

— Mmm... dit Mckinnon, et les coins de sa bouche se retroussèrent. Vous vous rappelez donc que lorsque l'indiscrète jeune personne, faisant fi de sa demande de respecter son intimité, découvre son secret, l'ours est emporté dans un endroit situé à l'est du soleil et à l'ouest de la lune où il devra épouser une princesse troll.

Miranda cueillit sur sa jupe un cheveu qui s'y était égaré.

— Oui, en effet... Mais, en fin de compte, elle l'a sauvé, non?

Mckinnon lui jeta un regard oblique avant de poursuivre affablement.

9. N.d.T. : *East of the Sun and West of the Moon* en anglais, d'où le nom du club.

— En essence, un endroit situé à l'est du soleil et à l'ouest de la lune ne se trouve nulle part. Le club n'avait pas d'adresse, les rencontres ne se tenaient jamais au même endroit.

Miranda soupira, leva les yeux vers le plafond et cilla.

— Je ne devrais pas vous croire, dit-elle d'une voix laissant transparaître du mépris alors même qu'une part d'elle lui soufflait de tendre l'oreille. Pourquoi... pourquoi tue-t-on ces hommes ?

Elle lui jeta un coup d'œil.

— Le meurtrier veut-il leur secret ? Cherche-t-il à l'obtenir par la torture ?

— Et courir le risque de subir le même sort qu'Archer ? dit Mckinnon en sourcillant. Mais il y a peut-être une autre raison — une raison que même les membres du club ont considérée, bien qu'ils l'aient finalement estimée trop horrible, même pour eux.

Il remua et la regarda attentivement.

— D'aucuns croient que lorsqu'on consomme la chair d'un homme, on s'approprie ses pouvoirs et son âme. Je ne dis pas que j'y crois, protesta-t-il en saisissant son regard incrédule. Mais il s'agit d'une pratique reconnue, ayant eu cours il y a fort longtemps dans l'Égypte antique. Je sais de source sûre qu'Archer a lui-même décrypté plusieurs hiéroglyphes sur le sujet.

— Ridicule, s'exclama-t-elle d'une voix étranglée. Quelqu'un qui consomme de la chair humaine devient un cannibale, rien de plus. Vous essayez de m'effrayer. L'immortalité est un mythe.

— Cela importe-t-il ? rétorqua-t-il en soutenant son regard de ses yeux d'un bleu étincelant. La question n'est pas de savoir si Archer est devenu immortel ou non. Ces hommes sont convaincus d'avoir découvert la clé de l'immortalité — sans équivoque. Veuillez me pardonner, ma chère, mais vous n'avez pas idée de l'attrait puissant que peut exercer une croyance sur un être désespérément en quête d'une cure...

Il se tut et inspira profondément.

— Dans le but d'éviter la mort, de guérir la maladie ou pour une raison quelconque, quelqu'un abat les membres du club et s'empare de leur cœur — réputé être le centre de l'âme. Pour ma part, c'est clair et net. Quelqu'un est fermement déterminé à acquérir l'immortalité, peu importe la manière.

Il se pencha en avant et son souffle chaud caressa la joue de Miranda.

— Dans ce cas, il devrait oublier les autres et dévorer Archer.

Furieuse, elle lui saisit le poignet. Il avait la peau étrangement chaude, presque fiévreuse, mais semblait en parfaite santé.

— Sachez ceci, dit-elle âprement, si jamais quelqu'un s'avise de trouver mon mari — elle réprima un haut-le-cœur — appétissant, d'arracher ne serait-ce qu'un seul de ses cheveux, je ferai en sorte qu'il ne reste plus qu'un petit tas de cendres de ce malheureux.

Pour souligner ses dires, elle tourna le regard vers la cheminée. Les morceaux de charbon compacts, dégageant une flamme orangée constante, parurent se gonfler, devinrent vermillon, puis incandescents, avant d'exploser dans l'âtre.

Un filet de sueur roula sur le front de Mckinnon qui, toutefois, souriait.

— Vous êtes très protectrice.

Il se tourna vers la fenêtre du petit salon derrière laquelle le soleil couchant transformait le ciel en drap pourpre marbré de traînées d'or.

— Il semble que Lord Archer soit rentré.

Pourtant, tout était silencieux, mais, soudain, le bruit léger des sabots résonna sur l'allée de gravier. Mckinnon posa son regard sur Miranda.

— Dois-je rester et poursuivre notre discussion ?

Un sourire diabolique lui tira les joues et il avança le pouce dans le but de caresser le poignet de Miranda, qui tenait toujours le sien.

Elle se dégagea d'un geste brusque et, lorsque la porte avant s'ouvrit, elle avait retrouvé contenance. Mckinnon, pour sa part, se remit sur ses pieds avec une insolence exercée. Et quand Archer entra dans le petit salon, tragiquement inconscient de sa présence, Mckinnon prétendit remettre de l'ordre dans sa tenue.

Le visage de Miranda se vida de son sang. Elle savait ce qu'il semblait en être et s'en voulait d'avoir mis Archer dans une position de vulnérabilité dans sa propre demeure. Il s'immobilisa dans l'embrasure de la porte, les pieds écartés, ses grandes mains serrées en deux poings durs et sa large poitrine se soulevant par saccades.

— Ah, et voici que l'homme au masque nous met l'eau à la bouche.

La remarque cruelle de Mckinnon brisa le silence et Miranda tressaillit en voyant qu'Archer avait retiré son masque rigide, une humiliation de plus à ses yeux.

Pendant un moment, le seul fait de le voir fit bondir son cœur, puis elle remarqua son expression. La rage, une rage comme elle n'en avait jamais vu, empourprait sa peau, faisait flamboyer son regard. Le bout de son nez et ses lèvres étaient d'un blanc de craie.

— Archer...

Il tourna les yeux vers elle et elle n'acheva pas. La rage d'Archer céda la place à une douleur si pure qu'elle sentit son cœur se comprimer.

— Sortez.

Ses mots lui transpercèrent le cœur. Mais ses yeux fixaient un point derrière elle.

— Sortez de ma maison, ordonna-t-il de nouveau à Mckinnon.

Mckinnon prit ses gants et son haut-de-forme sur la table basse.

— Je dois vous tirer ma révérence.

Une étincelle traversa son regard et Miranda se demanda si le véritable but de Mckinnon n'avait pas été d'irriter Archer.

Mckinnon attrapa la main de Miranda sans lui laisser le temps de réagir. S'inclinant, le scélérat y déposa un baiser et Miranda sentit le regard d'Archer peser sur elle de tout son poids. Cela eut pour effet de la faire sortir de sa léthargie et elle retira sèchement sa main.

— Oh, mais allez-vous-en donc !

Avec un rire léger, il s'avança d'un pas nonchalant vers Archer, immobile comme un bloc de granite sur le seuil de la porte. Mckinnon s'arrêta devant lui, et les deux hommes se mesurèrent du regard pendant un moment interminable. Le sang de Miranda se transforma en coulée de lave incandescente. Les yeux d'Archer errèrent sur Mckinnon, s'arrêtant sur ses mains comme s'il souhaitait ardemment le dépouiller de ses gants et s'en servir pour le gifler. Une lueur démente brilla brièvement dans les yeux d'Archer, puis elle s'éteignit et il reporta son regard sur la figure de Mckinnon. Un silence de mort tomba entre eux, et Miranda se tendit, prête à s'élancer entre eux pour épargner à Archer l'obligation d'agir, mais Mckinnon mit son chapeau et passa à côté de lui.

— Je vous souhaite une bonne soirée, lança-t-il d'un ton léger depuis le vestibule.

La porte vibra en claquant violemment et le silence retomba.

— Archer.

Le nom s'était échappé de ses lèvres en un cri rauque.

Il la regarda longuement, le visage impassible, les yeux brillants comme des étoiles, puis il tourna les talons et sortit tranquillement.

Archer s'était volatilisé comme s'il avait été constitué d'éther. Ayant constaté que toutes les pièces étaient vides, Miranda se dirigeait vers l'escalier lorsque la voix d'Eula l'arrêta.

— Le Prince de la Nuit est dans la serre.

Miranda s'immobilisa, la main posée sur le balustre. La serre ? Au cours de ses errances, elle n'avait jamais vu de serre. La gouvernante vit son trouble et renifla.

— Prenez l'escalier de service jusqu'en haut. Vous la trouverez.

— Eula ? dit Miranda en réprimant un sourire. Vous venez à mon secours ? J'en suis touchée.

— Pstt.

Eula s'éloigna d'un pas lourd, en agitant la main en direction de Miranda comme pour chasser un insecte.

— Il le faut, sinon vous piquerez une crise et mettrez ma maison sens dessus dessous.

L'escalier étroit et sombre s'élevait sur trois étages, et l'air s'y faisait plus lourd et plus chaud au fil de l'ascension. Au sommet, une porte noire se dressa devant Miranda. Elle tourna lentement la poignée et la porte s'ouvrit sur un univers végétal et une chaleur estivale.

Au-dessus d'elle, la main noire de la nuit était contenue par des plaques de verre qu'un grillage de fer peint en blanc tenait assemblées. La serre s'étirait sur toute la longueur de la maison, semblable à une jungle touffue de fougères indolentes, d'orangers et de citronniers odorants, et de grappes de roses veloutées. Il y avait des roses partout, un kaléidoscope de couleurs.

Le silence était troublé par le sifflement des lampes à gaz qui se miraient dans les plaques de verre. L'air humide l'enveloppa de son baiser au parfum de roses, et elle avança, contourna une chaise de fer et s'enfonça dans le lourd silence. Le bruit d'un soulier éraflant le sol la fit bifurquer.

Debout devant un plan de travail en marbre, il remplissait de terre un grand pot de ses mains habiles. Sous la courbe gracieuse de sa mâchoire, une veine battait visiblement. La vue de cette manifestation de vie, et de la colonne de son cou qui remuait lorsqu'il déglutissait, la fit frissonner.

Sa façon de respirer, l'angle singulier de sa tête inclinée — cela lui était maintenant aussi familier que son propre reflet. D'autant qu'elle ne se lassait pas de l'observer. Cet homme debout devant elle était-il immortel? C'était impossible. L'immortalité appartenait aux légendes. Un frisson glacé la parcourut. Mais si, pour quelque raison aberrante, c'était vrai, cela signifiait qu'il la laisserait derrière lui. Parce qu'elle était pour sa part tout à fait mortelle.

Elle fit un pas vers lui, mais s'arrêta aussitôt à la vue de la rose en pot sur le plan de travail.

— Seigneur!

Elle en perdit le souffle. La rose était d'une beauté extraordinaire, si blanche qu'elle semblait luminescente dans la lumière tamisée. Des nervures argentées veinaient ses pétales, caressaient leurs bordures. La fleur gigantesque se dressait, fière et seule, dans le petit pot.

— Elle est magnifique, dit-elle.

Archer inclina légèrement la tête.

— Vous la verriez d'un autre œil si vous étiez une rose. Si je la mettais en pot avec d'autres fleurs, elle leur déroberait tous leurs nutriments. En quelques heures, elles se flétriraient sur leur tige. Mourraient parce que la rose argentée y aurait puisé sa force.

Miranda fit le geste de la toucher, mais une soudaine inquiétude immobilisa sa main.

— Pourquoi donc la conservez-vous si elle est à ce point fatale pour les autres?

Plus courageux qu'elle, Archer tendit la main et caressa doucement l'ourlet argenté et scintillant d'un pétale.

— Sentimentalisme, j'imagine.

Quelque chose dans son intonation serra le cœur de Miranda.

— Une seule fleur?

Les feuilles d'un vert profond entouraient la corolle unique comme une cape.

— La plante ne produit qu'une fleur à la fois. Les jeunes boutons se disputent la lumière et seul le plus fort survit.

Sans en dire davantage, il déchira un sac de riche terre noire.

— Que voulait-il ?

Le calme avec lequel il avait formulé sa demande ne la trompa pas. Dans son poing serré, le déplantoir tremblait tandis qu'il déposait de la terre au fond d'un pot plus grand. Un petit reniflement de mépris échappa à ses lèvres.

— Peu importe. Je m'en doute.

Le déplantoir frappa le plan de travail avec un bruit sec. Miranda sursauta et se prépara à l'explosion imminente, la taille sciée par les baleines de son corset.

Il n'y eut pas d'explosion. Il baissa simplement les yeux sur la terre répandue sur le plan de travail comme s'il tentait de comprendre la raison de ce gâchis. Et à le voir battre en retraite au lieu de se lancer dans la bataille, Miranda se sentit presque nauséeuse. La honte l'envahit. Mckinnon et ses satanées histoires d'horreur. Il fallait qu'elle soit une idiote sans cervelle pour l'avoir écouté. Le club était peut-être en quête de l'immortalité. Ou peut-être pas. Mais Archer était son époux. L'homme qui l'avait protégée au péril de sa vie. Il ne méritait pas d'être l'objet de spéculations insensées.

— Il m'a parlé de…

— Du West Moon Club ?

La voyant sursauter de surprise, Archer eut un sourire amer.

— Vous avez ma pièce. Vous êtes une fouineuse de premier ordre. Il ne faut pas être devin pour en déduire que vous avez voulu en apprendre le plus possible sur le West Moon Club.

Il donna un coup de déplantoir dans le tas de terre.

— Vous auriez pu m'interroger moi et non lui.

Elle se redressa de toute sa taille.

— Et vous, vous êtes méfiant et évasif au possible. Dois-je comprendre que vous m'auriez répondu?

Il laissa échapper un petit rire sans joie.

— Interrogez-moi et vous le saurez.

Le cœur dans la gorge, elle s'obligea à parler.

— Mckinnon croit que vous cherchiez la clé de l'immortalité.

Aussi absurde cette déclaration lui sembla-t-elle, Archer pour sa part n'en parut pas stupéfait. Il se contenta de baisser les yeux sur le tas de terre, mais sans vraiment le voir.

Lorsqu'il prit finalement la parole, ce fut d'une voix creuse, détachée.

— L'objectif n'était pas l'immortalité, bien que je suppose qu'en prolongeant la vie, on échappe à la mort.

Il souleva délicatement la motte de terre dans laquelle s'enracinait la rose et la déposa dans son nouveau pot.

— La rose que vous voyez là constitue notre plus grande réussite.

Miranda contempla en cillant la rose argentée, qui frémissait doucement tandis qu'Archer jetait de la terre sur ses racines.

— Espérez-vous me faire croire qu'une rose est à l'origine de ces meurtres?

— Non, dit-il avec un sourire ironique. Toutefois, sachant que vous n'hésiterez pas à plonger tête baissée dans le danger, croyez-vous que je vous dirai qui, à mon avis, en est responsable?

Elle poussa un soupir de frustration.

— Par conséquent, vous m'obligez à chercher des réponses ailleurs.

Archer se tendit, mais ne se tourna pas vers elle.

— C'est du reste ce que vous avez fait, n'est-ce pas ?

Une motte de terre tomba dans le pot avec un bruit mat.

— J'espère que les renseignements que vous avez retirés de votre entretien avec Mckinnon en valaient la peine. Je me demande ce que vous lui avez donné en échange.

Le déplantoir racla le plan de travail, coupa en deux le tas de terre.

— Je connais suffisamment ce bâtard pour savoir qu'il ne donne rien pour rien.

— Il semble que vous nous connaissiez tous deux fort bien, dit-elle sans réfléchir.

Le déplantoir frappa bruyamment le sol d'ardoise. Archer inspira profondément pour se calmer, puis agrippa les rebords du plan de travail.

— J'ai du travail, Miranda. Je vous prie de me laisser.

Elle s'avança lentement vers lui, consciente du bruit de ses pas sur le sol et du martèlement de son cœur. Il ne broncha pas ni ne se tourna lorsqu'elle arriva derrière lui, assez près pour sentir les ondes de tension émanant de lui.

— Vous n'avez aucune raison d'être jaloux.

Il garda la tête inclinée sur le pot.

— Le suis-je ?

Miranda respira plus vite, mais elle était incapable de s'éloigner. Elle reconnaissait ce que son corps exprimait. La dureté et la puissance qui l'habitaient lorsqu'il l'avait tenue contre le mur, dans la ruelle. Et elle en avait soif. Sa tête tomba en avant, manqua se poser entre ses omoplates. Elle contempla la veste noire et le mouvement régulier de son dos.

— Il n'a pas réussi, dit-elle, sentant son pouls battre contre sa gorge dans un douloureux staccato.

Il remua, un geste infime qui l'éloigna d'elle.

— Ce n'est pas faute d'avoir essayé.

— En effet.

Elle inspira.

— En tant que femme, j'ai cru qu'il serait plus facile — et plus rapide — de lui laisser croire...

Sur le plan de travail, la main gantée se serra en un poing dur, et Miranda raffermit la voix.

— Puis de l'envoyer paître.

Il grogna avec indifférence. La main de Miranda survola son épaule, oscillant entre la prudence et le besoin de le toucher. Il se raidit, apparemment prêt à la repousser d'un haussement d'épaule, et la main de Miranda retomba le long de son corps. Elle ferma les yeux et s'avança un peu de façon qu'ils soient encore plus près l'un de l'autre. Uniquement pour être proche de lui. Ils gardèrent le silence, respirant à la même cadence, lentement, profondément, régulièrement. La chaleur de leurs corps se mêla, l'espace les séparant ne tenant qu'au fil de leur souffle. Elle se mit à trembler silencieusement de tous ses membres.

— Vous n'avez aucune raison d'être jaloux, murmura-t-elle de nouveau.

La douce étoffe laineuse de sa veste lui effleura les lèvres lorsqu'il se tourna vers elle. Il baissa sur elle ses yeux gris et brillants comme des pierres de lune, le souffle soudainement haletant.

— Archer...

Au son de sa voix, son regard changea, et il inclina brusquement la tête, comme s'il ne pouvait plus la tenir droite.

— En effet, répondit-il tranquillement. Je n'ai aucune raison d'être jaloux. Je n'en ai pas le droit...

Ses mâchoires se crispèrent.

Un sentiment semblable à de la colère, cependant plus doux, jaillit dans la poitrine de Miranda. La lèvre supérieure proéminente d'Archer était dure, ses yeux masqués par la frange de ses cils noirs.

— Ah non? murmura-t-elle, à peine capable d'articuler. Mais moi, si.

Ses paroles l'atteignirent lentement. Il leva les yeux vers elle, fronça légèrement les sourcils. Debout l'un devant l'autre, les yeux dans les yeux, ils se regardèrent en silence, les mots qu'ils n'osaient prononcer flottant dans l'air entre eux.

Il inspira brusquement, et prit la parole d'une voix sourde et frémissante.

— Miri...

Il leva la main comme pour la toucher, mais il recula soudain, gagna l'autre bout du plan de travail et feignit de mettre de l'ordre dans ses instruments de jardinage.

— Vous m'avez mal compris, dit-il avec une fausse désinvolture. Je voulais simplement dire que je n'ai pas le droit de vous interdire de recevoir qui vous entendez.

Les oreilles bruissant des battements de son sang, elle le regarda. Chaque ligne de son corps trahissait son mensonge.

— Pourquoi vous détournez-vous de moi?

Le coin de sa bouche se releva, mais c'est un regard sans joie qu'il baissa sur le plan de travail.

— Je croyais pourtant que nous nous évitions mutuellement.

— En effet, dit-elle en faisant un pas vers lui. Quelle réussite spectaculaire.

Archer laissa échapper un rire forcé, mais il ne répondit pas. Les poings posés sur le plateau de marbre, il détourna le regard.

— Mon seul désir était d'être près de vous, murmura-t-il d'une voix si basse qu'elle se demanda s'il s'adressait à elle. De vivre dans votre ombre. Que vous puissiez...

Ses lèvres se rétractèrent lorsqu'il les mordit.

— Je n'arrive pas à réfléchir lorsque vous êtes près de moi.

Il s'éloignait d'elle alors même qu'elle avait besoin qu'il la retienne. *Elle avait tué un homme l'autre nuit.* Il avait tué. Est-ce que cela le hantait également? S'évertuait-il jour après jour à maîtriser sa colère? Les questions lui comprimaient la gorge comme un pouls trop violent.

— N'êtes-vous donc jamais las de tout ces secrets? murmura-t-elle dans le silence lourd.

Archer inspira profondément et tourna la tête. Il parut sur le point de lui tendre les bras. Son long corps se raidit et l'illusion se dissipa.

— Constamment, murmura-t-il en réponse.

Il se tut et la regarda comme s'il eût voulu en dire davantage. Mais, incapable tout comme elle de faire le premier pas, il retourna à son rempotage. Autour de sa bouche, des rides se creusèrent, et Miranda sentit sa colère fondre. La confiance ne fonctionnait peut-être pas ainsi. Elle l'ignorait; elle n'avait jamais accordé son entière confiance à qui ce soit.

Ses talons claquèrent sur l'ardoise lorsqu'elle s'avança. Il inspira brusquement et se tourna vers elle. Il baissa les paupières comme si croiser son regard aurait signifié sa reddition. Sa poitrine se souleva comme un soufflet lorsqu'elle se pencha lentement en avant afin de jouir de la chaleur de son corps. Les poils de sa barbe naissante lui chatouillèrent les lèvres lorsqu'elle lui embrassa doucement la joue, prenant le temps de se repaître de son odeur délicate, et Archer ferma les yeux comme sous l'effet de la douleur. Il déglutit péniblement, la poitrine haletante, et ils se regardèrent, sans oser franchir la distance infime qui les séparait.

— Si votre seul désir est d'être près de moi, pourquoi le reniez-vous ?

Elle lui effleura le menton de ses lèvres.

— Pourquoi me reniez-vous ?

Il la regarda en cillant, cloué sur place. Lentement, son regard se promena sur elle avant de s'arrêter sur ses lèvres, et son expression glaciale fondit. Il ne pouvait dissimuler le désir ardent qui brûlait dans ses yeux.

Lentement, elle posa la main en coupe sur sa joue. L'air lui sembla plus lourd, et sa poitrine se serrait à chaque inspiration. Archer ferma les yeux, parut vouloir reprendre son sang-froid, et elle comprit qu'il allait la repousser encore une fois. Cette idée lui fendit le cœur. Soudain, tout devint très simple.

Sa main glissa vers sa nuque et elle franchit le fossé qu'elle ne pouvait plus supporter. Archer rouvrit vivement les yeux et un frisson le parcourut.

— Ne…

Elle étouffa son cri de protestation sous ses lèvres.

À leur contact, elle sentit un courant électrique parcourir ses membres. Archer haleta, comme s'il avait ressenti un choc comparable. Son corps se banda comme un arc, tremblant sous la tension. Et elle comprit que malgré son intolérable désir, il craignait de la toucher. Se levant sur la pointe des pieds, elle inclina la tête et l'embrassa encore, d'un baiser doucement inquisiteur qui obligea Archer à écarter les lèvres. Elle mordit sa lèvre supérieure délicieusement renflée, savoura sa douceur et son goût, envahie d'un désir semblable à du miel chaud. Un gémissement — mi-plainte, mi-supplication — déchira la gorge d'Archer, et il s'écarta légèrement.

— Ce n'était pas du reniement, dit-il tout en étreignant plus étroitement sa taille et en l'attirant brutalement contre lui — là où elle voulait être depuis toujours.

— Qu'était-ce donc? demanda-t-elle dans un souffle.

— De la protection, répondit-il d'une voix rauque avant de l'embrasser passionnément et avec assurance.

Son ventre s'enflamma comme de l'amadou. Elle vacilla sous ses lèvres qui se déplaçaient sur les siennes, pressées d'en découvrir la forme et le goût. Sa langue humide glissa sur la sienne, la saisit comme un hameçon s'empare d'un poisson, lui transperçant le ventre d'une sensation à la fois douce et aiguë. Il devint son univers. Archer. Le frais parfum de sa chemise de lin, le frôlement de ses cils sur sa tempe. Un silence assourdissant lui emplissait les oreilles, tempéré par le doux froissement de leurs vêtements. La langue d'Archer glissait, explorait, prenait. Elle froissa entre ses doigts les revers de soie de sa veste, ses seins se frottèrent contre sa poitrine dure et elle l'attira plus près. Les baisers se suivirent jusqu'à ce l'esprit de Miranda ne soit plus que silence et obscurité. Le feu envahit son ventre, tourbillonnant et volcanique, se gonfla, lui lécha la peau. Elle soupira, Archer lui posa une question à travers son baiser, et le souffle de Miranda s'accéléra douloureusement.

Oui. Oh, oui. Maintenant.

Archer réagit aussitôt, et avec une telle intensité qu'elle sentit ses genoux se dérober sous elle. Elle s'affaissa entre ses bras avec un sanglot. Il étouffa sa plainte sous un baiser encore plus profond. La langue de feu d'un plaisir sans nom lécha sa peau, sous ses vêtements trop épais. Des mots durs et possessifs s'échappèrent en grondant de la gorge d'Archer et il plongea le poing dans son chignon à demi défait. Dans un bruit de pots s'entrechoquant, il s'affaissa contre le plan de travail, l'entraînant avec lui.

Il avait perdu l'esprit. Il s'en fichait. Il se trouvait dans un lieu chaud et délicieux. Et il était enveloppé de Miranda, de ses lèvres chaudes, souples, sensuelles, gonflées. Il sombra dans le baiser, découvrant son goût.

Dieu, il était en feu. Sa peau brûlait. Brûlait là où elle le touchait, là où ses petites mains caressaient sa poitrine large. Son sang grondait dans ses oreilles tandis qu'il prenait et reprenait sa bouche. Doucement, violemment, il suça le renflement charnu de sa lèvre inférieure. Baisers légers, suivis de baisers profonds. Un désir brûlant emporta ses pensées vers des chemins obscurs.

Avec un grognement, il se tourna, la posa sur le plan de travail et prit place entre ses jambes interminables. Il voulait goûter sa peau, lécher son cou gracile, le galbe renflé de ses seins. Mais pas tout de suite ; il ne pouvait se détacher de ses lèvres. Il ne le voulait pas. L'embrasser dépassait ses rêves les plus fous. Et il avait beaucoup rêvé. Sa bouche lui faisait perdre la tête; elle était ferme, tendre, lisse, douce — une torture. Il empoigna ses jupes se froissèrent dans un son doux, soyeux entre ses mains. Il entrevit l'éclat de sa peau douce et crémeuse. *Prends-la, pénètre-la, entre dans ce tunnel étroit, humide, brûlant.* La langue de Miranda s'enroulait autour de la sienne, et les genoux d'Archer faillirent se dérober sous lui, car il sentait bien qu'elle l'embrassait avec la même avidité que lui.

Tentant de se maîtriser, il agrippa le rebord de marbre du plan de travail. Mais sa main libre refusa de la lâcher. Elle glissa le long du dos de Miranda jusqu'à son petit derrière bien ferme. Il l'attira brutalement vers lui, et elle se cambra tout contre lui, tendant les bras en arrière pour trouver un appui. Ses seins doux s'écrasèrent contre sa poitrine. Il avança les hanches entre ses jambes, se frottant contre la vallée qu'il désirait, où il avait *besoin* d'être. Le feu déferla sur lui. Il était en nage, pourtant il frissonnait.

Sous sa main, la pierre était brûlante. Il l'agrippa de toutes ses forces. Miranda prit sa lèvre supérieure entre les siennes, et il grogna, brûlant de désir et du besoin de la goûter encore. Seigneur Dieu, il allait mourir. D'une attaque de luxure. La tension et le plaisir lui comprimaient tant la verge qu'il craignit de se répandre, là et tout de suite. Son bras trembla tant il agrippait douloureusement le plan de travail.

Le bruit sec d'un craquement déchira le silence, et Archer se projeta sur le côté lorsque le plateau céda sous sa main. Il trébucha vers l'arrière et Miranda poussa un cri de frayeur. Il tomba, mais sans la lâcher, s'efforçant de la protéger. Archer se redressa aussitôt et, encore vacillant sur ses jambes, examina Miranda.

Des mèches de cheveux mordorés s'étaient échappées de son chignon et répandues sur ses épaules, mais elle semblait indemne. Ses lèvres étaient enflées et rougies et si magnifiquement lascives qu'il se surprit à se pencher vers elle, le cerveau encore embrouillé. Archer cilla et secoua légèrement la tête pour s'éclaircir l'esprit. Il recula, soudainement conscient du gros morceau de marbre qu'il tenait toujours de la main droite. Un souffle glacial courut sur sa peau lorsqu'il vit, derrière Miranda, le plan de travail démoli. Des éraflures noires sillonnaient le plateau de marbre, maintenant cassé en deux.

Il l'avait bel et bien détruit, et avait, il ne savait trop comment, provoqué son embrasement. Une nausée monta de ses entrailles.

— Jésus Christ!

Miranda se tourna et son teint prit la couleur du lait caillé.

— Jésus Christ, répéta Archer en s'éloignant d'elle.

Dans son ardeur, il aurait pu la tuer, la broyer à mort. À cette pensée, la frayeur le poignarda.

Miranda le regardait, bouche bée, son expression semblable à la sienne. Elle déglutit péniblement, étant de toute évidence arrivée à la même terrible conclusion que lui. Archer, le cerveau pétrifié, ne parvenait pas à lui fournir la moindre explication. Il fallait qu'il sorte. S'éloigne d'elle. Les yeux de Miri s'emplirent de larmes, puis elle lui tourna brusquement le dos. Le cœur d'Archer tressaillit.

— Je suis navrée, murmura-t-elle. Je dois…

Sans achever sa phrase, elle s'élança hors de la serre comme si elle avait été poursuivie par les feux de l'enfer.

Il désirait qu'elle parte. Qu'elle se mette à l'abri de lui. Mais de la voir fuir ainsi lui déchira le cœur.

Chapitre 20

Ian Mckinnon passa la moitié de la nuit à s'amuser avec sa putain.

Trois étages au-dessous, dans la bibliothèque sombre et silencieuse de Mckinnon, Archer tira sa montre de sa poche. Il était presque deux heures du matin. Il leva les yeux au ciel et rabattit sèchement le couvercle de la montre. L'attente l'exaspérait. Étant donné son état d'esprit, il aurait volontiers assassiné tous ceux ayant le privilège de satisfaire leurs désirs sexuels. Particulièrement Mckinnon.

Mais une surprise l'attendait lorsqu'il s'était introduit dans le repaire de Mckinnon. Apparemment, Rossberry, apprenant qu'Archer s'intéressait à lui, avait préféré filer. La plupart des employés de Mckinnon, congédiés ou envoyés ailleurs, avaient déserté les lieux, se dispersant avec la même efficacité discrète que les employés de Rossberry. Archer ne pouvait se permettre de laisser Mckinnon lui échapper. Pas après ce qu'il avait vu ce soir — son anneau d'or brillant au doigt de l'homme. Cela lui avait causé tout un choc. Il lui avait fallu tout son sang-froid pour ne pas le lui arracher sur-le-champ. Mais Miranda s'en serait rendu compte et aurait posé des questions.

Un bruit sourd et un grognement haletant lui parvinrent depuis là-haut, attirant son regard vers le médaillon sculpté ornant le plafond. Si le bâtard n'achevait pas bientôt, il irait le tirer du lit. Archer avala impatiemment la dernière gorgée de son verre de whisky pur malt. Du moins, le bâtard possédait une réserve d'alcools convenable.

Des rires éclatèrent, le gloussement nasillard de la putain atténué par le grondement grave de Mckinnon. Archer réprima un juron. Même à l'époque où il était indemne, il n'avait jamais pu se résoudre à payer pour avoir des rapports sexuels. Le couple descendit d'un pas mal assuré la dernière volée de marches, et il apparut dans son champ de vision lorsqu'il s'immobilisa dans le vestibule. La lueur vacillante des candélabres éclaira la femme et, dans la bouche d'Archer, les arômes tourbeux du whisky tournèrent à l'aigre. Avec ses cheveux roux, ses yeux verts et sa haute taille, la femme possédait à en donner la nausée des caractéristiques expliquant pourquoi Mckinnon l'avait choisie. Ses vêtements de qualité et sa jolie peau indiquaient qu'elle était une pute de haute volée. Archer réprima un reniflement de mépris. Aussi bien tenter de faire passer de l'eau de chaux pour de la crème.

Archer attendit en silence que Mckinnon paye sa pute et la renvoie chez elle avec un grande claque sur les fesses. Quelques instants plus tard, il entra d'un pas nonchalant dans la bibliothèque en fredonnant d'un air satisfait, et se dirigea vers la desserte d'alcools.

— Une bien piètre parodie de la réalité, dit Archer, faisant ainsi voler en éclats le silence paisible.

Mckinnon sursauta, et ses pantoufles raffinées raclèrent le sol. Il se tourna vivement, un grondement sourd dans la gorge, et fronça les sourcils en découvrant avec stupéfaction qu'un intrus s'était introduit chez lui à son insu.

La lampe qu'alluma Archer jeta une lueur jaune dans les yeux bleus de Mckinnon.

— Même pour vous, Mckinnon.

Celui-ci se ressaisit rapidement.

— Naturellement, dit-il d'un ton léger, vous ne dégagez aucune odeur.

Il rajusta sa veste d'intérieur et se servit un verre de whisky. Sa pomme d'Adam remua au-dessus du col ouvert lorsqu'il l'avala d'un trait. Le verre frappa bruyamment le plateau de bois. Mckinnon regarda Archer, ses traits fins noyés d'ombre par la lueur voilée de fumée de la lampe.

— Si ce n'est celle peut-être d'un cadavre congelé.

— Et vous, vous dégagez une odeur de fourrure mouillée, rétorqua Archer avec un sourire affable.

Mckinnon s'esclaffa.

— Oui, certes.

Ses yeux étincelèrent dans la lumière blafarde.

— À ce que je vois, ce n'est pas mon charme irrésistible qui vous amène ici. Alors, quoi ? Épier vous excite ? J'en déduis que vous souffrez toujours de cette peur puérile de coucher avec des putains.

— C'est ainsi que vous nommez cela ? dit Archer dont les dents étincelèrent. Pour ma part, je qualifierais cela de répugnance à acheter le désir d'une femme. J'obtiens mon plaisir sans avoir à délier les cordons de ma bourse.

— Vraiment ? sourit Mckinnon. Il me semble pourtant que votre présence chez moi indique clairement que vous craignez de ne pas savoir vers qui se portent les sentiments de votre femme.

Archer lissa un pli de son pantalon d'une main légèrement tremblante. Il savait fort bien vers qui se portaient les sentiments de Miranda. Cette pensée enflamma le sang courant dans ses veines.

Le regard vif de Mckinnon saisit le gonflement suffisant des lèvres d'Archer et l'homme renifla de dégoût.

— Je crois que je vais vomir.

— Faites attention à vos chaussures.

Mckinnon dévoila ses canines acérées dans un sourire factice.

— Allez-vous lui dire que vous êtes responsable de tout ceci ? D'eux tous ?

Archer posa calmement ses mains sur ses genoux.

— De Rossberry également, je suppose.

Un grognement sourd, presque un grondement, s'échappa de la gorge de Mckinnon.

Archer s'obligea à rire, même s'il n'en avait pas envie.

— Bon sang, mais c'est que vous êtes aussi impressionnable qu'un chiot. Plus encore que ma femme.

La voix soyeuse de Mckinnon dériva dans l'obscurité.

— Qui a toutefois matière à réfléchir, désormais, dit-il, le regard narquois. N'est-ce pas ?

Archer se contenta de le regarder fixement, le cœur battant à ses oreilles, les poings serrés par le désir de rompre l'échine de Mckinnon.

Le sourire de Mckinnon vacilla, mais il se redressa avec insolence. Il tripota le bouchon de cristal de la carafe, qui tinta.

— Pourquoi êtes-vous ici, alors ?

Jouissant du trouble de Mckinnon, Archer le considéra un moment avant de répondre.

— L'anneau.

Le sourcil brun de Mckinnon tressaillit lorsqu'il baissa les yeux sur sa main et l'anneau d'or.

— Quelle erreur de ma part d'avoir retiré mes gants, n'est-ce pas? sourit-il. Je me sentais trop à mon aise, j'imagine.

Confiant ou non, la flèche de la jalousie transperça Archer. Mckinnon accentua son sourire. Il se versa un autre verre. Ce mouvement léger projeta dans l'air les effluves musqués du sexe. Archer inspira par la bouche et attendit.

— Vous savez, dit finalement Mckinnon, je ne crois pas que je devrais me séparer de cet anneau. C'est un cadeau de mon père, voyez-vous. Et il me rappelle agréablement vos souffrances, entre autres.

Encore un peu et il allait rompre le cou de ce salopard.

Inconscient du danger, Mckinnon se tourna et s'appuya de la hanche contre la console.

— Toutefois, je suis prêt à faire un échange. Un petit plongeon dans votre voluptueuse épouse...

Le poing d'Archer projeta à l'autre bout de la pièce Mckinnon qui, les membres ballants, frappa le mur dans une explosion de plâtre. Il retomba lourdement sur le sol et au-dessus de lui, sur le mur, un tableau représentant la Tamise chancela. Mckinnon prit une inspiration tremblante, puis se releva d'un bond.

Il se jeta sur Archer et l'atteignit en plein ventre. Ils s'écroulèrent avec fracas, glissèrent sur le sol et allèrent s'écraser contre un secrétaire. Le bois se brisa en éclats, et des papiers voltigèrent autour d'eux comme des feuilles mortes. Archer sentit dans son dos l'arête vive d'une patte brisée, se retourna et, du même mouvement, rejeta

Mckinnon loin de lui. Celui-ci culbuta sur plus d'un mètre, puis bondit sur ses pieds en même temps qu'Archer.

— Vous êtes plus fort maintenant, observa Mckinnon avec un rire haletant.

Archer pensait la même chose de Mckinnon, mais préféra ne rien dire. Les dents rougies de sang, Mckinnon rugit et se jeta de nouveau sur Archer.

Archer se déroba et saisit le bras tendu de Mckinnon. Il le fit tournoyer et le lança comme un chiffon sur le mur le plus éloigné. Mckinnon percuta une vitrine dont le verre vola en éclats.

— Plus rapide également, rétorqua Archer dans le tintement des fragments de verre s'écrasant par terre.

Il tira sur les revers de sa veste, et lorsque Mckinnon se rua sur lui, il plongea et l'atteignit au ventre. Mckinnon rugit, pivota et son poing toucha avec une force étonnante la tempe d'Archer. Archer en vit des étoiles. Il les chassa en clignant des yeux, se déchaîna et entendit le craquement réjouissant des os se fracturant lorsque son poing s'enfonça dans la figure de Mckinnon.

Mckinnon donnait l'impression d'être un grand mât fauché. Archer lui appuya le pied sur le cou pour l'empêcher de se relever.

— Je crois que vous avez votre compte, petit.

Les yeux de Mckinnon se rétrécirent jusqu'à n'être plus que deux fentes bleues.

— Bâtard.

Il cracha, du sang jaillit de son nez de travers et de sa lèvre fendue.

— Si la lune brillait davantage…

Archer accentua la pression.

— Malheureusement pour vous, ce n'est pas le cas.

Mckinnon se débattit. Les coups qu'il assenait aux jambes d'Archer devinrent plus faibles et moins efficaces. Voyant qu'il bleuissait et que le sang lui sortant du nez commençait à bouillonner comme de l'écume, Archer leva légèrement le pied.

— Ah, dit Archer en se penchant sur l'homme qui grognait et toussait, c'est que vous commencez à m'ennuyer.

Il allongea la main et arracha l'anneau du doigt de Mckinnon, plus violemment que nécessaire, et recula d'un pas.

Mckinnon reprit bruyamment son souffle et se frotta délicatement le cou.

— Immonde salopard.

Il s'assit péniblement et rejeta sur le sol un gros crachat nauséabond, mais sans tenter de se relever. Il était trop malin pour provoquer de nouveau Archer.

— Hâtez-vous de partir. Dès que la lune croîtra…

— Je sais, on me l'a déjà dit.

Archer se dirigea sans se presser vers la porte, écrasant au passage quelques fragments d'un fauteuil brisé.

— Votre *père* me l'a dit.

— Espèce d'enculé.

Archer s'arrêta et le regarda. Déjà, le nez de Mckinnon saignait moins abondamment et les chairs boursouflées de sa figure retrouvaient leur teinte normale.

— Prenez garde, dit Archer. Il serait dommage qu'il guérisse avant que vous l'ayez replacé.

Mckinnon lâcha une bordée de jurons et remit son nez en place sans broncher. Archer eut un rire léger, mais sa bonne humeur se dissipa aussitôt et il referma la main sur l'anneau.

— Ne vous approchez pas d'elle, Ian.

Il avait presque franchi le seuil de la porte lorsque l'appel de Mckinnon l'arrêta.

— Benjamin.

Archer attendit la suite, sans toutefois se retourner.

— Pourquoi l'avez-vous entraînée dans ce cauchemar ?

Un sentiment de culpabilité, imprévu et aigu, transperça Archer. Il ferma brièvement les yeux.

— Posez donc la question à celui qui est prêt à tout pour me l'enlever.

Mckinnon poussa un petit cri désolé.

— Je suppose que je vous comprends davantage que je ne l'imaginais.

Archer se sentit soudain la tête trop lourde pour la relever.

— Vous et moi sommes donc revenus à la case départ.

— Ouais, et ce serait bien le diable si vous ne commettiez pas les mêmes terribles erreurs que vous m'avez vu commettre, rétorqua sèchement Mckinnon, retrouvant dans sa détresse l'accent écossais qu'il s'était évertué à éradiquer. Si vous avez un peu d'amour pour elle, montrez-lui ce que vous êtes avant qu'il lui soit trop tard pour fuir.

Chapitre 21

Archer ne s'autorisa pas un seul moment de détente avant d'avoir regagné sa bibliothèque. Les rideaux tirés, la flamme de la lampe bien haute, il s'installa à son bureau et s'obligea à déplier les doigts. Sur sa paume noire, l'anneau doré semblait des plus réels ; pourtant, il inspira profondément et l'étudia longuement pour se convaincre qu'il était bel et bien en sa possession.

Oui, il l'était. Il prit l'anneau et ressentit un pincement au cœur. Il le reconnaissait. Certaines éraflures étaient récentes, mais il se souvenait des autres. Même son poids lui était familier. D'une largeur de deux centimètres, l'anneau doré portait gravée en son centre la représentation stylisée d'un soleil se fusionnant à la lune.

Archer sourit et caressa du doigt la gravure en creux. Sa mère le lui avait donné le jour de son départ pour Cambridge. Un soleil pour son fils, le soleil de sa vie. Il avait toujours été son soleil, l'enfant né alors que les rayons du soleil couchant illuminaient son lit. Et Elizabeth, sa lune, née une heure après Archer, au moment où la lune faisait son apparition dans le ciel assombri. Enfants, Archer et Elizabeth se blottissaient souvent sur ses genoux, écoutant avec ravissement l'histoire de leur naissance. Leur mère était fière d'avoir donné le jour à des jumeaux aussi forts, aussi vigoureux.

Son sourire vacilla à leur souvenir, et le pincement s'intensifia dans sa poitrine. Il y avait trop longtemps qu'il était séparé de cet anneau. Il songea à l'anneau d'Elizabeth, la *luna*. Leur mère lui avait donné cet astre, une merveilleuse pierre de lune qu'Elizabeth avait chérie.

— Garde-la pour moi, avait-elle dit dans son dernier souffle, employant le peu de forces qu'il lui restait pour retirer la bague de son doigt et la lui remettre de force.

Il avait pleuré alors, des sanglots déchirants qu'il n'avait pu retenir malgré son désir de l'épargner. La seule et unique fois où, devenu un homme, il avait pleuré. Il avait supplié Elizabeth de la garder à son doigt, ne serait-ce que pour lui procurer de la force. Mais elle s'était montrée inflexible. *Je ne redoute pas la mort. Ne laisse pas cet anneau me suivre dans la tombe,* fratello.

À compter de ce jour, il avait été son bien le plus précieux. Et, désormais, il ornait le doigt effilé de Miri. Le voir sur elle lui arrachait souvent un sourire. Inspirant profondément, Archer s'obligea à sortir de sa rêverie sentimentale. Des taches plus importantes réclamaient son attention.

Archer se souvenait très bien du jour où il avait déposé l'anneau dans la main de Daoud alors que tous deux se trouvaient au port du Caire, et le parfum des épices se mêlant à celui du Nil était toujours aussi vif dans sa mémoire.

— Sers-t'en pour m'envoyer un message, avait-il dit à son intendant, le seul homme auquel il eût confié sa vie. Tu sais comment faire ?

Daoud avait hoché la tête, ses yeux noirs empreints d'une terrible gravité.

— Vous pouvez compter sur moi, milord.

Le temps leur avait manqué. Le passé d'Archer l'avait une fois de plus rattrapé. Il n'avait pas osé rester un moment de plus au Caire, sinon toute son œuvre aurait risqué d'être découverte. Et ils étaient si près de trouver un remède. Daoud était sans conteste celui qui devait rester ; sa connaissance des langues anciennes surpassait même celle d'Archer.

Daoud l'avait étreint et lui avait solennellement embrassé les deux joues.

— Que le Seigneur soit avec vous, milord.

— Et avec toi aussi.

Depuis le pont de son navire qui s'éloignait, Archer avait regardé la silhouette solitaire de son ami, aux contours argentés dans le clair de lune, se fondre dans la nuit.

Des semaines plus tard, Archer avait appris la nouvelle ; on avait trouvé Daoud au pied de la grande pyramide — assassiné par des voleurs, avait déclaré le magistrat. Mais Archer avait déjà reçu le dernier message de Daoud : *Prenez garde, milord. Je crains que quelqu'un ne souhaite pas que cela se sache.*

Archer avait alors compris que Daoud savait qu'il allait bientôt mourir.

La conviction d'avoir envoyé son plus cher ami à la mort lui emplit la bouche d'amertume. Mais voilà qu'il saurait enfin si Daoud avait réussi.

Le souffle court, Archer inséra l'ongle de son auriculaire dans le croissant de lune et, au son du clic bien connu, il le tourna dans le sens contraire des aiguilles d'une horloge. Le mécanisme secret opéra, et l'anneau se sépara, révélant le compartiment qu'Archer y avait creusé. Le souffle d'Archer s'accéléra. Une petite bande de papier tapissait l'intérieur de l'anneau. Non, pas de papier, mais de tissu, deux étroits rectangles de tissu portant une inscription tracée avec du sang, comprit-il en retirant délicatement le rouleau serré et en posant le premier rectangle, puis le second, sous la lampe.

Archer, émerveillé par l'habileté de Daoud, parcourut des yeux les caractères minuscules, si lisibles et si nets. Le message était codé, mais, le connaissant, Archer le décrypta sans hésitation. Contrairement à ce qu'il espérait, le fardeau pesant sur ses épaules ne s'allégea pas, mais l'accabla sous son poids. Il prit une inspiration tremblante, et le message se brouilla sous ses yeux. Il cligna vigoureusement. Il n'existait pas de remède, mais il y avait une solution — si toutefois on pouvait appeler cela ainsi. Mckinnon avait dit vrai. Pas de remède. Uniquement du désespoir. Pendant toutes ces années, il n'avait pas songé une seule fois que le remède puisse être sa propre destruction. Seigneur, il y avait tant cru.

Sa poitrine lui faisait mal. Il avait envie de poser la tête sur le bureau et de se lamenter sur son sort. Il repoussa impitoyablement l'image de Miri. Pas maintenant. Il ne passerait pas la nuit s'il pensait à elle. Il plissa durement les lèvres et relut le message.

— Enfouie dans Cavern Hall pendant toutes ces années, marmonna-t-il.

L'ironie de la chose ne lui échappa pas. L'endroit où il avait tout perdu était le dernier où il aurait cherché la réponse.

Les rebords de l'anneau lui sciaient la paume. Il avait cru que son sort dérivait des pratiques occultes de l'ancienne

Égypte, mais il s'était apparemment trompé. Les druides. Archer ne savait rien de leurs pratiques ni des mythes les entourant. À sa connaissance, un seul homme aurait pu le renseigner, mais l'idée d'aller le trouver le révulsait profondément. Il n'avait pas le courage de mettre quelqu'un en péril, cependant il devait savoir si cela fonctionnait. Puis, s'emparer du monstre avant qu'il ne frappe de nouveau.

Deux hommes se dressaient au-dessus du cadavre, l'un grand et mince, avec des cheveux semblables à du vieux foin dans la lumière blafarde du petit matin. L'autre était plus épais, plus court, et sa chevelure rousse trop flamboyante pour se laisser intimider par le temps morne. Leurs voix flottaient dans le brouillard, se mêlant au clapotis de l'eau et au gong discret d'une lointaine bouée. Plutôt facile pour le tueur de capter leurs propos depuis l'arrière du tas de cageots abandonnés au bout de la jetée. D'ordinaire, s'attarder sur le lieu du crime pour observer ce qui se passait après un meurtre ne l'intéressait pas. Mais le corps avait été retrouvé très vite, et regarder les policiers tirer les mauvaises conclusions constituait un divertissement aussi amusant qu'un autre.

— C'est l'acte d'un dément, dit le roux.

Il enveloppa soigneusement la pièce d'or trouvée sur la victime dans un bout de tissu et enfouit le tout dans sa poche.

Le blond hocha la tête d'un air absent, son regard attentif posé sur la tête de l'homme où deux orifices identiques marquaient l'absence d'oreilles. Quel plaisir il avait pris à en débarrasser Lord Merryweather, songea le tueur.

— Un dément dont la folie s'accroît de jour en jour.

Le roux inclina sa casquette pour se garder du soleil blafard.

— Vous vous rendez compte qu'il s'agit de la propriété de Lord Archer, dit-il en montrant de la tête l'entrepôt dans leur dos avant de regarder l'homme de haute taille de ses yeux plissés. Et vous vous demandez toujours si ce bâtard est coupable ?

— Attention, Sheridan, répondit le blond en s'agenouillant près du cadavre pour l'examiner. Vous parlez de mon beau-frère. Et d'un pair du royaume.

— Mille excuses, inspecteur, mais soyons raisonnables, voulez-vous ? Chacune des victimes est liée d'une façon ou d'une autre à Archer. Des témoins ont vu un homme masqué errer dans les parages à une heure indue. Ils affirment qu'il s'agit du diable en personne.

Le jeune homme se signa vivement.

— De l'hystérie, dit l'inspecteur. Des témoins ont vu Lord Archer à cinq endroits différents. Au même moment. Le jeune Jack l'a suivi hier soir et atteste qu'il s'est rendu chez Lord Mckinnon, puis est rentré directement chez lui, sans faire de détours. Nous devons avancer prudemment et ne pas prêter foi au ouï-dire et aux fables.

Il leva les yeux vers Sheridan.

— Pour l'instant, concentrons-nous sur les faits. Que voyez-vous ? Quel est le schéma ?

— Un fichu carnage, dit Sheridan, qui toussota aussitôt. Entendu. Le salaud a pris le cœur de chacun. Et les oreilles de celui-ci. La langue de Cheltenham — dégoûtant —, et les yeux de Sir Percival.

L'inspecteur titilla la pointe sa moustache de son pouce.

— Ne rien voir, ne rien dire, ne rien entendre.

— Diablement sentencieux, notre tueur.

— Hmm...

Diablement sentencieux, comme c'était amusant. L'inspecteur croyait donc qu'il y avait un schéma ? En réalité, ce que ces vieux imbéciles avaient vu, entendu ou dit n'avait aucune importance. Ils devaient tout bonnement être punis ; ils avaient rejeté Archer, l'avaient obligé à fuir. Et il avait été trop longtemps parti. Maintenant qu'il était rentré, il souffrirait, puis serait éliminé. Impossible de résister au plaisir d'assassiner ses amis et de faire en sorte que la société londonienne l'en croit responsable. Il ne restait plus qu'un problème à résoudre, celui de la femme. *Elle* l'avait ramené à Londres, donc elle vivrait. Pour le moment. Ce qui n'interdisait pas de s'amuser un peu avec elle en attendant.

Chapitre 22

*T*out *le monde ment.* Debout devant le miroir en pied du cabinet de toilette, Miranda, silencieuse et morose, attendait que la femme de chambre l'aide à enfiler la toilette qu'elle porterait au bal costumé des Blackwood. Elle cligna des yeux devant son reflet vacillant.

La mise en garde de Victoria était revenue la hanter. Il ne faisait aucun doute qu'Archer lui avait caché des choses. Il lui en cachait encore. Mentait. Mais elle aussi, du reste.

Son reflet disparut derrière la silhouette de la petite femme de chambre, qui lissa doucement son corsage avant d'aller chercher les gants de satin blanc et l'éventail. Miranda récupéra son image dans le miroir, la lumière de la lampe au-dessus de sa tête jetant des reflets rouges dans ses cheveux, les faisant flamboyer comme des charbons ardents. L'image du feu et de la destruction brilla haut et fort dans son esprit. Elle avait brûlé le plan de travail en marbre et il s'était rompu en deux comme une tranche de pain carbonisée.

Il y avait mensonge et mensonge. Un secret était-il un mensonge? Si l'on voulait protéger quelqu'un?

Elle ne pouvait reprocher à Archer de se montrer protecteur. La rage et l'exaspération du tueur augmentaient ; il frapperait encore, et bientôt. Miranda le pressentait sans toutefois comprendre d'où lui venait cette intuition. Archer tenterait de la protéger, de l'emmitoufler dans l'ignorance comme dans de la ouate. Mais qui le protégerait, lui ? Miranda le pouvait et elle le ferait. Si nécessaire, elle n'hésiterait à se servir du feu, même si cela impliquait de divulguer son secret.

Elle descendit l'escalier à la rencontre d'Archer. Sa main se crispa sur la rampe lorsqu'elle le vit, debout au milieu du vestibule, les pieds légèrement écartés et les yeux levés vers elle. Il ressemblait à un voleur de grand chemin avec son masque de soie et sa longue cape noire d'opéra, son gilet écarlate constituant la seule touche de couleur de cette tenue d'un noir d'encre.

Certes, il y avait des mensonges. Mais il y avait aussi des vérités. La véracité des sentiments. Au plus profond d'elle-même, elle connaissait cet homme. Archer. Derrière le masque. Elle connaissait son âme, son cœur. Peut-être cela suffisait-il.

— Cela ne ressemble guère à un déguisement, observa-t-il lorsqu'elle le rejoignit.

Elle aurait pu dire tant de choses, exiger qu'ils discutent ou lui ouvrir son cœur. Elle se contenta de brandir son masque.

— C'est parce que je n'en ai pas encore terminé.

Archer laissa échapper un léger grognement.

— Et que deviendrez-vous lorsque vous enfilerez votre déguisement ?

Appeler cela un déguisement était sans doute un peu exagéré. Le petit loup de dentelle argentée, pareil à un papillon et serti de perles de verre, ne dissimulait que le haut de son visage.

— La *luna*, sourit-elle.

— Dans ce cas, permettez-moi d'être la *notte* sertissant votre lune.

Archer éleva le masque noir rigide qu'il tenait et le posa sur celui de soie, plus fin. Dès qu'il l'enfila, le masque plein modifia son identité, transformant l'homme au sourire facile en Lord Archer l'inflexible. Miranda mit un long moment à se rendre compte qu'elle le regardait fixement.

Il fit un pas vers elle, sa belle bouche et sa mâchoire carrée invisibles une fois de plus.

— Ce qui n'est que du baratin étant donné que tous sauront que je ne porte pas de déguisement.

— Balivernes, répliqua-t-elle d'une voix un peu rauque, parce qu'il était si près. Ce sera la première réception où personne ne vous considérera la bouche ouverte comme un poisson sans cervelle. Et, pour ma part, je m'en réjouis.

Un sourire monta aux yeux d'Archer.

— Vous ménagez mes sentiments, Lady Archer. C'est charmant.

Les joues de Miranda s'empourprèrent.

— Bah, dit-elle en enfilant maladroitement son masque. Je ne supporte pas les imbéciles. Qu'on reluque une fois, passe encore, mais une seconde, voire une trois…

Archer leva les mains sur son visage. Et ce fut Miranda qui, bouche bée, le regarda s'emparer doucement du loup et le mettre en place.

— C'est curieux comme vous semblez disparaître sous ce masque.

Il vint à l'esprit de Miranda qu'il allait peut-être comprendre un peu mieux ce qui la frustrait tant. Mais elle prit le parti de ne pas pousser son avantage.

— Vous m'avez manqué, belle Miranda, dit-il avec une tendresse soudaine.

— Archer.

Le voyant se raidir, elle s'obligea à poursuivre. Mais les mots qu'elle prononça n'étaient pas les bons.

— Veuillez me pardonner de m'être comportée ainsi, l'autre soir, de m'être enfuie ainsi, je veux dire.

Elle ne rougirait pas, ne penserait pas à sa bouche, à son goût.

Il s'éloigna gentiment.

— La faute m'en incombe. C'est… c'est mieux ainsi, je pense.

À ces mots, une douleur sourde se logea dans le ventre de Miranda, mais elle se contraignit à opiner. S'il voulait garder ses distances, elle ne s'y opposerait pas.

— Faisons-nous la paix, alors ? dit-elle.

Le coin des yeux d'Archer se plissa.

— Nous faisons la paix.

Elle s'apprêtait à se mettre en marche lorsque sa main sur son coude l'arrêta.

— Peu importe ce qui risque d'arriver, Miri…

Il fit un pas vers elle, étreignit son coude plus fortement.

— Peu importe mes fautes, n'oubliez jamais que vous êtes pour moi l'être le plus important au monde.

Ces paroles auraient dû réchauffer le cœur de Miranda. Elles lui donnèrent plutôt le goût de pleurer.

Il y avait tant d'hommes portant des masques, des dominos et des capes noires que, pour une fois, Archer se fondait dans la masse. Pourtant, Miranda ne parvint pas à le persuader de danser.

— Je ne danse pas, Miranda, lui répondit Archer quand elle l'en pria de nouveau.

— Je ne vous crois pas.

L'irritation lui brûlait la poitrine. Marie-Antoinette et le roi Louis passèrent en tournoyant près d'eux, entraînés dans une polka endiablée.

— Bon sang, vous vous déplacez pourtant avec grâce lorsque vous vous battez.

Archer lui coula un regard en coin.

— Dans ce cas, j'aurais peut-être dû apporter des épées. Vous ferraillez toujours, non ?

Elle tapa du pied avec impatience, mais se contraignit à conserver son calme.

— Brute, siffla-t-elle.

Elle le sentit lui décocher un sourire narquois. Elle dut se mordre les lèvres pour ne pas lui sourire en retour. C'était peut-être pervers, mais croiser le fer avec Archer était plus amusant que d'assister au bal le plus couru. Elle se demanda soudain s'il pensait de même.

Il posa sa grande main sur son dos dans le dessein de l'apaiser.

— Je vais aller vous chercher du champagne, après quoi vous me direz lequel de ces masques vous préférez.

Peut-être pourrais-je m'en procurer un, ajouta-t-il le regard hilare.

Miranda réfréna l'envie de rouler des yeux. *Lâche.*

Elle aurait pu être confortablement au lit. Qu'ils soient venus dans le but de socialiser était une farce. Archer avait tenu à inscrire son nom sur chaque ligne de son carnet de bal, un stratagème socialement impardonnable, mais efficace pour la garder à son côté.

Archer partit chercher le champagne. Il venait à peine de disparaître que Lord Mckinnon, un sourire malicieux aux lèvres, vint demander à Miranda de lui accorder la première valse, sachant fort bien qu'elle ne pourrait faire autrement qu'accepter.

— Et qu'êtes-vous censé représenter? demanda-t-elle lorsqu'ils commencèrent à danser. Un loup?

Mckinnon portait un demi-masque rappelant ce carnivore, mais ses yeux d'un bleu exceptionnel et son sourire féroce sous le museau pointu révélaient immédiatement son identité.

Un sourire creusa ses fossettes. Il inclina la tête vers l'oreille de Miranda.

— Un loup-garou. Une créature nettement plus terrifiante, à mon avis. Et vous, Lady Archer? s'empressa-t-il d'ajouter, voyant qu'elle ne répliquait pas. Que représente votre charmant déguisement?

Elle détourna légèrement la tête, éloignant ainsi sa bouche de celle, trop proche, de Mckinnon. L'haleine de celui-ci fleurait la chair fraîche. Une odeur qui lui rappela celle de l'entrecôte qu'affectionnait particulièrement son père.

— La *luna*, dit-elle.

Un rire, s'apparentant curieusement à un grognement, s'échappa des tréfonds de la poitrine de Mckinnon.

— Pas étonnant que je sois subjugué.

— Quelle remarque convenue, dit-elle affablement.

La main sur sa taille lui parut étrangement chaude et excessivement possessive. Elle s'écarta, mais Mckinnon sourit et la ramena discrètement vers lui d'une main encore plus ferme.

— Je suis là pour vous mettre en garde, dit-il en la faisant tournoyer. Mon père est déterminé à ruiner votre époux.

Il jeta un œil vers un angle de la salle, depuis lequel son père les considérait avec une irritation mal dissimulée, qui donnait à sa figure labourée de cicatrices l'aspect d'un enchevêtrement de racines noueuses. Voyant qu'ils avaient surpris son regard, Rossberry tourna brusquement les talons et s'éloigna.

Mckinnon s'inclina.

— Voyez-vous, c'est qu'il est convaincu que Lord Archer est responsable de l'explosion qui l'a défiguré, dit-il avec un regard laissant entendre qu'il partageait cet avis.

— Quel changement d'attitude déconcertant, milord. On pourrait croire que vous vous souciez réellement de protéger Archer. Mais nous savons que tel n'est pas le cas.

Les lèvres de Mckinnon tiquèrent.

— S'il ne s'agissait que de la peau d'Archer, je m'en soucierais comme d'une guigne. Il ne peut s'en prendre qu'à sa propre témérité. Mais je crains que vous n'ayez à souffrir de cette passe d'armes, dit-il et, sous le masque brun, ses yeux bleus se firent graves. Il est clair que vous aimez Archer.

Elle hocha la tête avec raideur.

— Dans ce cas, prêtez foi à mes propos et n'ayez cure de mes motivations. Je croyais avoir réussi à convaincre mon père de rentrer en Écosse et de ne pas réveiller le chat qui dort, mais il est terriblement entêté.

Ils esquivèrent en tournoyant un couple moins gracieux.

— Mon père ne va pas bien. Il est doté d'un tempérament explosif.

— Laissez-vous entendre qu'il pourrait se montrer violent? dit-elle en modérant le pas.

Lord Rossberry n'était plus jeune, mais sa taille et sa carrure étaient celles du scélérat. Et elle ne pouvait écarter personne. Mckinnon connaissait-il la vérité depuis le début et avait-il soudainement mauvaise conscience?

— Je dis que le clan Ranulf a pour habitude d'éliminer ceux qu'il estime représenter une menace.

Un froid glacial parcourut l'échine de Miranda. Les dernières notes de musique s'éteignirent, et elle se dégagea de l'étreinte de Mckinnon.

— Il serait préférable, dans ce cas, que vous en préveniez mon époux.

Un éclair traversa les yeux de Mckinnon — répugnance, hésitation, elle n'aurait su le dire. Il le réprima avec un sourire contraint, charmeur.

— Je préfère danser avec vous.

— La danse est terminée.

L'abandonnant sur le plancher de danse, elle tourna les talons et entra en collision avec Marie-Antoinette.

Des yeux d'un gris argenté étincelèrent derrière le loup de dentelle.

— Mille pardons.

Le nez de Miranda capta un parfum de citron et de fleurs si délicat qu'elle crut avoir rêvé. Elle sursauta. Victoria ? La femme se fondit dans la foule. Miranda tenta de la suivre, mais la cohue l'en empêcha. Les Blackwood devaient avoir invité toutes les grandes familles de Londres. Un épais nuage de fumée provenant des lampes à gaz et des bougies obscurcissait l'air, et le bourdonnement des éclats de rire lui donnait le vertige. Elle perdait le sens de l'orientation dans cette multitude de masques inquiétants et de revenants historiques. Elle se dirigeait vers l'arrière du grand vestibule quand soudain on lui saisit le bras pour la faire brusquement tourner sur elle-même. Son épaule percuta le mur et elle se retrouva devant le faciès torturé de Lord Alastair Rossberry.

Elle baissa les yeux sur sa main qui la retenait, puis les releva vers sa figure, n'arrivant pas à croire qu'il l'eut accostée aussi cavalièrement.

— Lord Rossberry ! Qu'est-ce qui vous prend de...

Il lui serra violemment le bras et la repoussa si durement contre le mur que ses os rendirent un bruit mat et qu'une partie de son chignon se défit.

— Que vous a raconté mon fils ?

Elle se ressaisit et se redressa de toute sa taille.

— Lâchez-moi, milord, ou vous vous en repentirez.

En dépit de son âge, l'homme était fort comme un bœuf et n'avait visiblement pas l'intention d'obtempérer. Il l'attira vers lui. Ses yeux bleus étincelaient entre ses chairs boursouflées.

— Vous n'êtes qu'une gueuse sans cœur qui emploie sa beauté diabolique à séduire les malheureux. N'espérez pas prendre Ian dans vos filets.

Elle se dégagea brusquement, se meurtrissant vraisemblablement les chairs au passage.

— Prenez garde, milord.

Le terrible feu qui l'habitait cherchait à s'échapper.

— On nous observe et je préfère ne pas songer aux conséquences si Lord Archer vous voit me bousculer.

— Oh, je l'imagine fort bien, petite garce. Pourquoi ne pas lui en donner l'occasion dès maintenant ?

Il fit de nouveau le geste de s'emparer d'elle, mais s'arrêta lorsque l'air entre eux devint aussi brûlant que le souffle sortant d'un four. Rossberry perçut le changement et recula d'un pas, le regard voilé d'effroi.

— Je ne le vous conseille pas, dit-elle avec un calme qu'elle ne ressentait pas.

Debout l'un devant l'autre, ils se mesurèrent silencieusement du regard jusqu'à ce qu'une voix douce attire leur attention.

— Lady Archer ?

Lady Blackwood, déguisée en reine Elizabeth, s'avança vers eux d'un pas glissant, son front lisse assombri par l'inquiétude.

Rossberry tressaillit comme au sortir d'une transe.

— Est-ce que ça va ? demanda Lady Blackwood d'une voix légèrement contrariée en considérant ostensiblement le vieux comte.

Les lèvres déformées de Rossberry se mouillèrent et tremblèrent comme s'il était sur le point de hurler. Finalement, il grogna avec irritation et recula d'un pas.

— Vous avez perdu la tête pour prendre le parti de cet homme, siffla-t-il en pointant un doigt griffu vers Miranda. Et vous en paierez le prix, tout comme les autres.

Tournant les talons, il s'éloigna d'elle et de Lady Blackwood, les laissant aussi stupéfaites l'une que l'autre.

— Je vous prie d'excuser mon oncle, dit Lady Blackwood en rougissant. C'est un homme irascible paranoïaque. Il est toutefois très bon pour les siens.

— Votre oncle ?

La femme sereine qui se trouvait devant elle ne semblait pas appartenir au même monde que Rossberry.

— Grand-oncle, en fait, dit Lady Blackwood avec un sourire ironique. Il nous a donné, à mon époux et moi, cette demeure en guise de cadeau de mariage.

— Très généreux de sa part.

Que pouvait-elle dire ? Il aurait été indélicat de sa part de déclarer qu'il aurait dû se trouver à Bedlam[10].

Lady Blackwood secoua lentement la tête, faisant ainsi froufrouter la large fraise élisabéthaine couvrant sa gorge délicate.

— Je crains qu'il n'ait passé trop de temps enfermé dans son trou en Écosse, dit-elle en effleurant de sa petite main le coude de Miranda. Je vous assure, il est inoffensif.

Inoffensif pour qui, faillit demander Miranda, mais elle se mordit la langue. Les grands yeux bleus de Lady Blackwood quémandaient sa compréhension.

— Ne vous en faites pas, dit Miranda. Ma famille a également une tante maboule dans son placard. Nous lui permettons d'en sortir, évidemment. Mais seulement à Noël.

Les deux femmes sourirent. De ce sourire contraint qui sert à dissimuler la laideur au nom du respect familial.

— Je vais oublier cet incident, dit Miranda d'un ton faussement léger. Et je n'en parlerai pas à Lord Archer.

---

10. N.d.T. : Hôpital pour malades mentaux de Londres.

Lady Blackwood se détendit visiblement, puis elle regarda la coiffure de Miranda.

— Oh, ma chère. Vous êtes décoiffée, dit-elle, les joues roses. Je suis terriblement navrée de cet incident. Permettez que je demande à une femme de chambre de vous recoiffer. Dois-je vous conduire jusqu'au cabinet des dames ?

Miranda hésita. L'état de sa coiffure ferait sûrement l'objet de commérages et de spéculations, car la coiffure d'une dame ne s'écroulait pas sans raison. Bien qu'elle eût aimé croire que les esprits malveillants n'iraient pas s'imaginer qu'Archer était celui l'ayant bousculée ainsi, Miranda savait que c'était précisément la conclusion à laquelle ils viendraient.

— Ce n'est rien, Lady Blackwood, dit Miranda. Je peux me recoiffer sans aide. Je vous serais reconnaissante de m'indiquer où je pourrais me refaire une beauté.

Heureusement, Lady Blackwood semblait partager son point de vue. Par ailleurs, songea Miranda, elle ne souhaitait sans doute pas que l'on apprenne que son oncle avait bousculé l'une de ses invitées.

— Au sommet de l'escalier, il y a une petite chambre d'amis, dit Lady Blackwood. Disposez-en aussi longuement qu'il vous plaira.

Miranda s'engagea dans l'escalier, résolue à oublier son affrontement avec Lord Rossberry. Hélas, elle ne se sentit pas moins comme un renard pris au piège.

Miranda l'avait traité de quelque chose lorsqu'il l'avait quittée. Une exclamation si sourde et si vive qu'Archer se demanda si elle avait eut conscience de l'avoir dite tout haut. L'insulte était appropriée — il se sentait plus lâche en ce moment qu'elle ne le saurait jamais. D'ordinaire, il aimait croiser le fer avec elle, guettant sa réaction. Mais il avait bien vu que son refus de danser l'avait déçue. En vérité, il désirait danser avec elle, follement. Mais il craignait que s'il la prenait dans ses bras, il ne puisse plus s'en détacher. Toutefois, il ne put se retenir de sourire en repensant à son langage coloré. Elle ne lui en paraissait que plus adorable. Peut-être était-ce en raison du sang italien qui coulait dans ses veines, mais chaque «fichu» s'échappant de ses lèvres pleines, chaque «bon sang» lancé de sa voix grave et mielleuse, soufflait du feu sur sa verge. Chaque fois.

La polka céda la place à une valse, et il se fraya un chemin dans la foule tout en s'évertuant à ne pas renverser le verre de champagne qu'il tenait. Son masque lui démangeait; la sueur ruisselait sur ses tempes sans qu'il puisse même songer à l'éponger. Chaque jour, son masque lui semblait davantage une prison. De même, il trouvait de plus en plus difficile de se couper du monde. À cause d'elle. *Miranda.*

Archer releva brusquement la tête. Cette voix. Il connaissait cette voix. Sa poitrine se serra si soudainement qu'il en perdit le souffle. Il tenta d'isoler la voix dans le bourdonnement des rires et de la musique.

Miranda…

Un voile rouge obscurcit le regard d'Archer. Dans sa poitrine, le serrement se transforma en douleur. *Sacré bon sang.* Ses genoux cédèrent sous la rage qui l'envahit. La coupe tomba par terre, où elle vola en éclats. Il avait déjà grimpé la moitié de l'escalier avant même d'avoir eu conscience de faire un pas.

Quelqu'un poussa un cri et il bouscula un malheureux qui lui barrait la route. Il força l'allure. Le parfum de

Miranda flottait encore dans l'escalier qu'elle venait tout juste d'emprunter. Archer entendit ce rire dément, qui n'était plus en ce moment qu'un ricanement sourd, puis le cri de Miranda. Archer se convulsa. Miranda était là-haut, elle avait entendu, tout comme lui. Elle était là-haut, et elle allait tomber dans le piège de cette chose. Le temps d'un terrible moment, l'effroi qu'il éprouva manqua le paralyser, puis il s'élança vers le sommet de l'escalier.

Chapitre 23

S a coiffure proprement remise en place, Miranda sortit de
la chambre d'amis rafraîchie et s'estimant ridicule d'avoir
eu peur de Rossberry. Toutefois, sa belle assurance faiblit
lorsqu'elle déboucha dans le couloir sombre et lugubre et se
rendit compte que toutes les bougies avaient été soufflées.

— Miranda.

Saisie, Miranda s'appuya de la main contre le mur. La
voix ne venait de nulle part, mais elle était ferme.

— Miranda.

— Oui ? lança-t-elle.

Nulle réponse. La raison lui ordonnait de fuir. Mais elle
en était incapable. Et lorsque la porte au fond du couloir
s'entrouvrit lentement, elle ne put que la fixer du regard,
son souffle haletant résonnant aussi bruyamment dans le
silence qu'un roulement de tonnerre.

La porte oscilla et l'air froid de la nuit se répandit sur
ses joues brûlantes. Ce n'était que le vent. La porte-fenêtre
donnant sur l'allée était ouverte, et ses rideaux blancs flottaient et tournoyaient dans les airs. La lueur bleutée du clair
de lune rampait sur le parquet près du tapis. Miranda

arracha son masque et avança comme si elle avait été ensor-
celée. Quelque chose la guettait.

Elle allait hurler. Elle sentit le cri monter dans sa gorge,
et seule la frayeur qui contractait tous ses muscles l'empêcha
de sortir. Miranda fit un pas en avant. Soudain, elle sentit
une présence dans son dos. S'approchant à grands pas.
Résolue à s'emparer d'elle.

Elle pivota, saisie de terreur, et percuta de plein fouet
une masse large et sombre. La chose lui empoigna les bras
et le cri s'échappa enfin de ses lèvres. Elle se débattit, mais
la chose l'attira aussitôt contre elle.

Son corps le reconnut avant son esprit. *Archer.*
Elle se cramponna à ses revers et les bras d'Archer
l'enveloppèrent.

— Archer, fit-elle lorsqu'elle eut repris son souffle, et
elle lui frappa la poitrine d'un poing tremblant. Seigneur
Dieu, vous m'avez fait une de ces peurs.

Mais lorsqu'elle tenta de se dégager, il la retint vigoureusement contre lui, sa grande main posée en coupe sur
l'arrière de son crâne.

— Veuillez me pardonner, dit-il.

C'est alors qu'elle sentit le martèlement rapide de son
cœur contre sa joue.

— J'ai cru entendre…

Il s'écarta légèrement pour la regarder, mais son corps
demeura tendu, prêt à réagir au danger.

— Quelque chose cloche. Je le sens.

Elle jeta un œil sur la porte entrouverte et un frisson lui
parcourut l'échine.

— Moi aussi, chuchota-t-elle.

— Partons, dit Archer. Maintenant.

Sans lui laisser la chance de protester, il lui fit dévaler l'escalier. Miranda, du reste, était plus que désireuse de déguerpir. À chacun de ses pas, elle sentait dans son dos un regard brûlant quoique invisible.

Il l'entraîna vers la porte arrière et lui fit franchir l'entrée de service. Leur landau, un attelage à quatre chevaux, attendait dans l'allée, la capote relevée, les vitres des portières reflétant la nuit bleutée dans le clair de lune étincelant. Archer lui tendit la main et l'aida à se hisser dans la voiture. Une peau de zibeline et une bouillotte étaient posées sur le siège et elle s'y blottit, heureuse de se retrouver au chaud. Archer était sur le point de la rejoindre, lorsqu'un bruit de chute retentit dans la cour. Ils sursautèrent, mais un valet de pied qui se trouvait tout près se ressaisit aussitôt.

— C'est sans doute Henrietta, dit-il en jetant un œil vers une petite femme penchée sur une caisse de coupes tombée sur le sol près de la porte de la cuisine. Une domestique. Elle est un peu simplette.

Miranda entendit les sanglots étouffés de la malheureuse, qui tentait de reprendre son lourd fardeau.

Archer sauta en bas du siège du cocher.

— Je n'en ai pas pour longtemps.

Le valet de pied, qui n'avait guère l'air serviable, le suivit sans se hâter. Miranda regarda Archer s'éloigner, s'émerveillant de sa façon de se déplacer sans bruit.

Un violent claquement de fouet et un cri strident venu d'en haut la firent sursauter. La voiture s'élança en avant, et Miranda tomba à la renverse sur la banquette lorsque les chevaux prirent le galop. Elle tenta de se redresser, entendant vaguement Archer crier son nom, mais son cri fut étouffé par un nouveau bruit, nettement plus terrifiant, provenant du siège du cocher — le ricanement sinistre du diable qui avait tenté de la tuer au musée.

Ses doigts se transformèrent en glaçons, mais l'étincelle familière du feu lui enflamma les entrailles. *Je vais le tuer,* songea-t-elle clairement. *Je vais lui calciner les os pour ce qu'il a fait au malheureux Cheltenham.* Mais elle ne pouvait foutrement pas le faire tant qu'elle serait dans la voiture.

— Miranda !

Elle se tourna vers la lunette arrière. Archer courait derrière la voiture dans l'allée. C'était sans espoir, les quatre puissants chevaux bais lancés presque au galop mettant la voiture hors de sa portée. Il arracha son masque rigide sans ralentir l'allure. Le désespoir de Miranda céda la place à la stupéfaction en le voyant accélérer, ses longues foulées atteignant une vitesse à laquelle nul homme ne pouvait accéder. Archer gagna du terrain. Se rapprocha. Le cocher diabolique fit claquer son fouet, excita les chevaux, et la voiture prit de la vitesse.

Archer força l'allure et, dans un bond spectaculaire, il atterrit sur le marchepied avec une telle violence que la voiture vacilla. Archer sauta sur le toit et se jeta sur le diable en rugissant. La capote de cuir robuste de la voiture se creusa sous leur poids.

La voiture, laissée à elle-même, fit une embardée et Miranda tomba par terre. Voyant par la fenêtre une grosse masse noire dégringoler, elle se rua vers la lunette arrière juste à temps pour voir Archer et le diable frapper durement la route de gravier et basculer sur le sol, cul par-dessus tête, les membres entremêlés.

— Archer !

La voiture sauta une ornière et Miranda tomba à la renverse.

— Bon sang!

Au lieu de ralentir, les chevaux, épouvantés, prirent le mors aux dents. Une seule issue s'offrait à elle, mais il n'était pas question qu'elle la prenne vêtue d'une robe. Secouée comme un bouchon sur une mer démontée, elle se libéra de ses jupes en les déchirant. Elle n'arrivait pas à figurer la distance parcourue, mais elle se souvint, avec un frémissement, d'un pont étroit et d'un sentier s'enfonçant en lacets dans la forêt. Ils atteindraient bientôt ces deux obstacles et une voiture lancée au galop ne parviendrait pas à les franchir.

Le fermoir du toit était au-dessus d'elle. Elle tomba une première fois, puis une seconde, en tentant de l'atteindre. Le chemin devenant plus cahoteux, les lampes se mirent à osciller continûment. Miranda posa un pied sur chacune des banquettes, s'étira vers le haut et désengagea le fermoir. La moitié avant de la capote bascula vers l'arrière.

Le vent cinglant la fit larmoyer, et le bruit de ferraille de la voiture et le martèlement des sabots devinrent assourdissants. Clignant vigoureusement des yeux, elle se concentra sur les têtes bondissantes des quatre chevaux d'un noir bleuté sous le clair de lune. Elle se rendit compte avec consternation que les rênes traînaient sur le sol. Elle ne pourrait pas les atteindre.

Un peu plus loin, un trait sombre barrait la route éclairée par la lune. Son torticolis lui rappela qu'ils avaient franchi ce fossé en se rendant à la réception. *Une ornière excessivement profonde.*

Voyant que la voiture se dirigeait droit sur l'ornière, Miranda se rejeta promptement dans la cabine et ses genoux et sa tête heurtèrent durement le sol. Au même moment, la voiture frappa le fossé et les chevaux poussèrent des cris perçants. Miranda, se préparant au pire, raidit les bras et les jambes ; la voiture dérapa, ralentit l'allure, reprit de la vitesse et se renversa finalement sur le côté.

Elle entendit ses propres hurlements retentir dans ses oreilles, sentit son corps s'élever dans les airs. Le vent la cingla. Mue par l'énergie du désespoir, elle réussit à se rouler en boule et frappa le sol avec une telle vélocité que sa vision se voila tandis que le bois et le verre volaient en éclats dans un grondement de fin du monde. La voiture retomba sur elle de tout son poids, et tout devient noir.

La tête d'Archer frappa le sol avec un bruit mat semblable à celui de la viande. Des points jaunes s'allumèrent sous ses paupières, et il roula sur lui-même, les membres entremêlés aux membres de quelqu'un d'autre, les yeux emplis de poussière. Pendant un moment, il oublia qui ou ce qu'il était. Après quoi, il lança son poing à l'aveuglette, sachant que son adversaire ferait bientôt de même. Son poing rencontra une mâchoire plus dure que la pierre. Son bras vibra de douleur. Il lança son poing encore une fois, mais rata la cible. Plus loin sur la route, il entendit quelqu'un pousser un cri étouffé. Archer se redressa d'un bond. *Miri !* Miri dans la voiture.

Une main lui menotta la cheville. Archer tourbillonna dans les airs, projeté avec une force surhumaine par la main enroulée autour de sa jambe. La lune se brouilla et il retomba lourdement sur la terre dure. Un genou lui écrasa le coude.

Il s'affaissa sur le flanc et un autre genou suivit, le clouant au sol. Il rugit, se cabra, mais le corps qui le chevauchait le maintint par terre aussi facilement que s'il avait été un enfant.

— Tu es rapide. Mais pas autant que moi.

Vive comme l'éclair, une main le frappa à la tempe gauche. Une brillante lumière blanche explosa sous ses paupières, et Archer entrevit le contour vague d'un masque noir penché sur lui. Il entendit au loin le bruit du bois volant en éclats et les hennissements épouvantés des chevaux. Son cœur cessa de battre, la terreur l'étrangla. *Miri*. Un rugissement mourut dans sa gorge lorsqu'une longue et froide lame d'acier se pressa contre sa jugulaire.

— Tu veux la sauver, n'est-ce pas ?

De nouveau ce rire. Plus doux cette fois. La lame entama la chair d'Archer.

— J'ai tout mon temps. Mais pas toi, malheureusement.

Le masque s'inclina, reflétant la lueur bleutée de la lune.

— Nous avons assez joué. Il est temps d'en finir.

La lame découpa sa cravate, puis sa chemise de batiste, dessinant un trait de feu jusqu'à son cœur. Archer, le front couvert de sueur, sentit la pointe acérée s'immobiliser à l'endroit où son cœur cognait contre ses côtes.

— Ton cœur contre le sien.

Les yeux derrière le masque étincelèrent.

— Si toutefois le sien bat encore à la fin de la nuit.

Archer serra les poings et enfonça en vain les talons dans la terre. Écrabouillée sous la voiture ? Faisant fi du couteau, il se cabra de nouveau, sentit la pointe sur sa poitrine. La pression des genoux sur ses bras s'accentua. La colère l'aveugla de son voile de sang.

— Vas-y, fais-le.

Ses dents s'entrechoquèrent.

— Prends mon cœur et finissons-en.

Un rire éclata.

— Tu préfères donc mourir au lieu de la sauver ?

Il blêmit et le rire se fit glacial.

— Je ne l'aurais jamais cru. Je te promets que, si tu me repousses, je vais la débiter en très petites pièces après ton départ.

Soudain, le couteau se retira. La figure masquée s'inclina davantage sur lui et un souffle glacial lui chatouilla le nez.

— Cette année, la nouvelle lune coïncide avec le solstice d'hiver. Dans quatre jours. Les transformations provoquées par des forces aussi puissantes conféreront à ton cœur romantique une vigueur incomparable. Je vais donc t'accorder un sursis.

Des dents étincelèrent dans la nuit.

— En gage de mon affection, je vais attendre jusque là. Mais si tu n'obtempères pas — une main fendit l'air et gifla Archer, lui rappelant ainsi sa faiblesse — non seulement vais-je lui arracher le cœur et les yeux, mais je le ferai pendant qu'elle vivra encore.

Archer lança la tête en avant, déterminé à pulvériser le nez de l'ignoble chose, à faire n'importe quoi pour la tuer. Il ne rencontra que de l'air, ne frappa rien. Un rire retentit dans le vide, et il se retrouva seul, assis tel un enfant sur le chemin obscur.

Chapitre 24

L'obscurité. Le silence. Miranda s'en réjouit un moment, respirant bruyamment, ancrant ses doigts dans la terre. De la terre roula entre ses doigts et des brins d'herbe ramollis par l'hiver lui piquèrent le nez. Elle éternua, et l'arrière de son crâne frappa un objet dur. Elle était sous la voiture, comprit-elle, saisie de terreur. Elle tenta de la soulever, de s'extraire de sa prison. Mais la voiture ne broncha pas. Sa poitrine se serra douloureusement, sa gorge se contracta. *Respire!* Elle inspira profondément une fois, puis une seconde fois.

Elle remua précautionneusement les orteils, les doigts… ils étaient en état de marche. Elle avait mal partout, mais ne décelait aucune douleur aiguë. Hormis sa tête qui élançait épouvantablement et ses genoux et ses coudes qui lui faisaient un peu mal, elle était indemne.

Elle avait de la place, pas beaucoup, mais assez. Elle n'entendait plus les chevaux. Tant mieux, étant donné qu'il n'y avait pas âme qui vive à des kilomètres à la ronde et qu'on ne pouvait certainement pas la voir depuis la route principale. La vision d'insectes et de vermine rampant jusqu'à elle pour se repaître de sa chair surgit dans son esprit et elle sursauta violemment. Puis, dans un bruit terrifiant, l'ossature de bois craqua au-dessus d'elle. Elle se figea, assourdie par les battements de son cœur, et un autre son s'insinua dans le silence étouffé de sa tombe — le cri d'un homme. Elle appuya l'oreille contre la paroi de la voiture. Un nouveau rugissement de terreur, dont l'accent de désespoir l'atteignit au cœur.

— Miranda!

— Archer, murmura-t-elle, les larmes aux yeux.

Un sanglot plaintif s'échappa de ses lèvres. Il était là. Il était vivant.

— Miranda!

Son cri était plus net. Il se trouvait près de la voiture, la cherchait, mais ne la trouvait pas.

— Je suis ici.

Sa voix rendit un son pathétiquement chétif et faible dans la tombe obscure. Il ne l'entendrait pas.

— Archer! cria-t-elle d'une voix plus forte qui se répercuta dans la tombe.

Des pas lourds et pressés firent vibrer le sol, puis résonnèrent sur la voiture au-dessus d'elle. L'ossature de bois s'infléchit de deux centimètres et pesa sur ses fesses.

— Arrêtez! hurla-t-elle. Bon sang, vous allez me broyer.

Curieux, songea-t-elle tandis la pression se relâchait sur-le-champ, comme on se rend toujours compte que quelqu'un jure violemment, même si on ne saisit pas vraiment ce qu'il dit. Le fait de savoir Archer en colère lui remonta aussitôt le moral. Il irait chercher du secours et la sortirait de là.

Elle resta donc bouche bée de stupeur en sentant la voiture s'ébranler dans un grondement sourd et le poids lui comprimant les reins se soulever. Il n'avait tout de même pas l'intention de lever la fichue voiture tout seul ?

C'était pourtant ce qu'il faisait. La voiture s'éleva lentement, et la faible lueur de la lune s'immisça à l'intérieur au fil de son ascension. Elle aperçut le bout de ses bottes maculées de boue. Un nouveau grognement retentit dans la nuit, mais sortant d'un homme cette fois, et d'un homme à bout de forces. Dans le tumulte du bois se rompant et des ressorts gémissant, le cri d'Archer éclata dans ses oreilles et la voiture culbuta, retomba sur ses essieux brisés et atterrit bruyamment à côté d'elle. Ses poumons s'emplirent d'air frais.

— Dieu soit loué. Miri... non !

Archer bondit à ses côtés à l'instant même où elle tentait en vacillant de se mettre à quatre pattes.

— N'essayez pas de vous relever, bon sang ! Vous êtes folle... Votre colonne vertébrale pourrait être lésée, la sermonna-t-il en s'agenouillant devant elle. Sans mentionner...

Mais elle ne prêtait plus attention à ce qu'il disait, trop ravie de le voir — vivant et en un seul morceau.

La lèvre supérieure d'Archer, d'ordinaire si tendre, était rigide, signe manifeste de son irritation. Sous le clair de lune, sa joue et sa mâchoire carrée étaient légèrement bleutées, mais sans marques.

— Vos chevilles me semblent indemnes...

Elle sentit vaguement le doux contact de ses doigts sur ses mollets. Il avait toujours son masque de soie, mais son manteau de soirée arborait une longue déchirure à l'épaule et avait perdu un revers. Cependant, dans l'ensemble, il n'avait pas l'air d'un homme qui venait de tomber tête première d'une voiture lancée au galop.

— Pouvez-vous tourner la tête ? Je vous demande si vous pouvez tourner la tête !

— Pardonnez-moi ?

Elle cligna des yeux et vit qu'il la considérait fixement.

— Pouvez-vous tourner la tête ? répéta-t-il en s'obligeant à la patience. Lentement.

Elle tourna la tête d'un côté, puis de l'autre.

— Bien.

Il poursuivit son examen.

— Lever les bras ?

Elle lui obéit, mais en l'écoutant à peine. En tournant la tête vers la droite, elle avait entrevu le squelette de l'épave de la voiture. Celle-ci, en dévalant le talus, avait labouré la terre et arraché l'herbe, creusant dans le sol de profondes balafres noires. Elle s'était ensuite immobilisée dans le lit d'un ruisseau. Seuls un heureux coup du sort et le temps très sec avaient permis à Miranda de tomber dans une profonde crevasse du lit à sec, et à la voiture de rester en suspens au-dessus d'elle, couchée sur le flanc. Un frisson de gratitude la parcourut.

Comprenant à quel point elle avait eu de la chance, elle retrouva ses sens et, du coup, la sensation des grandes mains d'Archer se promenant sur ses hanches à peine couvertes par le fin tissu de sa culotte.

— Holà ! dit-elle en lui donnant une petite tape sur les mains.

Archer sourit gravement sans pour autant détacher le regard de sa tâche et il repoussa les mains de Miranda.

— Ne bougez pas. De toutes les têtes de mule...

Il marmonna le reste en italien, mais elle ne saisit pas le sens de ses paroles, car sa connaissance de cette langue se limitait aux termes d'escrime.

Ses grandes mains remontèrent le long de ses côtes, d'un geste à la fois doux et assuré. Miranda ne pouvait en dire autant de sa propre respiration, qui devint irrégulière dès que, posant les mains de chaque côté de sa cage thoracique, il entreprit d'en palper délicatement chaque os.

Le pouce d'Archer effleura la chair tendre sous l'un de ses seins et elle se figea. Archer aussi. Il leva les yeux sur les siens, et la fixa d'un air si renfrogné qu'elle en perdit la parole et ne put que lui retourner son regard. Les mains d'Archer s'immobilisèrent et ses yeux rétrécirent davantage. Puis, ses lèvres au pli sévère se détendirent en un petit sourire en coin.

— Vous êtes indemne, dit-il d'une voix rauque.

— Évidemment que je le suis, dit-elle sèchement, sans toutefois oser bouger de crainte qu'au moindre mouvement de sa part la main d'Archer monte un peu plus haut. Je vous l'aurais dit si vous m'en aviez laissé l'occasion.

— Vous êtes indemne, répéta-t-il, puis il ferma les yeux et poussa un soupir de soulagement.

Chapitre 25

Maurus Robert Lea, septième comte de Leland, ne dormait plus que très rarement. Quand il avait de la chance, il sombrait dans une bienheureuse inconscience pendant quatre ou cinq heures. Depuis quelque temps, toutefois, le dieu Hypnos ne le visitait pas souvent. Il en était venu à se demander si son insomnie était le fait de son esprit cherchant à demeurer actif jusqu'au jour du dernier sommeil. Un jour qui arriverait assurément plus tôt que tard.

Par conséquent, il était tout à fait éveillé et assis devant l'âtre dans lequel brûlait un feu de charbon, prêtant l'oreille à l'orage qui s'annonçait et méditant sur sa longue vie, lorsque l'horloge sonna trois heures et que des coups ébranlèrent la porte de sa demeure.

— Leland !

Saisi, il se leva d'un bond et se prit les pieds dans sa robe de chambre. Il arriva dans le vestibule en même temps que Wilkinson, qui semblait inquiet, mais n'en demeurait pas moins impeccable, avec ses cheveux couleur neige parfaitement coiffés et les pointes de son col aussi raides que les falaises blanches de Douvres.

— Milord ? s'enquit le majordome en jetant un coup d'œil vers la porte.

Les fichus coups n'avaient pas décru.

— Ouvrez, Leland !

— C'est bon, Wilkinson. Allez vous coucher. Je suis nettement trop âgé pour avoir besoin d'être dorloté.

— Oui, milord.

Leland savait qu'il resterait dans sa loge jusqu'à ce que son maître se mette son lit. Prenant le parti de ne plus y penser, il ouvrit la porte au finaud dont il connaissait si bien la voix.

À cet instant, toutefois, Archer n'avait pas l'air très malin. Plutôt égaré. Les épaules ruisselantes de pluie, il se tenait sur le seuil, trempé jusqu'aux os. Il ne portait que son demi-masque. Celui-ci lui collait au visage comme une peau de phoque, accentuant la fatigue et la déconfiture qui creusaient ses traits.

Un profond soupir souleva sa poitrine massive. C'est d'une voix rauque qu'il formula sa requête, requête dont il aurait préféré ravaler chaque mot.

— J'ai besoin de votre aide, Lilly.

Pendant un moment, Archer, furieux, crut que Leland allait lui claquer la porte au nez. L'homme restait debout devant lui sans broncher ; sa robe de chambre ridicule, dont l'imprimé représentait des paons, pendouillait de travers sur sa chemise de nuit, et ses jambes maigrichonnes semblables à des branches de bouleau tremblaient au-dessus de ses charentaises de velours usées à la corde. Il ressemblait à Ebenezer Scrooge[11] avec son air renfrogné. Finalement, il fit un pas de côté pour céder le passage à Archer.

---

11. N.d.T. : Personnage grincheux de Charles Dickens.

— Entrez, dit-il sans quitter Archer des yeux.

Archer passa devant lui, tout en ayant fortement l'impression d'être quelque spécimen épinglé sur une table de dissection. Mais le temps était venu pour lui de faire preuve d'humilité. Après s'être assuré que Miri était au lit, il avait filé. Même si cette perspective le terrifiait, il savait qu'il lui fallait dresser des plans.

Archer suivit le vieillard jusqu'à une bibliothèque presque identique à la sienne. Un feu de charbon rougeoyait dans l'âtre — plus chaud qu'un feu de bois, mais malodorant.

— Un verre ? demanda Leland qui s'en versait déjà un.

— Avez-vous du bourbon ?

Un sourire ténu releva la moustache de Leland.

— Non. Je ne peux pas dire que j'apprécie ce jus yankee.

— Snob. Du scotch, alors.

Leland tendit un verre à Archer qui en avala une gorgée réconfortante avant de s'approcher de la cheminée. Des gouttes d'eau tombèrent de son dos et de ses épaules sur les charbons, et des petits grésillements et de la fumée noire s'échappèrent de l'âtre.

— Vous allez étouffer le feu, le réprimanda Leland.

— Je ne sais pas où me mettre.

Ni où aller.

— Mais pourquoi donc n'avez-vous pas mis un manteau, ou un chapeau ?

— J'avais l'esprit ailleurs.

Leland commençait à lui rappeler sa mère. Il faut dire qu'il avait toujours eu tendance à ronchonner. Leland, l'incarnation même du bon sens et de la discipline — avant le West Moon Club.

— Laissez-moi aller vous chercher une robe de chambre.

— Non merci, grogna Archer.

Cependant, il pouvait difficilement rester là, à se geler les bijoux de famille, et entretenir en même temps une conversation intelligente. Il serra les mâchoires, déterminé à ne pas claquer des dents.

Leland prit une longue gorgée de scotch.

— J'insiste. Wilkinson n'en finira pas de râler si par malheur vous trempiez le tapis ou, Dieu nous en préserve, tachiez le tissu d'ameublement.

— Et la classe dirigeante ne redoute rien tant que des domestiques râleurs, sourit Archer en prenant une nouvelle gorgée.

— En effet.

Leland tira sur la sonnette.

Le majordome au visage de marbre revint promptement avec une robe de chambre également ridicule dont l'imprimé représentait, cette fois, des papillons safran. Archer la regarda de travers.

— La robe de chambre de votre épouse?

— Un cadeau de mon épouse, je le crains, dit Leland, la mine légèrement altérée. Toutes en sont. Je ne supporte pas l'idée de les remplacer.

Sur la nuque d'Archer, la peau se contracta.

— Quand est-elle décédée?

Leland en avait-il été amoureux? Il ne l'était certainement pas lorsqu'il l'avait épousée; il s'en était autrefois confessé à Archer. Celui-ci froissa la soie usée entre ses doigts.

— En soixante-neuf. Vite, vous ruisselez. À moins que, dit Leland avec un reniflement méprisant, vous préfériez vous dévêtir dans une autre pièce, comme une vierge effarouchée ?

Archer porta une main hésitante à son col.

— Êtes-vous certain de vouloir voir ?

La moustache de Leland s'affaissa.

— Navré. J'avais oublié, je vous prie de m'en croire. Si cela vous ennuie, je vais sortir.

Archer dénoua sa cravate.

— Cela ne m'ennuie pas.

Une part de lui souhaitait que Leland voie. Voie ce qu'il avait rejeté. Afin qu'il comprenne ce qu'endurait Archer. Il tira sur son masque détrempé. Les courroies gonflées d'eau claquèrent et le masque tomba.

— Par le sang du Christ, hoqueta Leland.

Il se laissa choir lourdement dans son fauteuil et tenta de se verser un verre. Mais sa main tremblante s'en révéla incapable.

— Je vous avais prévenu.

Archer s'exprimait avec détachement, cependant, sa poitrine s'était contractée. Malgré lui, il se sentait vulnérable, comme si son âme avait été mise à nu.

— Oui. Certes.

Leland réussit à se servir un verre tandis qu'Archer se défaisait de sa chemise et enfilait la robe de chambre. Il eut toutefois le temps de voir Leland poser le regard sur sa poitrine nue et l'en détourner aussitôt. Un léger frisson secoua la frêle charpente du vieil homme.

Ils avaient tous été témoins des premiers signes de sa transformation, mais celle-ci ne touchait alors que sa main droite. Mais aujourd'hui, Leland, cet homme solide et fiable, se montrait ébranlé jusqu'aux tréfonds de l'âme. Quelle serait en ce cas la réaction de Miri ? Archer déglutit péniblement, fut tenté de remettre son masque, mais sa fierté l'en empêcha.

— Ne soyez pas si bouleversé, dit-il en prenant place dans le fauteuil vacant près de la cheminée. Ce n'est pas votre sort.

— Ç'aurait pu l'être, dit Leland en passant d'un geste raide sa main noueuse sur ses yeux. Si je n'avais pas été si lâche.

Leland leva son regard las vers Archer. Une fois de plus, une grimace révulsa ses traits, mais il se contint.

— Nous avons été tous deux choisis. Mais vous seul avez eu le courage de vous prêter à l'expérience.

Archer avait la gorge en feu.

— Et voyez où cela m'a conduit.

— Je le vois.

Leland inspira profondément et reposa son verre.

— En quoi puis-je vous aider ?

C'était plus facile. Archer retira ses gants, trop heureux de se défaire de cette peau détrempée. Il vit que Leland reconnaissait l'anneau qu'il portait au doigt. Il l'enleva et tira le message de Daoud de sa cachette.

— Je veux que vous lisiez ceci. Voici le code.

Leland palpa la poche de poitrine de sa robe de chambre en quête de ses lunettes.

— Auriez-vous l'obligeance de monter la flamme des lampes ? Je crains que mes yeux ne soient plus ce qu'ils étaient.

Il lut en remuant les lèvres, la tête inclinée vers la lumière, ses lunettes de lecture aux verres épais sur le bout du nez. Incapable de rester tranquille, Archer se leva et commença à faire les cent pas.

Leland étudia le message de Daoud, et une ride profonde lui barra le front.

— Vous n'avez tout de même pas l'intention de faire ceci. Vous n'êtes pas plus responsable de cette folie que n'importe lequel d'entre nous ! Il n'est pas nécessaire que vous soyez l'agneau sacrificiel. Particulièrement maintenant...

Il n'acheva pas sa phrase.

— Maintenant que je suis marié ? plaida doucement Archer avant de se contraindre à hausser les épaules. Je pourrais essayer... Bon sang, j'ai tout essayé.

Il toucha le côté de son visage qui était altéré.

— La situation a évolué. Cette chose veut Miranda.

Il crispa le poing.

— Je ne peux l'abandonner à elle-même.

Le front de Leland ne se dérida pas.

— Je comprends votre sentiment. Mais si quelqu'un peut mettre un terme à tout ceci, c'est bien vous, Archer.

Leland se mordit la lèvre, ce qu'Archer ne l'avait plus vu faire depuis Eton.

— Je croyais que vous vouliez sauver votre âme.

Archer se frotta vigoureusement la figure comme s'il pouvait ainsi apaiser son agitation intérieure.

— Par deux fois, mes mains se sont refermées sur la gorge de cette misérable chose. Par deux fois, mais je n'arrive pas... je ne peux pas la détruire.

Les joues creuses de Leland se vidèrent de leur couleur.

— Par tous les saints du ciel !

— Non, cela ne vient pas de ce côté-là, dit Archer d'une voix lugubre. Plus vraisemblablement de l'enfer. Et c'est en enfer qu'elle retournera. Mais je n'y arriverai pas dans l'état où je me trouve.

Il leva la main gauche. Bien que très forte, elle était toujours constituée de chair et de sang.

— Je ne suis pas de taille, une évidence qui joue contre moi à son avantage.

Il détourna les yeux du regard de Leland et de la pitié qu'il y lisait.

— Je dois me transformer. Pour notre bien à tous.

Il porta la main à son verre, puis la laissa retomber.

— Même alors, nous serons au mieux d'égale force.

Il entendit Leland hoqueter et, levant les yeux, il vit qu'il le regardait bouche bée.

— C'est la raison pour laquelle vous avez besoin de moi, fit Leland en agitant le papier qu'il tenait d'une main. À cause de cette révélation ?

— Oui. Je dois réussir à coup sûr. Un échec serait désastreux. Pour nous tous.

Archer agrippa fortement le manteau de la cheminée.

— Croyez-vous que ce soit faisable ?

— Je n'en suis pas tout à fait certain, dit Leland en étudiant le message. Ah, les druides.

Il considéra Archer par-dessus ses lunettes.

— J'imagine que c'est la raison pour laquelle vous venez à moi.

Archer serra les dents et Leland renifla.

— Vous avez toujours été terriblement transparent.

Il blêmit.

— Je dois vous dire, Arch… Si j'étais tombé sur une chose semblable… Je tiens à ce que vous sachiez que je n'ai jamais pensé que la malédiction pouvait venir des druides.

— Je n'ai jamais pensé que vous pouviez me cacher des informations. Si c'est ce qui vous tracasse.

— J'aurais dû chercher de ce côté.

Les longs doigts tremblants de Leland froissèrent le tissu délicat.

— Les druides maîtrisaient une magie que nous commençons à peine à saisir. Une telle erreur de ma part est inexcusable.

Les remords de Leland étaient presque insupportables.

— Vous chercherez désormais, dit abruptement Archer.

Leland opina et reporta son attention sur le message.

— Cela risque d'être long. Il me faudra quelques jours pour consulter certains textes anciens.

— J'ai compris. Faites de votre mieux. Est-ce que cela fonctionnera… ?

L'impuissance jeta Archer dans une rage profonde. Découvrir Miri assassinée… Archer préférait mourir.

Leland quêta son regard, mais Archer refusa de se tourner vers lui.

— Je ne crains pas la mort, dit celui-ci, les yeux fixés sur les charbons rougeoyants de l'âtre.

— Dans ce cas, pourquoi…

— Pourquoi n'ai-je pas mis un terme à mon existence il y a longtemps ? Alors que je me savais maudit ?

Il se retourna. Leland avait reposé le message. Ses longues mains, d'une blancheur de craie sur la soie bleu paon, reposaient, inertes, sur ses genoux.

— C'est sans doute ironique, mais j'aime bien la vie, dit Archer. Aussi étrange que soit la mienne. Perdre mon âme est une tout autre affaire. Je n'aimerais pas cela...

Sa voix s'affaiblit bizarrement dans le lourd silence.

— Cela va de soi, acquiesça doucement Leland.

Avec un soupir, il marcha jusqu'à la bibliothèque et, au terme d'une brève recherche, il en tira un gros livre à l'épaisse couverture de cuir embossé.

— Je m'y mets dès maintenant. De toute façon, je ne dors pas ces temps-ci. Une bonne énigme me sera une vraie bénédiction.

Ses charentaises usées glissèrent sur le tapis d'Orient.

— Servez-vous un verre. Ou préféreriez-vous que je demande à ce qu'on vous prépare une chambre?

Archer secoua lentement la tête. Elle lui parut plus lourde qu'une pierre de lest.

— Je vais extraire cette épée du roc, dit-il en montrant du doigt le message de Daoud en guise d'explication. Maintenant.

Le livre que tenait Leland se referma dans un claquement décisif.

— Si vous envisagez de vous passer de moi, détrompez-vous.

Les lèvres d'Archer frémirent.

— Tiendrez-vous le coup? protesta-t-il doucement.

— Quel effronté, répondit Leland avec un reniflement irrité.

Archer tendit la main vers ses vêtements humides.

— Dans ce cas, allons-y.

Ils chevauchaient. En dépit des protestations de Leland, Archer se faisait du souci pour lui. Son ossature frêle vacilla quelque peu lorsqu'ils escaladèrent une légère pente au petit galop. Mais Leland tint bon. L'orage était passé et le brouillard était de retour, glacial et lourd. L'obscurité était presque totale, et ils se seraient sans doute égarés, n'eût été la vision exceptionnelle d'Archer. Il les conduisit jusqu'aux limites de la ville, à ces cavernes lugubres dans lesquelles sa destruction avait débuté.

Son souffle formait une buée blanche qu'avalaient aussitôt les ténèbres épaisses comme de la boue. Ils traversèrent en silence un bosquet et s'arrêtèrent devant un fourré.

— Cela semble à l'abandon, dit Leland dans son dos.

— C'était prévu.

Archer sauta de son cheval et repoussa les épaisses broussailles. De lourdes poutres bloquaient l'entrée. Il les souleva aisément et les lança dans le fourré derrière lui où elles atterrirent avec un craquement sourd. Oui, à l'abandon. Que le ciel soit loué de sa clémence.

Il entendit Leland descendre de cheval tandis qu'il s'affairait à dégager l'entrée. Il se rappelait nettement avoir fait basculer des blocs de roche devant l'ouverture, puis avoir poussé devant ceux-ci des troncs d'arbres. Fait en sorte que l'endroit ne soit plus jamais le théâtre de telles horreurs.

Son sang bouillonnait. Il aperçut enfin la porte de fer. Il lança un coup d'œil à Leland, puis poussa la porte de l'épaule. Elle céda en grinçant et en produisant une petite bouffée de poussière de rouille. Une nouvelle poussée et la porte chancela, puis bascula sur le sol mou qui vibra sous le choc.

— La torche.

Il tendit la main et attendit que Leland l'enflamme et la lui remette. Des toiles d'araignée touffues et des tourbillons de particules de poussière teintaient de gris l'entrée de la cave. Il écarta de la main un lourd rideau de toiles d'araignée, puis s'avança en ayant toutefois l'impression de reculer dans le temps.

Nulle torche n'éclairait la galerie étroite, pourtant elles brûlaient encore dans son esprit, fichées dans la paroi, montrant le chemin. L'air imprégné du parfum âcre du patchouli, le chant des hommes résonnant depuis les profondeurs. À cette époque, il en avait éprouvé une excitation morbide. Il était venu ici de son propre gré. Il ne craignait rien, ne redoutait personne. Un sourire amer lui crispa les lèvres. Cela du moins n'avait pas changé. Ses souvenirs s'estompèrent, et il se retrouva une fois de plus dans la galerie obscure à l'odeur de moisi.

Leland trébucha derrière lui et Archer lui tendit une main ferme.

— Vous vous souvenez du chemin ? demanda Archer.

Il n'aurait pas voulu que Leland s'égare.

— Comment aurais-je pu l'oublier ? répondit sèchement Leland.

— Bien. Allons-y.

Ils avancèrent lentement, Archer écartant les toiles d'araignée et repoussant du pied des débris. La galerie bifurqua abruptement vers la droite, et Archer sentit son souffle s'accélérer. Cavern Hall n'était plus qu'à quelques pas. Ils débouchèrent dans une caverne parfaitement circulaire aux parois de calcaire. Des anneaux destinés à recevoir les torches, douze au total, étaient fichés dans la paroi et, plus haut, retenu par une lourde chaîne de fer, l'immense chandelier portait encore les vestiges d'énormes bougies. Par les nuits de pleine lune, la flamme de plusieurs centaines de bougies baignait la caverne d'une flamboyante lumière orangée. Mais bien avant que le West Moon Club l'eût découverte, la cave avait servi de théâtre à d'anciens rituels. Un millénaire de flambeaux avait enduit le plafond de fumée noire et les pas des hommes avaient lissé le sol.

Les deux hommes, assaillis de souvenirs, restèrent immobiles et silencieux un moment. Archer savait que lui et Leland se remémoraient la même nuit. Les chants, l'excitation. La coupe, pleine d'un liquide argenté rappelant le mercure. Archer ferma les yeux. Le liquide glacé avait coulé dans sa gorge comme une coulée de lave incandescente et la douleur l'avait jeté à genoux devant ses amis. Et Leland, honteux et horrifié, s'était détourné et avait refusé de vider la coupe.

Archer marcha jusqu'à la niche à demi circulaire creusée dans la paroi du fond et dans laquelle se dressait l'autel sacrificiel. Il était constitué d'un grand socle de granite rectangulaire supportant un épais plateau de basalte. Un bloc de pierre noire d'une apparence diabolique. Le lit de pierre sur lequel Archer aurait dû s'allonger pour achever le rituel — mais il s'était enfui dans la nuit, terrifié par la douleur vicieuse courant dans ses veines après qu'il eut avalé l'infâme mixture. Pendant un moment, il crut entendre un rire.

Archer et Leland insérèrent leurs torches dans les anneaux flanquant l'autel et une lueur vacillante éclaira faiblement la niche.

— Le message affirme que c'est sous l'autel.

Le filet de voix de Leland se répercuta doucement dans le vide.

Excellente astuce, songea Archer. Il n'aurait jamais imaginé que l'autel fut creux. Il allongea les bras, les mains tremblantes, craignant de toucher la pierre, mais contraint de le faire. Un froid glacial traversa ses gants de cuir. Un frisson le parcourut. Serrant les dents, il fit lentement tourner le plateau sur sa base. Le plateau pivota, le raclement de la pierre sur la pierre emplissant l'air. Archer ancra ses talons dans le sol et poussa plus fortement. La pierre glissa encore un peu jusqu'à ce qu'une fente noire apparaisse. Un souffle d'air sec, semblable au hoquet d'une femme, jaillit de la base de pierre, perçant le silence. Archer recula d'un bond. Leland également. Mais rien d'autre ne se produisit.

Archer, les dents serrées, finit de dégager la pierre. L'immense base carrée était bel et bien creuse. Archer empoigna une torche et se pencha en avant. Un long ballot brun reposait tel un nourrisson emmailloté au fond du puits sombre.

Leland lui prit la torche des mains et la tint en l'air tandis qu'Archer plongeait le bras dans la base. Ses doigts se posèrent sur le ballot et chaque parcelle de son être métamorphosé protesta en hurlant. Ses muscles se raidirent douloureusement. Il inspira et obligea ses doigts à s'enrouler autour de l'objet. Et au même moment, son côté gauche sembla pousser un soupir d'aise. Son corps était divisé. Une moitié se contractait d'effroi, l'autre réclamait sa libération. Il s'empara promptement du ballot et le posa sur le plateau de l'autel. Le trou ne renfermait rien de plus.

— Défaites-le, dit-il à Leland.

Archer transpirait abondamment, ce qui ne lui arrivait pour ainsi dire jamais, et il doutait que ses mains puissent y arriver.

Leland parut comprendre. Il remit la torche dans l'anneau et examina soigneusement le ballot. Le cuir de son enveloppe était si vieux que le seul fait de l'avoir déplacé avait suffi à déclencher sa désintégration. Constatant que le cuir ne présentait ni marques ni d'ornementations, Leland le fendit simplement d'un coup de canif et le pela, comme si c'eût été une momie. Brusquement, Archer se revit avec Leland, au Caire, à l'époque lointaine où ils s'imaginaient être des archéologues.

Le rappel se fit plus vif encore lorsque le cuir desséché s'effrita, révélant une enveloppe de toile de lin. La tête blanche de Leland s'inclina davantage.

— Une pièce, dit-il, et il la tendit à Archer.

— Une inscription grecque, dit Archer. Elle remonte à l'ère du premier empereur Claudius. Un tétradrachme.

Les mains de Leland tremblaient presque aussi fortement que celles d'Archer un moment plus tôt. Une fois déroulée, la toile de lin révéla un autre trésor — un petit rouleau de papyrus dans un étui de cuir.

— Les écrits du soldat romain.

Le message de Daoud était précis. Un jeune soldat du nom de Marcus Augustus servant sous Claudius avait fait parvenir à sa famille deux lettres dans lesquelles il racontait avoir découvert un sortilège des plus effroyables. Dans la première, il s'étendait sur sa découverte, consistant en une façon de conjurer un démon lumineux, une créature aux pouvoirs immenses capable de discerner l'innocent du damné et, ce faisant, de détruire le méchant. Le ton de la seconde lettre était fort différent. Il suppliait sa sœur de brûler la première missive. Il y déclarait avoir l'intention d'enfouir sa découverte où on ne la retrouverait jamais, au lieu de prière des prêtres druides récemment exterminés. Fort heureusement pour Archer, la sœur avait conservé les lettres au lieu de les brûler. Et, plus de mille ans plus tard, Daoud avait mis la main dessus. Il avait poursuivi ses recherches et découvert où le soldat avait été stationné. Un autre écrit, celui-là de la main d'un compagnon du soldat, lui avait appris que certains d'entre eux avaient trouvé une grotte abritant un autel sacrificiel fait de granite et de basalte. La description et la situation de la grotte en question coïncidaient avec celles de Cavern Hall. ———

Archer était conscient de la somme de travail qu'avait dû abattre Daoud pour s'assurer de la véracité de ces récits remontant à la nuit des temps. Son ami ne lui en manquait que davantage. *Pour toi, très cher ami. Pour tous mes amis assassinés.*

Leland étudia les papyrus en veillant à ne les effleurer que du bout des doigts.

— Également écrits en grec. Je les étudierai dans un moment.

Archer hocha la tête, et le vieillard mit le rouleau de côté afin de continuer à explorer le ballot. Une sorte d'étrange bourdonnement s'en échappait. Archer doutait que Leland l'entendît, mais, pour sa part, chaque parcelle de son corps y était sensible. Il tressaillit lorsque le dernier lambeau de lin se détacha, révélant un large fourreau de cuir chargé de symboles. La garde, fabuleusement ornementée, était de bronze. Aussi étincelant que du bronze neuf. Ce fut tout ce qu'il entrevit avant de devoir s'éloigner un peu afin de reprendre son souffle.

— Du calme, murmura Leland. Cette chose ne peut pas vous faire de mal.

— C'est vous qui le dites, gloussa Archer en manquant s'étrangler, et il passa une main tremblante sur son menton nu.

Leland retourna l'antique épée, toujours protégée par son fourreau.

— Fascinant. Voyez-vous ces inscriptions sur la poignée?

Archer s'inclina à peine.

— Des glyphes égyptiens?

Ce fut tout ce qu'il réussit à articuler avant de reculer de nouveau.

— En effet. Très intéressant. Pas druidiques donc…

Le détachement intellectuel de Leland commençait à drôlement irriter Archer.

— C'est ce que nous cherchons? demanda-t-il avec une légère impatience.

Les sourcils broussailleux de Leland se froncèrent.

— En doutez-vous? N'êtes-vous pas sensible au pouvoir qui en émane?

— Assurément.

Il sentait son pouvoir, mais autre chose également. Le sentiment de sa propre mortalité. Ce qui était curieux. Le sentiment de courir un danger mortel lui était presque étranger désormais.

— On peut d'ailleurs s'interroger, réfléchit tout haut Leland. Est-ce la raison pour laquelle on a décidé d'accomplir le rituel à Cavern Hall?

Les membres du West Moon Club n'avaient pas choisi Cavern Hall; ils y avaient été conduits et avaient appris que ce lieu détenait un grand pouvoir. *Idéal pour des imbéciles prêts à s'arroger le rôle de Dieu*, songea amèrement Archer. Il s'éloigna à pas lents.

— Pourquoi avoir choisi le lieu même où se trouvait l'unique objet capable d'une telle destruction ?

— À mon avis, c'est plutôt que nous avons été attirés vers cet endroit par le pouvoir émanant de l'épée. Il n'est pas nécessaire de connaître son existence pour ressentir sa force d'attraction.

— Cela se pourrait, j'imagine, dit Archer tandis que Leland reposait soigneusement l'épée.

— Voyons voir.

Leland avait repris les feuillets de papyrus et s'était plongé dans leur lecture.

— Il semble que Daoud ait mal décrypté le récit. Selon le soldat Augustus, un ordre secret formé de prêtres égyptiens avait pour tâche de voir à la création et aux soins de créatures nommées Les Enfants de Lumière, mais que pour sa part Augustus appelle *Lux Daemons*, ou *Anima Comedentis*. Augustus serait tombé sur eux lorsque sa légion a détruit leur temple au nom de l'Empire. Si ces prêtres ont laissé derrière eux des démons lumineux, Augustus ne les a pas vus. Augustus s'est emparé de l'épée et du secret permettant la création de tels démons… Mon Dieu…

Leland faillit en tomber sur le derrière.

— Pour l'amour du ciel, de quoi s'agit-il ? lança sèchement Archer.

— Il l'a fait !

Les yeux de Leland brillaient comme deux flaques de lumière sous la lueur vacillante des torches.

— Il en est devenu un. Toutefois, contrairement à vous, il savait comment y mettre fin. Mais il a choisi de ne pas le faire.

La caverne parut s'assombrir. *Un de plus. Errant de par le monde.*

— Étant prévoyant de nature, enchaîna Leland en poursuivant sa lecture d'un air préoccupé, il a gardé l'épée. Dans le dessein de s'en servir s'il se lassait de vivre.

Il passa aux autres feuillets.

— Apparemment, les Égyptiens disposaient d'un moyen pour maîtriser les démons lumineux, l'épée. Ils prétendaient que c'était l'épée d'Ammout, la dévoreuse.

— Celle qui dévore les cœurs, dit Archer.

Ils échangèrent un regard, puis Archer éclata d'un rire sans joie.

— Enfant de pute.

— Apparemment, Ammout aurait donné naissance au premier démon lumineux, dit Leland.

On affirmait qu'Ammout, ancienne déesse de la mythologie égyptienne, dévorait le cœur des humains qu'Anubis, le dieu du monde souterrain, jugeait indignes. Seigneur, il espérait que cette histoire était quelque peu allégorique. L'idée que l'on ait réellement dévoré les cœurs arrachés à ses amis lui noua les entrailles. La perspective qu'il puisse un jour se repaître d'un repas similaire manqua le faire vomir.

Par bonheur inconscient de l'état flageolant d'Archer, Leland poursuivit sa lecture.

— Les prêtres prétendaient que l'épée avait été forgée dans le bassin de feu de la Douât, le monde souterrain égyptien.

Ce bassin de feu était un lieu tant de destruction que de purification. Les êtres indignes étaient consumés, leurs âmes condamnées à errer jusqu'à la fin des temps, ce qui représentait une seconde mort. Les humains au cœur pur étaient épargnés.

— « L'eau vous submergera, mais vous ne serez point ébouillanté, et ne sentirez point sa chaleur », cita Archer.

— *Le Livre des portes*, compléta Leland, dont les yeux brillèrent d'un éclat familier avant de se reposer sur le texte. La suite est de la même veine… seul un être au cœur pur et brave peut manier l'épée ; il n'existe aucun autre moyen de détruire le démon lumineux…

Il se tut et regarda Archer.

— Lisez donc. Vous connaissez mieux le grec ancien que moi.

Archer s'empara du texte ancien d'une main tremblante. Leland avait raison. Si ce n'est qu'Archer se sentait terriblement las et curieusement intimidé. Il n'avait pas envie de planifier sa mort. Il avait envie de rentrer chez lui auprès de sa femme.

Il s'agenouilla près des torches et lut le récit en entier. À la fin de sa lecture, une lueur d'espoir, si ténue qu'elle en était risible, vacillait dans son cœur. Un faible sourire lui tiraillait les lèvres.

Il se releva, en prenant grand soin de ne pas chiffonner les papyrus.

— Nous avons trouvé ce que nous cherchions.

Il ne prendrait pas l'épée.

— Je vous demande de garder tous ces objets jusqu'à ce que je sois prêt.

Leland se releva encore plus lentement qu'Archer. Ses genoux craquèrent, mais Archer ne l'aida pas ; son ami ne l'aurait pas voulu.

— Nous avons beaucoup à faire. Et plusieurs documents à lire.

Chapitre 26

Les domestiques des Blackwood découvrirent le corps de John Coachman dans les écuries, la gorge tranchée et le cœur arraché. Après l'avoir appris, Miranda passa la moitié de la journée enfermée dans ses appartements, et Archer fut impuissant à la consoler. Dans la lumière froide du matin, ils le portèrent en terre dans le cimetière familial, derrière Archer House, près d'un vieux bouleau. Une brise légère se leva et des branches d'un blanc spectral s'agitèrent, semblables à une main squelettique s'enfonçant vers la terre fraîchement retournée. Archer puisa du réconfort dans l'idée que cette mort et les autres seraient bientôt vengées.

— Qu'allons-nous faire pour attraper le meurtrier ? demanda Miranda lorsqu'ils se retrouvèrent dans la bibliothèque.

Archer, qui lui tendait un verre de bourbon, se figea. Un terrible effroi lui noua les entrailles.

— Nous ?

Que le ciel en soit témoin, il préférait mourir plutôt que céder à son désir sincère de se confier à Miri, car cette femme impétueuse n'hésiterait pas à assouvir sa vengeance sans prendre le temps d'y réfléchir à deux fois.

— Oui, « nous ».

Elle prit le verre qu'il tenait avec raideur. Un doux parfum de caramel se répandit dans l'air.

— *Nous* savons déjà que le meurtrier m'a prise pour cible. *Nous* devons donc le prendre de vitesse.

Il se redressa de toute sa taille.

— *Vous* allez rester ici, à Archer House, répliqua-t-il vivement. Et *je* vais demeurer auprès de vous et vous protéger.

— Oh, quel plan ridicule, dit-elle en prenant une gorgée de bourbon comme si elle avait besoin d'y puiser du réconfort. Aussi bien s'aplatir comme des chiens !

Archer vida son verre et s'éloigna.

— Votre confiance en moi est réconfortante, Miranda, dit-il depuis l'autre bout de la pièce.

— En ce cas, quel est votre plan ? demanda-t-elle. Hormis jouer au geôlier ?

Un coup frappé à la porte de la bibliothèque épargna à Archer l'obligation de lui répondre. L'inspecteur Lane demandait à être reçu, les informa Gilroy. D'ordinaire, Archer détestait les interruptions, surtout lorsqu'il était avec Miranda. En l'occurrence, toutefois, il accueillit l'arrivée de Winston Lane avec gratitude. Il s'empressa de dire à Gilroy d'introduire Lane.

Archer enfila son masque complet en décochant un sourire à Miranda, qui étouffa un juron. Lane, le chapeau melon sous le bras, entra presque aussitôt dans la pièce, sa longue charpente osseuse flottant dans un complet brun informe et une vaste cape bleue digne d'un valet de comédie.

— Miranda, dit-il en s'approchant, traînant dans son sillage l'odeur aigre de l'air humide de Londres teintée de la senteur discrète, mais perturbante, du sang. Comment allez-vous, ma sœur ?

Miranda lui adressa un sourire contraint.

— Bien. Bonjour, Winston.

— Milord, fit-il en saluant Archer d'un signe de tête. On m'a dit que vous aviez été victime d'un accident de voiture hier soir. Rien de trop grave, j'espère.

— Les chevaux ont pris le mors aux dents, dit Archer. Ennuyeux, mais nous nous en sommes sortis sans trop de dommages.

La moustache de Lane tiqua devant cet euphémisme absurde.

— Je m'en réjouis, dit-il avant de se racler la gorge. Étant donné les circonstances plutôt délicates, le Bureau des enquêtes criminelles a estimé préférable que je m'occupe moi-même de cette question.

— Je me réjouis de ce choix, déclara gravement Miranda.

— Je me vois dans l'obligation de vous poser à tous les deux quelques questions. Si, évidemment, vous me le permettez, milord.

Arche hocha la tête.

— Vous êtes le beau-frère de Miranda. J'imagine que vous veillerez à ne pas l'indisposer.

Sinon, il se ferait une joie de jeter le bon inspecteur dehors, tête première.

— J'en serais fort ennuyé, dit Lane en pliant son grand corps sur le siège le plus proche, avant de tirer un petit carnet et un crayon trapu de la poche de sa veste.

— Donc, dit-il, si je comprends bien, cette dernière victime était votre cocher, n'est-ce pas ?

— Hélas, dit Archer.

John était un homme bien qui méritait largement un meilleur sort.

— Curieux, étant donné que les autres victimes étaient toutes plus âgées, titrées et apparemment membres d'un club dont nous n'avons trouvé aucune trace bien que nous sachions qu'il existe.

Les masques sont parfois fort utiles, et Lane n'était pas de taille à percer le regard impassible d'Archer. L'inspecteur détourna les yeux et gagna la porte d'où il appela Gilroy. Lane revint aussitôt, un objet à la main. Celui-ci portait une grande tache sombre et Archer reconnut avec un haut-le-cœur la cape de Miranda, maculée de sang. Lane la déposa sur un fauteuil, et le parfum de Miranda s'en éleva si lourdement qu'on eût dit que l'étoffe en avait été aspergée.

Le muscle de sa mâchoire tressaillit. Le parfum d'une femme était comparable à une empreinte digitale. Visiblement, Miranda pensait de même, car elle devint aussi pâle que du cérat.

— Nous l'avons découverte près du corps de votre cocher, dit Lane en regardant Miranda. Pouvez-vous me dire quand s'est-elle trouvée en votre possession la dernière fois?

— À mon arrivée chez les Blackwood hier soir. Je l'ai remise à un valet, mais je ne me rappelle pas l'avoir récupérée à notre départ.

Un petit pli se forma entre les sourcils de Lane.

— Vous n'avez pas pensé à la reprendre en partant?

Miranda s'empourpra.

— Je ne me sentais pas bien. Je ne pensais qu'à rentrer chez nous.

Voyant que Lane la considérait d'un air songeur, Miranda plissa ses yeux verts.

— Vous ne croyez pas…

Elle se sentit incapable d'achever sa phrase.

Mais Archer, lui, s'en sentit capable.

— Vous vous imaginez peut-être que Lady Archer avait un rendez-vous galant avec notre cocher et que je les ai surpris ?

— Archer ! siffla-t-elle en se tournant vers lui et en le fusillant du regard, regard qu'il lui retourna, impassible.

— Manifestement, enchaîna-t-il, toutes les victimes étaient étroitement liées à moi.

— Archer, taisez-vous ! C'est absurde. Nous ne savions même pas que Johan était mort lorsque nous avons quitté la réception.

— Je crois, milady, que Lord Archer s'efforce d'attirer les soupçons sur lui afin de vous disculper.

Lane reporta son regard de Miranda à Archer et sa moustache se releva.

— Admirable. Cependant, nous avons déjà étudié ces éventualités et les avons jugées sans fondement. Il s'agit vraisemblablement d'une mise en scène de la part du meurtrier. Il a dérobé la cape de Miranda, et peut-être assassiné votre cocher, tout ceci afin de nous laisser croire que Lady Archer était sur les lieux du crime. Mais pourquoi ?

À l'idée que Miranda soit impliquée… le dossier du canapé craqua avec indignation sous la poigne d'Archer.

— Je l'ignore, fit-il avec raideur.

— Hum…

Lane drapa la cape sur le fauteuil.

— Je me demande si le meurtrier ne s'est pas approché de votre cocher sous l'apparence de Lady Archer.

Miranda releva vivement la tête.

— Plutôt étrange de la part d'un homme.

— Certes. Je me trompe sans doute. Cependant, chère sœur, je n'arrive pas à croire que vous ayez assassiné votre cocher.

— Eh bien, Winston, c'est gracieux de votre part.

Lane adressa à Miranda un petit sourire contrit.

— Il nous faut toutefois retourner chaque pierre. Même si cela signifie vérifier l'alibi d'une belle-sœur.

Lane referma sèchement son carnet et se leva.

— Cette histoire est pénible pour nous tous. Je vais vous laisser vous reposer, dit-il en lançant un regard affectueux à Miranda. Une dernière chose, Lord Archer.

Il plongea la main dans la poche de sa veste et en tira une pièce du West Moon Club.

— Nous avons trouvé une autre pièce sur le corps.

Un regard las se posa sur lui.

— Aimeriez-vous avancer une hypothèse sur ce que cela pourrait signifier ?

Archer regarda Lane sans flancher.

— Non.

Avancer une hypothèse était vain. Il s'agissait d'une invitation supplémentaire à se rendre à Cavern Hall. Et à courir à sa propre perte.

Dès que Winston fut parti, Archer alla se poster à la fenêtre par laquelle il regarda à l'extérieur. Le soleil couchant éclairait ses larges épaules et se mirait sur les courbes de son masque. L'attitude d'Archer avait pour but de repousser Miranda.

Elle se leva et vint le rejoindre.

— Vous saviez qu'on ne pouvait nous soupçonner d'avoir commis ce crime.

Il garda les yeux sur la fenêtre. La tension crépitait autour de lui comme un orage.

— Vous avez donc fait en sorte de vous poser en suspect afin d'obliger Winston à vous révéler les conclusions de la police.

Il se retourna pour la regarder.

— Cet interrogatoire a-t-il un objectif ?

— Pas vraiment. Je dois toutefois avouer que j'estime vos stratagèmes immoraux et... admirables. Bien joué.

Il tressaillit d'étonnement.

— Je suis choqué, Lady Archer, la taquina-t-il à voix basse. Winston Lane n'est-il pas votre beau-frère ?

— Il est également du Bureau des enquêtes criminelles. En la circonstance, je ne considère pas ces gens-là comme nos amis. Pas pour le moment. Le fait que Winston soit venu nous interroger me le confirme.

À côté d'elle, Archer soupira et arracha son masque comme s'il lui était de plus en plus insupportable. Elle se tourna pour l'étudier.

— Le valet de Sir Percival a déclaré que cette pièce était un guide. Pourquoi ?

Archer soupira et appuya le front contre le vitrage.

— Parce que c'est le cas. Chacun de nous en a reçu une. Chaque assortiment d'aspérités marquant la face de la lune représentait un message crypté nous indiquant le lieu de nos rencontres.

Il la regarda.

— Cela ne veut rien dire, Miranda. Ce n'est qu'un autre morceau de pain menant votre beau-frère jusqu'à moi.

— Mais pourquoi vous ?

Voyant qu'il ne répondait pas, elle serra le poing.

— Échapper au Bureau des enquêtes criminelles est une chose. Me cacher des renseignements en est une tout autre, Archer.

Il émit un bruit exprimant de l'agacement.

— Vous cacher… que c'est dramatique.

Miranda frappa du poing un carreau.

— Les membres du West Moon Club se font systématiquement assassiner.

La vérité était tapie au fond de ses yeux, bien qu'il fît de son mieux pour la dissimuler.

— Cependant, on vous a épargné. Pourquoi ?

Il lui jeta un regard noir.

— Je ne dirais pas qu'on m'a épargné.

Miranda balaya son objection d'un geste irrité de la main.

— Je me souviens fort bien de ce qui s'est passé au musée…

— Moi de même.

Archer posa les mains sur ses hanches étroites et la fusilla du regard.

— On est enclin à se rappeler le jour où sa femme a failli être assassinée.

Sa femme. Le mot la saisit. Il lui arrivait parfois de quasiment oublier ce qu'ils étaient l'un pour l'autre. Unis jusqu'à ce que la mort les sépare. Mais ce n'était pas le moment de se montrer sentimentale.

— Ce que j'en dis, déclara-t-elle, c'est que vous n'avez pas semblé le moindrement surpris en posant les yeux sur ce scélérat. Au contraire, vous avez semblé le reconnaître.

— Ce que j'ai reconnu, rétorqua-t-il plutôt durement, c'est moi-même. J'ai su dès cet instant que le tueur entendait emprunter mon apparence.

— Il aurait pu vous tuer au musée, mais il ne l'a pas fait. Pourtant, cela aurait été facile.

— Je ne suis pas facile à éliminer, maugréa Archer en détournant légèrement la tête.

Elle n'était sans doute pas très loin de la vérité, car il n'ajouta aucune remarque lapidaire.

— Vous êtes remarquablement fort et agile, reconnut-elle en lorgnant sa charpente impressionnante et en se rappelant la vitesse stupéfiante à laquelle il s'était déplacé la veille. Mais vous n'êtes pas indestructible.

— En effet, dit-il en écartant largement les bras. Une seule de vos petites piques réussirait assurément à m'achever.

Il baissa les yeux sur sa propre poitrine, feignant de vérifier qu'elle ne fût pas blessée.

— Plaisantez autant qu'il vous plaira, dit-elle en marchant en cercle autour de lui, resserrant son piège, résolue à lui faire cracher la vérité. Vous ne vous en sortirez pas aussi facilement.

Il se mit à marcher à son tour, ses bottes martelant sourdement le tapis, jusqu'à ce qu'ils se tournent autour comme deux grands fauves se mesurant du regard.

— Je tremble de peur, dit-il avec un sourire.

— Vous m'en direz tant, murmura-t-elle, et Archer prit un air renfrogné. De quoi souffrez-vous au juste, Archer ? Comment avez-vous réussi à tomber d'une voiture sans récolter une seule égratignure ?

Les lèvres d'Archer s'amincirent.

— Je pourrais vous poser la même question. Votre chute a été infiniment plus terrible, pourtant vous êtes — ses yeux errèrent sur elle et un frémissement parcourut le ventre de Miranda — indemne.

— J'ai eu de la chance.

— De la chance, répéta-t-il. Vous voyez ? Ce n'est guère mystérieux.

Sa voix était une caresse. Miranda déglutit avec difficulté.

— Comment… comment a-t-il réussi à s'échapper une seconde fois ?

— J'ai renoncé à le poursuivre.

Il regardait ses lèvres maintenant. Ce qu'elle n'appréciait pas, car elle savait qu'il cherchait ainsi à détourner son attention. Qu'il y parvienne aussi bien ne fit qu'accroître son irritation.

— Pourquoi ?

— Vous étiez coincée dans une voiture lancée au galop, dit-il sans détacher les yeux de ses lèvres. Il m'a paru plus urgent de vous secourir.

Sa tête sombre sembla s'approcher.

— Vous ai-je dit que votre bouche est délicieuse ? fit-il en abaissant les paupières pendant une fraction de seconde. Délicieuse et sensuelle.

Il était évident qu'il cherchait à détourner son attention. Une vague de chaleur envahit les membres de Miranda.

— Vous pourriez peut-être composer un sonnet sur elle un jour. En attendant, répondez donc à l'unique question pouvant tout expliquer.

Soutenant son regard, elle se pencha vers lui, histoire de le bousculer un peu.

— Êtes-vous immortel ?

Archer inspira brusquement, et l'air de la pièce sembla se raréfier. Il la considéra fixement, d'un regard dans lequel le choc se disputait à l'horreur. Au bout d'un silence lourd de sens, il prit la parole d'une voix sourde et rauque.

— C'est ce que Mackinnon vous a raconté ?

Elle ne se laissa pas intimider.

— Le valet a déclaré que Sir Percival détenait la pièce depuis 1814. Tous les autres membres du club sont des vieillards. Cessez de tergiverser, Archer. Est-ce vrai ?

Il tourna les talons et alla se planter devant les grandes fenêtres donnant sur le côté sud de la pelouse.

Les larmes comprimaient la gorge de Miranda et lui brûlaient les yeux, mais elle n'entendait pas les laisser couler.

— J'ai cru pouvoir composer avec le fait que nos secrets se dressent entre nous. Mais c'est impossible si cela met nos vies en danger. C'est trop important.

Le cœur déchiré, elle constata que les épaules d'Archer se soulevaient sous l'effet de sa respiration difficile.

— Confiez-vous à moi, Archer, murmura-t-elle.

Lentement, il tourna vers elle des yeux troublés.

— Miri...

Son regard la glaça. Soudain, tout s'éclaira, sa force, sa vélocité. Des choses plus étranges... *Et si c'était vrai, y avait-il quelque part quelqu'un nourrissant l'intention de le cannibaliser ?*

Son estomac se révulsa lorsque des images d'Archer éventré par un monstre invisible se repaissant de sa chair lui traversèrent l'esprit, et elle porta la main à son ventre pour réprimer sa panique.

— C'est un cauchemar, murmura-t-elle, les doigts gourds et froids.

Archer se redressa en inspirant sèchement. Un sourire étrange lui étira les lèvres.

— Cela ressemble-t-il à de l'immortalité? dit-il en montrant d'un geste les ecchymoses jaunâtres et bleuâtres sur sa mâchoire et sa joue. Ou cette blessure que vous avez vous-même suturée?

Le ton narquois de sa voix ne faisait aucun doute. Miranda ne pouvait le lui reprocher. Elle arrivait difficilement à accepter cette idée. Elle se raidit lorsqu'il s'approcha d'elle d'un air déterminé.

— Venez, dit-elle en lui prenant le bras. Vous aimez les histoires? J'en connais une excellente.

Ils traversèrent la demeure, les jupes de Miranda, qui s'évertuait à rester à sa hauteur, froufroutant bruyamment. Son cœur battait à tout rompre, à la fois d'espoir et d'anxiété. Ils ne ralentirent l'allure que lorsqu'ils furent très loin de la demeure, se dirigeant une fois de plus vers le cimetière.

Archer la guida jusqu'à une rangée de pierres tombales patinées par le temps, pas très éloignées de l'endroit où de la terre fraîchement remuée marquait la tombe de John.

— Benjamin Archer, troisième baron Archer d'Umberslade, est décédé en 1815, dit Archer en montrant du doigt la pierre sur laquelle était gravé le nom de son ancêtre. Je ne suis pas cet homme.

Il inspira et son corps se raidit.

— Je ne suis qu'un imbécile qui a évité le pire et a survécu.

Des feuilles mortes dansèrent sous leurs pieds tandis qu'ils gardaient le silence. La peau de Miranda se couvrit de chair de poule là où le vent glacial l'atteignait.

— Vous êtes glacée, dit Archer, ému, en lui prenant le coude.

— Je ne vous crois pas.

Les mots de Miranda fendirent l'air comme un fouet et Archer tressaillit.

— Ils cherchaient à éradiquer la mort, dit-elle d'une voix pressante. Votre grand-père a peut-être échoué, Archer. Mais vous êtes là, altéré à la suite de quelque expérience grandiose. Et, ce qu'il y a de plus terrible, c'est que vous refusez de me dire en quoi elle consistait.

Elle s'éloigna de son silence explosif.

— Puisque vous refusez de vous confier à moi, repoussez mon aide, je vais devoir me tourner vers quelqu'un d'autre.

Archer lui agrippa le poignet et l'attira vers lui si brutalement qu'elle en eut le vertige.

— Vers Mckinnon, par exemple ?

— S'il le faut.

— Vous devrez pour cela me passer sur le corps !

Elle le frappa de sa main libre.

— J'ai bien l'impression que quelqu'un d'autre poursuit ce but, gros balourd !

Il attrapa le bras qu'elle brandissait, et, de son autre bras, lui ceintura la taille. Lorsqu'elle se fut calmée, il lui lâcha une main. Sa large paume s'étalait sur son dos, et il l'attira vers lui jusqu'à ce que ses seins se pressent contre lui.

— Sentez les battements de mon cœur, dit-il d'une voix sourde.

Il battait follement sous le poing serré de Miranda.

— Croyez-moi lorsque je vous affirme que c'est celui d'un être humain, d'un être faible.

Il plaqua sa main sur sa nuque et l'attira vers lui jusqu'à ce que leurs nez se touchent.

— Croyez ce qu'il vous plaira.

Tout en parlant, il lui effleura les lèvres des siennes.

— Mais si vous croyez qu'il vous suffira, pour mettre un terme à cette folie, de mettre au jour ces secrets et de découvrir qui est le meurtrier, c'est que vous avez perdu la raison.

Elle ferma les yeux. Le menton rugueux d'Archer lui éraflait la joue, son souffle chaud enflammait ses sens.

— Il ne vous reste qu'une seule solution, dit-il d'une voix aussi sourde qu'un murmure en la serrant fortement entre ses bras et en brisant ainsi sa résistance. C'est de croire que votre gros balourd de mari menteur veillera à vous protéger.

Il aurait été si facile de céder, de s'abandonner contre lui, de se laisser cajoler. Une part d'elle y aspirait, avec l'énergie du désespoir d'un enfant. Mais qu'adviendrait-il de lui alors ? Écartant brusquement la tête, elle le fusilla du regard.

— Vous n'espérez tout de même pas que je…

Archer lui écrasa les lèvres sous les siennes avec une force telle que sa chair tendre s'aplatit contre des dents dures. Elle gémit sous ses mains qui lui étreignaient la tête sans faiblir et sous ses lèvres qui mordirent et sucèrent les siennes trop brièvement. Il la lâcha presque aussitôt et elle vacilla, privée de soutien.

La poitrine d'Archer se souleva et il lui jeta un regard assombri de colère.

— Je refuse qu'on vous tue! cria-t-il.

Des corbeaux effarouchés s'envolèrent précipitamment des arbres dans un grand remous d'ailes et de croassements.

Il tourna les talons dans un claquement de basques et s'éloigna à grands pas, écrasant sous ses bottes la terre gelée. Elle tressaillit en entendant ses derniers mots éclater dans le vide avec la puissance d'un coup de canon.

— Je ne le permettrai pas!

Chapitre 27

— Milord?

Archer sursauta en hoquetant. Il n'avait pas entendu Gilroy entrer dans la bibliothèque. Le majordome se tenait à quelque distance du bureau, le plateau d'argent supportant le courrier à la main.

— C'est le courrier? demanda Archer, étonné de la lassitude dans sa voix en prenant les lettres.

Le majordome hésita. Il avait les yeux chassieux depuis quelque temps. Archer en détourna le regard. Il ne se sentait pas la force de voir Gilroy dépérir à son tour.

— Il y a autre chose, Gilroy?

Les lèvres minces de Gilroy se serrèrent. Oui, il y avait autre chose. C'était évident. Seules ses longues années d'éducation l'empêchaient de s'exprimer sans détour. Gilroy se redressa de toute sa taille.

— Lady Archer ne descendra pas dîner, dit-il sans que sa voix exprime le moindre reproche, ce qui eut pour effet d'accentuer la faute d'Archer. Dois-je demander à ce que l'on dresse un couvert? Ou qu'on vous apporte un plateau ici?

La boule de plomb pesant sur l'estomac d'Archer s'alourdit. Miri ne voulait plus partager ses repas. Il avait mal. Dans chacun de ses muscles, dans son cœur, il souffrait à chaque inspiration. Pourtant, elle l'enflammait toujours. Son parfum de miel, sa façon de relever son sourcil couleur d'ambre lorsqu'elle n'était pas d'accord avec lui, tout en elle attisait son *désir*.

Archer se passa la main sur la mâchoire. Gilroy attendait sa réponse.

— Je n'ai guère faim non plus. Donnez le repas aux domestiques.

— Fort bien, milord.

Archer ne leva pas les yeux de son bureau lorsque Gilroy sortit, mais parcourut lentement le courrier, n'eût été que pour s'occuper les mains. Une enveloppe mince l'arrêta. Cela avait beau faire des années, il reconnut aussitôt l'écriture.

Il déchira l'enveloppe avec des doigts que l'empressement rendait maladroits. Au fond de lui, il connaissait déjà le contenu du message.

Ce peut être fait.

L.

Ses yeux se portèrent sur le calendrier lunaire posé sur son bureau. Dans deux jours, la nouvelle lune et le solstice d'hiver coïncideraient. Dans une nuit et un jour, en réalité. C'était tout le temps qu'il lui restait à partager avec Miranda. Il releva la tête, tendit l'oreille. Il pouvait entendre le doux son de son souffle régulier, le bruissement léger de ses jupes à chacun de ses mouvements. Archer se leva de son bureau. C'était lâche et égoïste de sa part, mais il avait besoin d'elle comme il avait besoin de respirer.

Elle était au salon, assise, le regard vide devant le plateau de backgammon. Le cœur d'Archer se serra à sa vue. La lueur des bougies soulignait le galbe de ses joues crémeuses, faisait flamboyer sa chevelure teintée de rose. Le temps d'un moment précieux, il en perdit le souffle. Sa vue se brouilla et il cligna vigoureusement.

— Miri.

Elle se retourna et se raidit devant cette apparition inattendue.

— Oui, Archer ?

Il déglutit, pour détendre sa gorge serrée, et montra le jeu de la tête.

— Voulez-vous jouer ?

Il la laissait gagner, Miranda en était certaine. Assis en silence devant elle, il ne s'intéressait guère au jeu, mais, de ses yeux gris lumineux derrière le masque de soie noire, il observait chacun de ses mouvements.

Quittant le plateau du regard, elle vit qu'il la regardait sans broncher.

— Vous m'observez, murmura-t-elle en avançant un pion.

— Oui. Vous êtes magnifique.

Ses joues devinrent chaudes. Elle se réjouit que la douce lueur des bougies le dissimule.

— Vous m'avez dit que mon apparence vous importait peu.

Archer se pencha un peu en avant dans son fauteuil.

— Je suis un crétin, Miri. Vous le savez fort bien. Un crétin impardonnable et un rustre.

Elle ne put retenir un sourire.

— Du moment que *vous* en êtes conscient.

Mais sa voix était mal assurée. Elle lui tendit le gobelet et le dé, mais il ne les prit pas. Il s'avança encore un peu, et sa large carrure jeta de l'ombre sur la petite table de jeu.

— Je suis conscient que votre beauté me fait perdre la tête.

La bouche bien dessinée d'Archer se détendit en un sourire.

— Dès que je pose les yeux sur vous, je n'arrive plus qu'à proférer des niaiseries. Le seul fait de vous contempler dans cette robe dorée me paralyse de la tête aux pieds. J'aurais envie d'envoyer un bouquet de roses à monsieur Falle pour lui exprimer ma gratitude.

Elle éclata de rire, et il l'imita, et d'un rire si généreux, si franc, qu'elle sentit son ventre frémir.

— Vous voyez ? dit-il. Un grand dadais.

Le coin de ses yeux se plissa d'hilarité, et elle s'esclaffa de nouveau.

— Il m'incombe donc de vous sauver de vous-même, dit-elle. Je suis rassurée. Ne parlez plus de ma beauté et épargnez-vous de nouvelles humiliations.

Elle lui toucha légèrement la main. Le sourire d'Archer vacilla et retomba. Il baissa les yeux sur sa main posée sur la sienne et un soupir frémissant parcourut sa longue charpente. Miranda retira la main aussi vivement que si elle s'était brûlée, mais Archer continua de fixer sa propre main étalée sur le plateau.

— Archer, qu'y a-t-il ? dit-elle en approchant doucement la main. Êtes-vous souffrant ? demanda-t-elle dans un murmure en voyant les muscles plats de sa poitrine se soulever, puis s'affaisser.

— Souffrant? dit-il dans un rire étranglé.

Il leva les yeux sur sa bouche avant de se figer de nouveau, les lèvres tremblantes. Puis, il tourna le regard vers le feu.

— Le désir est-il une maladie? marmonna-t-il comme s'il réfléchissait tout haut. J'imagine que c'en est une.

— Archer, lança-t-elle sèchement, car son attitude étrange commençait à l'agacer, et elle avait les entrailles nouées par la tempête qu'elle sentait venir.

Il releva brusquement la tête, comme s'il venait de se libérer d'un licol, et Miranda sentit son corps se vider de son air en voyant ce que ses yeux exprimaient sans retenue.

— Miri.

Un seul mot, uniquement son prénom et, pourtant, il venait de lui avouer tout ce qu'elle devait connaître de sa souffrance, de son désir. De ce qu'il lui demandait. Elle s'écarta de la table, sans savoir où elle allait, uniquement qu'elle avait besoin de bouger.

— Nous avons merveilleusement bien réussi à garder nos distances, n'est-ce pas? dit-elle tandis qu'il se levait et marchait vers elle.

Mais elle le désirait si fort que ses bras tremblaient du désir de le tenir contre elle.

Il esquissa le geste de lui toucher la joue, mais elle recula.

— Vous êtes heureuse? demanda-t-il doucement.

Heureuse? Peut-être. Satisfaite? Non. Les yeux brûlants de larmes, elle prit une inspiration tremblante.

— Pourquoi *maintenant*, Archer?

Le désir contractait les lèvres d'Archer, dénudait son expression.

— Parce qu'aujourd'hui, je me suis rendu compte que je pouvais vous perdre à tout moment, dit-il en faisant un petit pas vers elle. Que la vie n'est pas un long chemin qui s'étire devant moi, mais qu'elle existe ici et maintenant. Et que la pensée de vivre encore un jour, de respirer encore une fois, sans connaître ce que c'est que de vous avoir entre mes bras m'est devenue insupportable.

Soudain, il posa sa main en coupe sur sa nuque, l'attira vers lui, et posa ses lèvres douces et chaudes sur les siennes. Elle faillit en gémir de plaisir.

— Je te veux, Miri, murmura-t-il contre ses lèvres.

Il la repoussa contre la porte, et sa chemise de lin amidonné crissa sur son corsage tandis que sa langue se glissait entre ses lèvres.

Cramponnée au revers de sa veste, elle gémit sous ses baisers, des baisers profonds, lents, qui lui firent plier les genoux.

— Je vous veux, déraisonnablement…

De sa main libre, il lui caressa la taille, puis la hanche.

— Et vous me voulez aussi.

— Oui.

Déraisonnablement.

Il la caressa encore, l'embrassa plus doucement, et elle soupira et s'accrocha à sa veste pour le seul plaisir de sentir ses muscles durs rouler sous ses mains.

Il se recula à peine.

— Les bougies.

Miranda se déroba à son baiser, et il la regarda, quémandant sa compréhension. L'étincelle de la colère se ralluma dans la poitrine de Miranda.

— Vous me voulez, murmura-t-elle, la gorge nouée. Mais vous ne voulez pas vous montrer à moi.

Il tressaillit et détourna les yeux.

— Non.

— Non, répéta-t-elle.

Elle esquissa le geste de partir.

Il l'agrippa par les épaules et appuya son front sur le sien. Ils restèrent immobiles un moment, le souffle d'Archer lui caressant doucement le visage.

— Par pitié, Miri. Ma vie est faite de regrets. Si je pouvais faire autrement… j'ai besoin de vous.

Comme s'il ne pouvait s'en retenir, il l'embrassa de nouveau, avec une tendresse qui fit fondre sa résistance.

— Miri…

Ses baisers la consumaient. Elle s'arracha à sa bouche afin de retrouver ses esprits, et Archer se figea.

Chaque tic-tac de l'horloge résonnait à son oreille avec la force d'un gong. L'expression désolée d'Archer lui fendit le cœur. En vérité, elle avait également besoin de lui. Et elle en avait plus qu'assez de faire fi de ses désirs. Mais il y avait tant à prendre en compte. Le feu, la destruction, la perte.

— J'ai peur.

Le coin des yeux d'Archer se contracta.

— De moi.

— Non! s'écria Miranda en enroulant les doigts sur ses revers pour le garder près d'elle. De moi. De perdre toute maîtrise de moi-même.

Cet aveu la bouleversait, tout comme elle redoutait de voir son regard. Mais elle ne vit que de la tendresse au fond de ses prunelles grises.

— Et moi, j'ai peur de gâcher ma vie à force de toujours me maîtriser, murmura-t-il. Peu importe, du reste, la voie que j'emprunte, toutes me mènent à vous.

De nouveau, il posa doucement son front sur celui de Miranda.

— Permettez-moi de regagner mon foyer, Miri. Ne serait-ce que le temps d'une seule nuit.

Un foyer. Elle s'était cherché un foyer tout au long de sa vie. Et elle l'avait enfin trouvé en la personne d'un homme plus fuyant qu'une ombre.

— Le foyer n'est pas un endroit que l'on visite. C'est un endroit vers lequel on revient jour après jour.

Il poussa un soupir frémissant et posa la main en coupe sur sa joue.

— Chaque jour de ma vie, Miri.

Elle ferma brièvement les yeux, puis ouvrit tout grand la porte.

— Venez me retrouver à minuit.

— N'allumez pas les bougies, dit-il alors qu'elle sortait.

Chapitre 28

Une tombe. La description convenait. Miranda changea
de position dans le lit, agacée par le poids des couvertures. L'obscurité était totale. Elle cligna, dans l'espoir que
ses yeux trouvent une lueur quelconque, mais il n'y en avait
pas. Archer avait choisi une nuit au ciel fort nuageux pour
exprimer sa demande.

La raison pour laquelle il exigeait une telle obscurité
déclencha en Miranda un tourbillon d'idées folles. Il affirmait être une horreur. Elle frissonna en dépit de la chaleur
des couvertures. Qu'y avait-il sous le masque ? Était-il défiguré ? Pis encore ? Elle n'arrivait cependant pas à imaginer
ce qu'il pouvait y avoir de pire.

Elle s'allongea sur le dos, et les pans de son peignoir
glissèrent sur ses cuisses. Le bruit excessivement fort de sa
respiration et des battements de son cœur troublait le
silence. À vrai dire, elle ne parvenait pas à disséquer Archer.
Elle le considérait comme un tout. Elle pensait à lui en
termes non pas d'images, mais de sentiments. Pour elle,
Archer, c'était de la chaleur, des rires, de la gentillesse et de
l'excitation. Les larmes qu'elle refusait de verser lui brû-
lèrent les yeux. Elle voulait qu'il vienne vers elle. Elle

voulait le prendre dans ses bras, apaiser sa douleur. Et, surtout, elle voulait qu'il lui montre ce qui l'angoissait à ce point.

Quelque chose dans la pièce changea. Miranda sursauta en comprenant qu'il était là. Le bruit assourdi de ses pas sur le tapis troubla le silence. Dans le noir, elle ne pouvait qu'écouter et attendre. Soudain, elle eut peur.

Il y eut une pause. Elle ferma les yeux et pria le ciel de lui insuffler la force. Les couvertures se soulevèrent doucement, et elle se mit à haleter. Le matelas de duvet se creusa lorsqu'il s'y allongea.

Elle tourna la tête et tenta de distinguer sa silhouette. Il n'y avait rien à voir. Il n'y avait rien, hormis le parfum de la veste d'intérieur en soie qu'il portait, et, sous ce parfum, sa senteur à *lui*, exquise et pourtant fugace. Il aurait pu tout aussi bien être un spectre.

Son souffle lui balayait doucement le visage par saccades, et elle comprit qu'il était troublé.

— Je ne vous ferai pas de mal, chuchota-t-il d'une voix que la peur et le désir rendaient rauque. Jamais.

Non, Archer ne lui ferait jamais de mal. Mais qu'est-ce qui l'empêcherait, elle, de lui faire du mal, à lui? Il suffisait qu'il la touche pour qu'elle s'enflamme. Incapable de parler, elle hocha la tête même s'il ne pouvait la voir. Le matelas se creusa davantage lorsqu'il se pencha sur elle, et la douce chaleur de son corps la caressa. Elle inspira vivement. Il lui effleura la joue de ses lèvres et elle sentit son cœur s'affoler, se mettre à battre si fort qu'il devait sûrement l'entendre.

Les pensées se bousculaient dans sa tête. Archer dans son lit, Archer la caressant, Archer lui faisant l'amour. Sa respiration devint difficile, et Archer s'écarta.

— C'est moi, Miri, dit-il en repoussant doucement les cheveux sur sa tempe. Seulement moi.

Et c'était là le problème. Il était tout. Il était son soleil levant, son soleil couchant, et tout ce qui existait entre les deux. Une douleur douce-amère lui comprima la poitrine, et elle dut refouler ses larmes.

— Je n'arrive pas, Archer, à penser à vous en termes de *seulement*, murmura-t-elle.

Dans l'obscurité, la main d'Archer trouva la sienne, et leurs doigts s'enlacèrent.

— En ceci, nous sommes différents, dit-il. Pour moi, il y a seulement Miri. Rien d'autre.

Ses lèvres douces s'égarèrent sur le lobe de son oreille, le long de son cou. Sa bouche glissa sur sa peau, la respira, la goûta, descendit vers sa gorge. Une chaleur délicieuse se répandit dans les membres de Miranda, et elle ferma les yeux avec un soupir.

Les muscles longs et durs d'Archer se pressèrent contre elle. Elle lutta contre l'envie de se tourner vers lui et de poser la joue sur sa poitrine. Il ne l'embrassa pas. Elle commença à parler, mais s'arrêta aussitôt en sentant, de manière très vive, les doigts d'Archer s'emparer du ruban de satin fermant son corsage. Son ventre se contracta douloureusement lorsque, avec une lenteur infinie, il tira sur le ruban. La boucle céda avec un petit soupir, et le corsage soyeux glissa légèrement. Une nouvelle vague de chaleur se répandit dans ses membres.

Archer expira dans un soupir. Sa main s'attaqua à la seconde boucle. L'esprit engourdi, elle s'émerveilla de sa précision. Il ne pouvait quand même pas la voir.

Lentement, le long ruban sortit de sa bride étroite, un millimètre à la fois, jusqu'à ce qu'elle se morde les lèvres d'impatience. Arrivé au bout de sa course, le ruban se coinça un moment, comme pour mieux l'agacer, puis céda. Le corsage s'ouvrit dans un doux bruissement de soie, libérant ses seins. L'air frais fit durcir ses mamelons. Elle prit une toute petite inspiration, consciente de faire ainsi trembler ses seins. Un grognement sourd s'échappa de la poitrine d'Archer. Il se pencha sur elle, et le ventre de Miranda frémit.

L'espace entre ses jambes palpitait doucement ; le désir de soulever ses seins vers sa bouche suffisait à la faire trembler. Elle enfonça les doigts dans l'oreiller sous sa tête. Elle ne serait pas la première à... Des lèvres fermes frôlèrent la pointe de son sein, puis une langue brûlante et humide glissa sur son mamelon. Elle hoqueta, et il la lécha encore, aussi lentement et paresseusement qu'un chat. La chaleur se répandit sur sa peau, s'empara de son ventre, tandis qu'il continuait à lui lécher le mamelon, en faisant le tour de la langue, en l'agaçant, sensuellement, lentement. Elle se cambra en gémissant, désirant qu'il la caresse plus fort.

Se pliant à son désir, Archer aspira le mamelon entre ses lèvres chaudes et le suça doucement, et elle sentit sur elle sa bouche chaude et humide, sa langue insistante. Elle grogna, des petites langues de feu remontèrent le long de ses cuisses, et elle tendit la main vers lui. D'un geste adroit, il lui attrapa le poignet et le releva au-dessus de sa tête.

Les lèvres d'Archer lâchèrent son mamelon avec un bruit humide de baiser, puis descendirent sous son sein. Elles s'y attardèrent, léchant, suçant et agaçant, et Miranda miaula de plaisir, puis les lèvres remontèrent vers le mamelon et Archer soupira d'aise. Sa grande main glissa le long de ses côtes et il alla caresser de la paume le sein négligé, le pétrissant doucement, titillant le mamelon dressé du pouce, jusqu'à ce que Miranda ne sache plus laquelle, de sa bouche ou de sa main, lui infligeait la torture la plus délicieuse. Il lui pinça légèrement le mamelon, et Miranda se cambra sur le lit.

Elle serra les cuisses, dans l'espoir d'apaiser la douleur entre ses jambes. Mais Archer comprit. Quelque chose comme un gloussement gronda dans sa poitrine, et il descendit une main caressante sur sa hanche et remonta du bout des doigts le fin jupon de dentelle. Le peignoir se gonfla autour de sa taille, et un courant d'air froid courut sur ses jambes.

— Archer…

Tout en lui maintenant les deux mains au-dessus de la tête, il continua à se repaître de ses seins et à lui cajoler les cuisses de ses doigts agiles, les invitant à s'écarter, jusqu'à ce qu'elles s'ouvrent comme des ailes pour lui. Il frémit, puis s'immobilisa. Ses lèvres glissèrent sur son cou, et il lui mordilla le lobe de l'oreille.

Dans le noir, elle sentit ses lèvres s'incurver dans un sourire contre son oreille, puis le riche grondement de sa voix lorsqu'il murmura :

— Voulez-vous que je vous touche…

Le bout de son doigt s'immisça entre ses jambes et exerça une douce pression sur un point de son corps qui lui arracha un hoquet.

— Ici ?

Le fait qu'Archer ose lui parler ainsi et la sensation de son doigt sans pudeur sur son corps la firent frissonner d'excitation.

— Oui.

C'était à peine plus qu'un murmure, mais il l'entendit. Il sourit de nouveau.

— Dieu que vous êtes belle.

Il laissa échapper une expiration frémissante et l'embrassa délicatement sous l'oreille. Il sourit encore, et sa joue rugueuse caressa la mâchoire de Miranda.

— Et mienne.

Son pouce traça lentement un cercle sinueux, et le ventre de Miranda se contracta. Elle cambra les reins, se tourna vers lui, quêtant ses lèvres, mais il les posa sur son cou. Pressant son torse dur contre sa poitrine, il remua lentement ses doigts forts sur son sexe, les insérant dans l'ouverture soyeuse. Elle perdait la tête. Elle le voulait sur elle. En elle. Elle n'arrivait plus à réfléchir. Elle voulait sa bouche. Cette bouche séduisante qu'elle contemplait depuis une éternité.

— Archer… haleta-t-elle. Embrassez-moi.

Un cri de désir étranglé le déchira et il se redressa. Ses lèvres rencontrèrent les siennes, ouvertes et affamées. Elle le but, enivrée. La langue au goût de brandy et de crème d'Archer glissa sur la sienne, et il l'attira contre lui et pressa contre son ventre sa longue verge dure.

— Prenez-moi, grogna-t-il contre sa bouche entrouverte.

Il plongea les doigts dans sa chevelure, lui immobilisa la tête, et s'abreuva à ses lèvres.

— Vous n'avez qu'à me prendre, je n'arrêterai jamais.

Elle enroula ses jambes autour des siennes, glissa la main sous sa veste d'intérieur soyeuse afin de toucher cette peau qu'il lui avait trop longtemps refusée, et il grogna de nouveau. Le contact de sa peau, du doux creux de ses reins. La lumière se fit dans son esprit. Elle le caressait. Nulle cicatrice ne labourait son dos, sa chair n'était pas mutilée, mais lisse et fraîche. Il n'y avait qu'Archer. Les mains nues d'Archer sur elle, le dur méplat de sa joue, la douce pression de son front sur le sien. Sans masque. C'était impardonnable, mais elle devait savoir. Mais, alors, *il* le saurait également. Il connaîtrait son secret — et quelle serait sa réaction ?

La colère déferla sur sa peau, brûlante et forte. Contre lui. Et contre elle-même. En quoi serait-elle différente de lui si elle lui cachait son secret ? La large paume possessive d'Archer enveloppa son sein. Non, elle ne voulait pas. Il ne devait plus y avoir de secrets entre eux. Son esprit eut à peine le temps de se rallier à cette décision que déjà le feu familier jaillit de son être.

Aussitôt, la pièce s'éclaira. Les candélabres et l'âtre flambèrent. Miranda serra les paupières pour se garder d'être éblouie tandis qu'un puissant cri d'indignation retentissait à son oreille.

Il bondit comme si on l'avait brûlé et, du même geste, jeta le dessus-de-lit sur elle. Encore à demi aveuglée par l'éclat soudain de la lumière, elle se battit contre les couvertures, les rejetant à coups de pied et libérant ses jambes des draps tirebouchonnés. Elle se redressa, et des points noirs dansèrent devant ses yeux. Elle cilla et la chambre redevint nette. Il n'était plus là. Saisie d'effroi, elle balaya la pièce du regard et finit par déceler un mouvement. Dans l'angle le plus éloigné de la chambre, entre les tentures de la fenêtre et la grande penderie, il se terrait dans l'ombre comme un animal apeuré.

Elle marcha jusqu'à lui, s'avançant aussi près qu'elle l'osait. Les mains à plat sur les murs formant un angle, le dos appuyé contre celui-ci, il se raidit à son approche.

Miranda ralentit le pas en voyant l'homme qu'elle appelait son mari. Il ne put que lui rendre son regard, les yeux écarquillés et légèrement affolés. Ils se regardèrent pendant un moment, puis Archer baissa les yeux sur ses seins. Sa gorge se contracta. Elle referma vivement son corsage et le noua.

— Merci.

Le son familier de sa voix chaude et grave la fit tressaillir.

— Après avoir goûté à de pareils délices, la vue de vos seins ravissants risquait de m'achever.

Elle ne pouvait que le contempler, bouche bée.

— Comment avez-vous fait ? dit-il en posant sur elle ses yeux d'un gris doux avant de les détourner. Les lampes ?

— Je… je… c'est compliqué.

Comment était-ce possible ? Elle le regardait fixement, incapable d'expliquer ce qu'elle voyait.

— C'est ainsi que vous réduisez les gens en pâtée pour chats ?

Elle avança d'un pas, et il inspira vivement, les narines dilatées.

— Archer, je vous en prie… ne badinez pas avec moi.

— Et que dois-je faire ? murmura-t-il. Dans un instant, vous allez retrouver vos esprits et me jeter dehors.

Une douleur atroce se répandit sur ses traits.

— Et je ne pourrai pas le supporter.

Il avait raison d'avoir peur. Le côté irrationnel de Miranda avait envie de hurler son incompréhension. Elle avait imaginé des cicatrices, peut-être des brûlures hideuses — voire un abominable défigurement. Mais l'homme qui se dressait devant elle était lisse. Lisse, mais néanmoins détérioré. Tout son côté droit était en quelque sorte altéré. On aurait dit que la moitié de son corps était taillé dans un bloc de glace. Sa chair était claire, presque translucide, pareille à du quartz. Sur le côté droit de son crâne, ses cheveux étaient argentés. Il les portait très court, et ses cheveux argentés jouxtaient ses cheveux noirs. Mi-homme, mi-statue. La vue étrange de sa chair dorée, saine, se fondant dans du marbre clair le long de la frontière irrégulière divisant son corps en deux avait quelque chose d'irréel, tenait du rêve.

— Que vous est-il arrivé ?

— *Lux Daemon*, dit-il en grimaçant. Démon lumineux. Ou, si vous tenez à connaître le terme exact, *Anima Comedentis*, c'est-à-dire Dévoreur d'âme. C'est ce que je suis en train de devenir. J'ai bu un élixir, la forme liquide du démon en fait. À l'époque, nous avions cru qu'il s'agissait d'une cure, d'une sorte de vaccin immunisant l'homme contre la maladie. Des imbéciles. Le procédé préserve mon corps tout en me métamorphosant lentement en monstre. Une chose qui se nourrit de la lumière des âmes, qui a davantage besoin de lumière que d'air.

— Vous êtes… possédé ? souffla-t-elle entre ses lèvres glacées.

— Ce démon n'est pas un être d'une intelligence supérieure ayant des pensées semblables aux nôtres, il s'apparente davantage à un virus. Il infecte l'hôte et le transforme de manière que celui-ci le serve.

Il se passa la main dans les cheveux.

— J'ai vainement tenté d'inverser le processus. Seule la pureté peut ralentir sa progression, dit-il avec un rire navré. Ce dont je devrais me réjouir, j'imagine.

Il ferma les yeux comme s'il souffrait.

— Lorsqu'il se sera emparé de mon cœur, de mon cerveau, je lui appartiendrai. Car ce sont le siège et la porte de mon âme.

— Il doit y avoir un moyen…

— Il est indestructible, Miri. Les parties de mon corps qui sont altérées ne peuvent être lésées. Du moins, pas par des armes courantes. Les couteaux, les épées, les projectiles sont impuissants à transpercer cette chair. La seule chose que je n'ai pas essayée est de m'immoler par le feu.

Il grogna légèrement.

— Cette solution me semble extrêmement déplaisante.

Ce qu'elle comprenait fort bien, mais l'idée qu'il l'eût envisagé lui brisa le cœur.

Il baissa les yeux sur ses poings.

— Je suis un cauchemar. Tout comme vous l'avez dit.

La bouche de Miranda se dessécha. Quelles paroles stupides et impardonnables n'avait-elle pas prononcées.

— Vous n'êtes pas un cauchemar.

Elle tendit la main vers la joue d'Archer qui se recula si vivement que sa tête percuta le mur avec un bruit mat.

— Ne faites pas cela.

Il était aussi faible qu'un chaton sous l'examen qu'elle lui faisait subir, et Miranda profita sans vergogne de sa vulnérabilité. Elle caressa du bout des doigts sa joue translucide, et il frémit. Les doigts de Miranda se replièrent, s'écartèrent de la chair inhumaine, incroyablement lisse. Comme du marbre.

Les yeux d'Archer, qu'elle voyait désormais entièrement, étaient bien découpés, enfoncés, avec des petits plis avenants au coin. Ses sourcils épais et sombres s'incurvaient légèrement vers le haut, comme s'il ressentait constamment une curiosité teintée d'ironie, jugeait le monde amusant, voire un peu absurde. La chair entourant son œil droit était d'un bleu argenté, ce qui mettait en valeur sa prunelle grise. Une trace de fard noir était encore visible au creux de l'une des ridules entourant son œil.

— Du khôl, bredouilla-t-il tandis qu'elle l'effaçait du pouce. Une teinture végétale dont je m'enduis les cils et le sourcil droits. Eula prétend que je finirai par en perdre la vue, mais je n'ai pas trouvé d'autre façon de…

Voyant que Miranda le regardait sans mot dire, il se tut.

La ligne de démarcation naissait sous la ligne de ses cheveux, à gauche, obliquait vers la droite, traversait le haut de son nez et se dirigeait vers sa mâchoire droite. La plus grande partie de la peau de son cou était normale, mais le vilain tracé de chair cristalline bleutée divisait son torse depuis la clavicule jusqu'au nombril, où il bifurquait vers la hanche gauche avant de disparaître sous sa veste d'intérieur.

Le côté gauche de son corps resplendissait de santé. De fins poils noirs ornaient sa poitrine et son abdomen. Le souffle d'Archer s'accéléra lorsque Miranda effleura sa toison, mais il ne fit rien pour l'en empêcher. Les sutures avaient bien cicatrisé, et la blessure que lui avait infligée le poignard n'était plus qu'une ligne fine et lisse. Sa vue prouva à Miranda qu'il s'agissait bel et bien d'Archer et non d'une apparition.

Le côté droit de son corps était tout aussi sculptural avec ses muscles durs et plats, mais totalement glabre et clair comme du quartz — comme une pierre de lune, se rendit-elle compte en regardant sa bague de mariage. Un corps taillé dans une pierre de lune, une enveloppe vide, ne renfermant ni os ni sang. Rien de ce qui était essentiel à la survie d'un homme normal.

— J'ai eu tort de demander votre main, dit-il, aussi immobile qu'un soldat au garde-à-vous. Je me suis abominablement comporté. Je suis désolé, ajouta-t-il en évitant de la regarder dans les yeux. Je suis désolé de vous avoir entraînée dans une existence comportant de telles horreurs.

Il baissa la tête, exposant ce faisant sa nuque attendrissante.

Comment pouvait-il s'imaginer être une horreur? Il était magnifique. Les traits de son visage taillé au couteau étaient accusés et fermes. Sans son masque, il paraissait plus jeune qu'elle l'avait imaginé, âgé à peine d'une trentaine d'années.

Ses cheveux épais recouvraient un crâne bien fait, et Miranda passa la main sur les mèches courtes, aussi drues qu'une brosse en poils de sanglier, puis la posa sur sa nuque chaude.

— «Je pourrais bien le nommer un objet divin, car jamais je n'ai vu rien de si noble dans la nature[12]», cita Miranda.

Il tressaillit, et elle comprit qu'il avait davantage l'habitude d'être injurié. Elle avait vu assez de regards horrifiés se porter sur lui pour en avoir le cœur brisé à jamais.

— Montrez-moi tout, dit-elle tranquillement.

Il haussa ses sourcils expressifs, puis il dénoua sa ceinture de sa main argentée. La veste d'intérieur s'ouvrit puis tomba. La chair translucide de ses hanches étroites et de ses

---

12. N.d.T. : *La Tempête*, de William Shakespeare, acte I, scène II.

longues jambes bien galbées brilla dans la lumière ; même sa longue verge était transformée.

— Oh, Archer.

Miranda glissa la main sur sa chair à la fois laiteuse et argentée, sur son cou puis sur sa poitrine, suivant le tracé de ses muscles qui semblaient sculptés dans le cristal. Il était ironique qu'il l'ait comparée à une œuvre de Michel-Ange, car c'était son corps à lui que le maître aurait admiré. Il frissonna légèrement sans toutefois broncher. Son corps n'était pas aussi chaud qu'il aurait dû l'être, mais il n'était pas froid. Il était frais, comme s'il était allé se promener par une belle journée d'automne. Ni de glace ni de marbre, mais de chair satinée.

Il lui saisit les mains, coupant court à son exploration.

— Ni homme ni bête, dit-il d'une voix rauque.

Elle croisa ses yeux gris — argentés, se rendit-elle compte. Sous l'effet d'une forte émotion, ils brillaient d'un éclat semblable à celui de la glace. Cela faisait partie de la métamorphose.

— Je meurs d'envie de vous toucher, dit-il sourdement. Mais vous voir m'emplit de désespoir. Je ne peux vous posséder comme je le désire. Et cela me désespère.

Elle pressa sa paume sur sa poitrine.

— Oh, Archer, vous me possédez. Je vous appartiens.

Il secoua la tête avec raideur, les yeux plissés comme s'il luttait contre lui-même.

Elle lui enlaça la taille et pressa les lèvres contre sa poitrine large et fraîche.

— Vous n'avez pas le choix, Benjamin Archer. Je vous aime. Peu importe ce que vous direz, vous n'y changerez rien.

Quelque chose céda en lui. Miranda le sentit frémir entre ses bras et un sanglot puissant le déchira. Il l'enveloppa de ses bras, fondit en larmes et ses forces l'abandonnèrent. Il l'entraîna avec lui dans sa chute et elle se retrouva assise sur les genoux d'Archer, qui posa sa tête sur son épaule.

Cramponné à elle comme s'il craignait qu'elle s'enfuie, il sanglotait à fendre l'âme, toute la solitude qui l'accablait s'échappant de lui en un torrent de larmes. Ses râles de douleur lui mirent les larmes aux yeux. Il pleurait sans retenue, comme un enfant, et elle lui murmura des mots incohérents de réconfort tout en caressant ses cheveux soyeux.

Au bout d'un moment, il se calma et cessa de trembler. Elle épongea ses larmes avec sa robe de chambre, puis l'enlaça, emmêlant ses bras et ses jambes aux siens, dans la lueur vacillante des candélabres et le silence de la maison. Elle l'aimait. Elle l'avait toujours aimé. Les bras d'Archer se détendirent, et il blottit sa figure dans le creux de son cou.

— Moi aussi, je vous aime, murmura-t-il tendrement. Je vous aime tant.

Miranda ferma les yeux en soupirant et posa sa tête sur la sienne.

— Redites mon nom, quémanda-t-il contre sa peau.

Les lèvres de Miranda esquissèrent un sourire.

— Benjamin.

Archer enfonça le nez dans le creux de sa gorge et Miranda sentit des frissons lui parcourir le dos.

— Encore.

— Benjamin.

Les lèvres d'Archer trouvèrent les siennes.

— Benjamin, répéta-t-elle entre ses baisers doux, caressants. Ben.

Elle prit son visage entre ses mains, une joue chaude, l'autre fraîche.

Il plongea ses magnifiques yeux gris dans les siens et ses lèvres s'incurvèrent en un sourire.

— On ne m'a jamais appelé Ben, dit-il d'une voix rauque d'émotion.

Elle embrassa doucement ses pommettes hautes, au dessin pur, puis le coin de sa bouche.

— C'est parce que Ben n'appartient qu'à moi, dit-elle en posant les lèvres sur les siennes, forçant sa bouche, si douce, à s'entrouvrir, et il soupira. *Vous* m'appartenez.

Il l'étreignit plus étroitement.

— Je vous appartiens depuis toujours, belle Miranda. Tout comme il n'y a que vous pour moi. La seule et unique. Depuis toujours et à jamais.

Ses épaules musclées frémirent sous la caresse de Miranda, mais il la repoussa d'une main ferme lorsqu'elle tenta de l'embrasser.

— Miri…

Il lui prit le visage entre les mains et ses yeux se voilèrent d'angoisse.

— Vous me faites perdre la raison. Je vous vois, et je vous désire. Je vous aime à la folie.

Il appuya son front contre le sien.

— Miri, si nous ne pouvions passer qu'une seule nuit ensemble, dit-il en déglutissant avec difficulté, le souhaiteriez-vous quand même ?

À ces mots, Miranda sentit un souffle glacé lui balayer le dos.

— Que tentez-vous de me dire, Archer ?

Archer lui caressa les lèvres du pouce.

— Le meurtrier court toujours. Il n'existe pas de remède contre mon mal. Je…

Il ferma les yeux.

— J'aimerais que la situation soit différente.

Elle lui agrippa les poignets, comme pour se retenir de sombrer. Un frisson le parcourut et il glissa ses longs doigts dans sa chevelure.

— Qu'avez-vous dit déjà ? murmura-t-elle. Qu'il faut vivre dans l'instant présent ?

Elle posa la main sur la joue d'Archer.

— Saisissons donc l'instant présent.

Miranda déglutit, la gorge serrée. Lentement, elle attrapa le ruban de son corsage et le dénoua. Le peignoir glissa de ses épaules.

— Je suis votre épouse depuis trop longtemps ; il est temps que vous fassiez de moi votre femme.

Archer la considéra d'un air presque féroce. Sous son regard brûlant de désir, Miranda fut parcourue d'une vague de chaleur. Tendrement, il posa la main en coupe sur sa joue et, les yeux dans les siens, il se pencha lentement, pour lui laisser le temps. Le temps de s'écarter, le temps de changer d'avis. Miri se porta à sa rencontre, posa ses lèvres sur les siennes, mêla son souffle au sien. Il l'embrassa profondément, résolument, comme s'ils avaient tout leur temps. Elle gémit de plaisir et il l'attira vers lui de manière qu'elle le chevauche.

Dieu, il était fort. Ses muscles remuaient et se gonflaient sous les mains inquisitrices de Miranda. Le marbre lisse et frais de sa peau se réchauffait à mesure que ses baisers se faisaient plus profonds, plus insistants. Il frémit et ses bras robustes l'étreignirent plus fortement.

— Ne vous arrêtez pas.

C'était à la fois une prière et une demande.

— J'avais oublié, murmura-t-il, comme il est bon d'être touché. De sentir des mains sur ma peau.

Dans ce cas, elle n'arrêterait jamais. Elle caressa timidement la pente douce de son dos, remonta vers ses épaules arrondies. Archer soupira d'aise, et son long corps ondula sous sa main comme celui d'un chat.

— Et des baisers? murmura-t-elle en embrassant une première puis une seconde fois le coin de sa bouche. Vous en voulez encore?

Archer ferma les yeux.

— Si bon vous semble.

Elle posa les lèvres dans le doux creux à la jonction de son cou et de son épaule, et le souffle d'Archer s'accéléra. La peau à cet endroit était satinée, fraîche et ferme. Elle se déplaça de l'autre côté, où son odeur corporelle était forte et chaude, où son pouls battait sous ses lèvres. Un silence épais les enveloppait, soulignait le crépitement paresseux du feu. Elle sema ses épaules de baisers d'une grande douceur, et le souffle d'Archer s'accéléra davantage.

Le feu jouait sur la peau d'Archer, la faisait scintiller comme de la glace sous la caresse du soleil hivernal. La main de Miranda descendit, glissa sur sa poitrine dure et plate, sur la petite dénivellation séparant les muscles de son abdomen. Son nombril avait la forme d'une demi-lune et était chatouilleux, comme elle le découvrit en sentant ses muscles tendus frémir sous ses doigts. Sa verge longue et gonflée se dressait quasiment à plat sur son ventre, se tendait vers son nombril. Elle s'était métamorphosée, avait la teinte de la glace. Fascinée, Miranda referma les doigts sur elle.

Archer poussa un gémissement. Il lui saisit le poignet.

— Vous allez me tuer, dit-il d'une voix rauque.

Il resserra sa prise, comme pour la repousser, mais il s'immobilisa et posa les doigts sur ceux de Miranda, les retenant, les pressant de continuer. Captivée, elle glissa la main vers le bas. Un faible juron s'échappa des lèvres d'Archer qui laissa retomber sa tête sur l'épaule de Miranda. Elle continua de le caresser, la peau en feu, le regarda frissonner, se tendre. Il était aussi dur que du marbre, mais pourtant palpitant de vie. Elle serra et un grondement étranglé déchira la gorge d'Archer.

— Plus fort? chuchota-t-elle.

Le souvenir du soir où il l'avait maintenue contre un mur froid, l'avait fouillée de ses longs doigts, lui revint vivement en mémoire. L'impuissance, le désir, le feu sensuel. Son ventre se contracta.

Il fronça les sourcils, et un voile de souffrance assombrit ses traits, cependant, sa bouche s'entrouvrit, détendue, sous la montée du plaisir.

— Oui... Par Dieu, oui.

Elle obtempéra, et il se cambra, ses hanches étroites se soulevant involontairement vers elle. Miranda se sentit aussitôt palpiter au plus profond de son corps. Elle avait envie de lui mordre le cou, de lui lécher la peau, de le faire défaillir. Avec un grognement, Archer enfouit son visage contre le cou de Miranda, se cramponna mollement à ses bras.

— Plus vite?

Son membre gonfla dans sa main.

— Oui.

Elle le caressa plus vite, et un cri étouffé mourut sur les lèvres d'Archer. Miranda dévora des yeux son grand corps qui tremblait. Le feu palpitait entre ses cuisses; elle n'en pouvait plus de ce vide, elle voulait qu'il le comble. Les doigts d'Archer lui mordaient la chair, son souffle se faisait haletant. Incapable de se contenir, elle se pencha et enfonça ses dents dans le muscle dur de son épaule. La réaction d'Archer fut immédiate. D'une main, il agrippa la sienne et l'écarta brusquement et, de l'autre, il lui saisit la nuque et l'attira vers sa bouche.

Ils s'embrassèrent profondément, durement, frénétiquement. Elle enroula ses jambes autour de sa taille tandis que la langue d'Archer fouillait longuement sa bouche, et que ses doigts lui câlinaient les mamelons avec une douceur qui lui arracha des gémissements pareils à des miaulements. Un désir torride lui donna le vertige. Elle enroula ses bras autour du cou mouillé d'Archer, se frotta contre son sexe, les seins gonflés et douloureux, la chair tendue et brûlante.

— Archer, gémit-elle contre sa bouche.

Son dos se posa sur le tapis moelleux, et Archer allongea sur elle son corps à la chair ferme, à la vigueur apparemment infinie, la pressa sur le sol, sans cesser de l'embrasser.

— Je vais essayer de faire doucement, Miri, la rassura-t-il contre ses lèvres.

Miranda sentit contre son sexe un gland si énorme qu'elle en tressaillit.

— Je vous le promets, haleta-t-il. Je vais essayer.

C'est alors qu'elle comprit.

— C'est bon, dit-elle en refermant la main sur sa nuque. J'ai déjà fait…

Elle s'interrompit, horrifiée, et ils se fixèrent du regard. Ses mamelons frémirent contre le galbe arrondi de sa poitrine lorsqu'il se figea. L'expression d'Archer, visiblement déchiré entre la jalousie et un sentiment plus profond, se modifia. Ses yeux pâles étincelèrent, et Miranda comprit que ce sentiment était l'excitation qu'éprouvait un homme à posséder une femme.

— Mais pas avec moi.

Et sur ces mots proférés avec un grand calme, il la pénétra, énorme et brûlant, écartant si doucement ses chairs gonflées que tous les sens de Miranda se concentrèrent sur cette sensation. Dieu, cela n'avait rien à voir avec sa première fois. Il était plus gros. Presque trop pour elle. Elle se sentait distendue et envahie, pourtant une douleur frémissante lui serrait le ventre, exigeait qu'il la prenne. Et qu'il la prenne sans retenue. À cette pensée, la chaleur déferla sur sa peau et elle se cambra vers lui, ouvrit les jambes, mais il s'immobilisa soudain et déglutit.

Il se raidit au-dessus d'elle, les bras tremblant sous l'effort, les tendons saillant sur ses épaules et sa poitrine.

— Dieu.

Il la pénétra un peu plus profondément avant de s'immobiliser de nouveau.

— C'est trop bon, souffla-t-il d'une voix rauque.

— Trop…

Elle se racla la gorge. Le désir coulait dans ses veines telle de la lave incandescente.

— Trop bon ?

Les muscles d'Archer tressaillirent, son souffle devint saccadé.

— Jésus, oui.

Les sourcils froncés, les yeux fermés, on aurait pu croire qu'il souffrait intensément s'il n'y avait eu ses lèvres, entrouvertes, détendues, pantelantes. Il était si beau que Miranda ne put résister à l'envie de lécher la tendre colonne de sa gorge.

— *Miri.*

Une goutte de sueur glissa sur sa tempe et il lui lança un regard suppliant.

— Je suis un canon sur le point d'exploser, dit-il en déglutissant vigoureusement. Cela fait des années et vous êtes!... vous.

Le fait qu'il soit à ce point à sa merci l'emplit d'une excitation possessive. Elle l'enlaça, brûlant du désir de l'attirer encore plus près d'elle. De le faire défaillir comme il la faisait défaillir.

— Ne bougez pas, dit-il d'une voix rauque. Pour l'amour du ciel.

Avec un sourire, elle glissa ses mains sur les fesses rondes et fermes d'Archer et les empoigna. Elle remonta les jambes autour de sa taille, et il grogna sourdement, s'enfonça un peu plus loin. Une vague de plaisir déferla dans le ventre de Miranda. Pauvre Archer, il n'avait pas la moindre chance.

— Pensez à l'Angleterre, mon chéri.

Un rire étranglé s'échappa des lèvres d'Archer.

— Sorcière.

Il ouvrit les yeux et son expression douloureuse céda la place à une autre, si tendre et si ardente que le cœur de Miranda s'accéléra.

— Dieu que je vous aime, chuchota-t-il avant de s'enfoncer si profondément en elle qu'elle en gémit.

Les narines d'Archer se dilatèrent et il perdit la maîtrise de lui-même. Sa bouche prit celle de Miranda, ouverte et exigeante. Leurs doigts s'entrelacèrent, et il lui releva les mains au-dessus de la tête, les y maintint et commença à aller et venir en elle à longs coups, vigoureux et profonds. Une chaleur liquide, épaisse et visqueuse comme de l'huile à lampe déferla dans les veines de Miranda. Elle se cambra, la douleur se confondant au plaisir. C'était donc cela le désir. Archer la prit plus vigoureusement, et de petits grognements enflèrent dans sa gorge.

Encore. Encore. Encore. Ce n'était pas assez. Et c'était trop. Sous chacun des coups d'Archer, les seins de Miranda tremblaient, le tapis soyeux lui éraflait le dos. Il accéléra la cadence, et les lattes du plancher grincèrent. Il plongea la langue dans sa bouche, l'enroula autour de la sienne, lui coupa le souffle. Une chose sombre, tourbillonnante — le *désir* — s'enfla, brûlante, irrésistible. Elle lui griffa le dos pour le stimuler. Il grogna et glissa la main entre leurs corps, trouva le bouton de chair sensible et glissant entre ses cuisses, et l'excita. Le corps de Miranda se cambra sous une vague incandescente de plaisir ; elle enfonça les talons dans le plancher, et le plaisir la submergea.

Il la regarda voler en éclats. Plongeant profondément en elle, il appuya sur ce bouton sensible, ce point de fracture, et le corps de Miranda s'enflamma. Haletante, elle leva les yeux vers lui, et il soutint son regard de ses yeux argentés.

Pendant un court moment, elle le vit entier et indemne, avec une chair dorée et des boucles noires retombant sur le front. Une vision de l'homme qu'il était vraiment. *Son* homme. La tendresse, le désir et l'amour lui comprimèrent la poitrine, si brutalement et si vivement, qu'elle sanglota.

— Archer.

Elle lui toucha la joue. Et cela suffit à le faire exploser. Fort. Son cri se répercuta dans la chambre et il arqua le dos, les tendons de son cou saillant comme des sarments, son membre palpitant en elle. Elle se cramponna à lui comme pour le faire entrer en elle. Ils s'étreignirent intensément pendant un moment, puis les mains de Miranda retombèrent mollement sur le sol.

Avec un soupir d'aise, il s'installa confortablement sur elle, l'enveloppa de ses bras, leurs deux corps ruisselants de sueur glissant un peu l'un contre l'autre sous l'effet de leur souffle haletant. Archer roula sur le flanc, entraînant Miranda avec lui, effleurant des lèvres son front humide, glissant ses longs doigts dans ses cheveux.

— Seigneur, murmura-t-elle à bout de souffle.

Une petite bouffée d'air chaud tomba sur sa joue.

— En effet.

Les cils noirs d'Archer se recourbaient en éventail autour de ses yeux d'un gris intense. Avec un sourire vacillant, il l'embrassa, d'un baiser léger destiné à l'apaiser, mais ses lèvres se soudèrent aux siennes, les mordillèrent. Une nouvelle vague de chaleur déferla en elle. La langue d'Archer rencontra la sienne, et son pénis, encore dur et profondément enfoncé en elle, frémit. Le désir renaissait. Rougissante, elle remua les hanches. Il sourit contre ses lèvres et lui répondit d'un petit coup de reins. *Seigneur.* La chaleur se transforma en brasier, le ventre de Miranda se contracta de nouveau. *Encore ?* Archer croisa son regard, et elle y vit du désir, un peu alangui, certes, mais pourtant vigoureux.

— Quelle endurance, chuchota-t-il contre sa bouche.

Un sourire carnassier éclaira ses traits. Il roula sur elle et entreprit, doucement, mais fermement, de lui faire la démonstration exhaustive de ce qu'était l'endurance.

Une silhouette solitaire errait dans les pièces désertes de la grande demeure dans laquelle s'insinuaient le cliquetis léger d'un fiacre et, venu de plus loin, le carillonnement léger des cloches. Une impénétrable obscurité, tant extérieure qu'intérieure, plongeait la pièce froide dans une noirceur d'encre. Encore un jour et tout rentrerait dans l'ordre.

Ses talons martelant doucement le sol, le meurtrier faisait les cent pas en méditant. Sa montre sonnait les heures, son chant aigrelet signalant le passage du temps. D'ordinaire, les actes d'Archer étaient aussi prévisibles que les marées. Et voici que, soudain, on ne pouvait plus s'y fier. Un grognement irrité éclata. Archer avait bénéficié d'un sursis nettement trop long. Sottise. Il avait besoin qu'on le rappelle à l'ordre.

Chapitre 29

Merveilleuse, magnifique, béate, superbe, ravissante. Les adjectifs virevoltaient dans l'esprit d'Archer comme des fleurs de cerisier à la fin du printemps. Il avait envie de rire, de crier, de faire des folies, de chanter à pleins poumons. Des bribes de poèmes d'amour appris dans sa jeunesse lui revinrent en mémoire. *Elle marche tout en beauté comme la nuit ; devrais-je te comparer à un jour d'été*[13] ? Il sourit et leva les yeux sur le plafond au-dessus du lit. Il ne possédait certes pas le talent de mettre en mots ce qu'il ressentait. Quel dommage que Byron soit mort ! Il se serait lancé à sa recherche et lui aurait présenté Miri. Le grand poète aurait su trouver des mots dignes d'elle.

Il jeta un coup d'œil à sa splendide, superbe, merveilleuse femme encore endormie à côté de lui. La courbe profonde de son dos cambré chatoyait comme de l'albâtre égyptien sous le soleil. La masse soyeuse de sa chevelure dorée parsemée de reflets flamboyants recouvrait son oreiller et son épaule. Comme chaque fois qu'il la regardait, une douleur délicieuse le fit haleter. Miri, son miracle, sa petite fée du feu. Un rire jaillit en lui. Il aurait

---

13. N.d.T. : La première partie est de Byron, la seconde de Shakespeare.

dû se douter qu'elle possédait quelque pouvoir extra-ordinaire ; elle était trop sensée pour manifester aussi peu de crainte devant le danger. Pâtée pour chats, en effet.

Un petit bruit s'échappa des lèvres de Miranda, et elle remua dans son sommeil, relevant un peu le bras. Son sein rond, plein et blotti contre le matelas se montra. La verge d'Archer frémit d'impatience. Il voulait voir ses mamelons. Des mamelons d'un rose foncé, demandant à être tétés, qui avaient nourri ses rêves érotiques. Il sourit en se rappelant comme elle aimait cela, comme elle frôlait l'orgasme chaque fois qu'il les touchait. Qu'elle se soit donnée sans retenue n'aurait pas dû l'étonner — Miri ne faisait jamais les choses à moitié —, pourtant cela l'avait étonné. Sa poitrine se dilata. Elle était sienne. Chaque parcelle de son corps la connaissait, la célébrait et vibrait sous l'effet de ces mots sans fin : *mienne, désir, soif.*

Il aurait dû être rassasié. Il l'avait prise encore et encore. Aussi bien jeter du brandy sur le feu. Il ne s'était embrasé que davantage. Un feu si intense que c'en était presque de la frénésie.

L'esprit enfiévré, il repensa à ce qui s'était passé au petit matin, à son corps glissant sur sa peau soyeuse, à sa verge allant et venant dans son fourreau serré et chaud, douce-ment, très doucement, car sa chair était enflée et sensible. Mais prête. *Maintenant, Archer. Maintenant…* Son ventre se contracta au souvenir de la pointe durcie de ses seins frottant contre sa poitrine. De sa bouche sur la sienne, de leurs lèvres et de leurs langues glissant les unes sur les autres, tandis que la chaleur intense, humide, l'aspirait lentement.

Elle s'était montrée si ardente, pareille à un tison brûlant entre ses bras, et l'air autour d'eux s'était réchauffé en même temps qu'elle, chassant la froideur qui l'habitait jusqu'à ce qu'il devienne à son tour rouge et fiévreux. Un désir brûlant avait déferlé dans ses membres, fait palpiter son membre. Ses petites mains tremblantes lui avaient caressé le dos, glissant comme une langue de feu sur son échine, puis plus bas encore, entre ses fesses qu'elles avaient entrepris d'explorer sans pudeur. Le choc lui avait fait perdre tous ses moyens. Il avait joui, pilonné sa douceur sans délicatesse, sans réfléchir. Le désir brut l'avait fait exploser en elle avec la violence d'un monceau de broussailles prenant feu.

Après, elle s'était blottie contre lui, l'enveloppant de ses jambes et de ses bras magnifiques. Toutefois, son regard exprimait une légère frayeur.

— Les draps fument.

Trempés et détendus, ils reposaient dans les bras l'un de l'autre, baignant dans une chaleur intense dont la douce caresse faisait frisotter des petites mèches rousses indisciplinées sur ses tempes.

— L'air également.

Il ne pouvait en dire davantage. Son cœur battait à tout rompre et il haletait encore.

Elle avait levé vers lui ses grands yeux d'un vert brumeux comme du verre de mer.

— Et si jamais le feu présent en moi s'échappait et nous consumait tous les deux ? avait-elle chuchoté, et une ride s'était creusée entre ses sourcils délicatement arqués.

Alors, je mourrais heureux. Il avait glissé les doigts dans ses longs cheveux soyeux.

— Il nous aurait consumés bien avant.

Il avait souri, d'un sourire un peu vacillant en raison de son épuisement, et lui avait caressé le visage, puis avait suivi, de ses doigts affaiblis, mais encore fermes, le dessin de sa bouche délicieuse et l'avait sentie frémir. Et il avait compris. Pour elle, le plaisir, le feu, la culpabilité et la destruction étaient inextricablement liés. Ressentir du plaisir à donner libre cours à un pouvoir aussi terrible, c'était là un dilemme qu'il comprenait fort bien.

Il avait posé le front sur le sien.

— Croyez-vous que je ne ressens pas une excitation semblable lorsque j'utilise mes pouvoirs ?

— Vous n'avez pas peur ? De ce que je suis ? avait-elle demandé d'une voix aussi fragile que du sucre filé.

S'il ne l'avait pas sentie aussi inquiète, il aurait ri de l'ironie de la situation. Au lieu de quoi, il la considéra gravement.

— Ne me voyez-vous pas ?

— Ce n'est pas la même chose. Vous êtes maudit.

Il avait éclaté de rire, le cœur léger comme un ballon.

— C'est drôle, je ne me sens pas maudit en ce moment.

Un sourire hésitant avait étiré les lèvres de Miranda, contredit toutefois par le froncement de ses sourcils. Elle n'était pas tout à fait convaincue. Il lui avait embrassé les paupières, les joues.

— Le feu est votre force, il vous protège quand j'en suis incapable. Ne le craignez pas, embrassez-le, car il est une parcelle de votre âme. Vous savez de quelle manière employer ce don, Miranda. Au fond de vous, vous le savez.

Lorsqu'elle avait finalement poussé un soupir tremblant et hoché brièvement la tête, il l'avait fermement attirée vers lui, la main posée sur sa nuque, et le seul fait de la sentir contre lui avait ravivé son désir, sa soif d'elle.

— Embrassez-moi.

Enflammez-moi encore. Et encore.

À côté de lui, Mira poussa de nouveau un léger soupir. Un désir âpre l'envahit à regarder son joli dos se soulever et retomber. En ce moment même, il lui suffirait de rouler sur le flanc et de caresser la longue courbe de son dos, la rondeur ferme de ses fesses pour qu'elle se tourne vers lui, lui ouvre les bras, lui tende ses lèvres sensuelles.

Il avait beau s'être juré de lui accorder un peu de repos, il ne put se retenir de faire le geste de la caresser comme il en avait envie lorsque, soudain, la vision d'un jeune galopin sonnant à la porte de sa demeure lui traversa l'esprit. *Le gamin remettait à Gilroy une petite boîte blanche nouée d'un ruban argenté. À l'attention de Lord Archer, gouverneur.* Une terreur glacée, obscure, aspira Archer loin de Miranda. Il sauta précipitamment du lit et se dirigea vers son vestiaire, conscient de chacun de ses pas sur le sol, de chacun des battements de son cœur. Le monde les avait rattrapés.

Gilroy salua avec une certaine surprise Archer qui, la robe de chambre flottant autour des chevilles, descendait l'escalier au pas de course. Quelque part sur la droite, il entendit un petit hoquet. L'un des valets. Dans sa hâte, Archer avait oublié d'enfiler son masque. Mais cela importait-il encore ?

La petite boîte d'aspect inoffensif reposait dans la main gantée de blanc de Gilroy. Un ruban argenté était noué autour. *Seigneur.*

La gorge battante, il s'approcha.

— La boîte, s'il vous plaît, Gilroy.

Son estomac se révulsa lorsqu'il constata son poids léger et sentit un petit objet se déplacer à l'intérieur. Une odeur s'en échappait. L'odeur de la mort et de la pourriture. Archer crut qu'il allait vomir.

Il gagna la bibliothèque, à peine conscient que Gilroy le suivait. Le ruban lui glissa des doigts à deux reprises. Il parvint finalement à soulever le couvercle et, aussitôt, le sol se déroba sous lui. Le loup fragile en forme de papillon de Miranda, taché de sang foncé, parut frémir entre ses doigts lorsqu'il le souleva. Puis, Archer aperçut ce qui se trouvait dessous. La chose, ratatinée et brunâtre, ressemblait à une fleur fanée. L'oreille de Merryweather. La douleur lui transperça le cœur comme un poignard chauffé à blanc. Pendant un long moment, il resta planté là, sans bouger, tentant de retrouver son souffle, la main noueuse de Gilroy sur son épaule l'empêchant de vaciller. Mais sa douleur ne s'apaisa pas ni la terreur qui lui donnait le goût de hurler. Parce que c'était la fin. Il devrait la quitter. *Miri*. Il tomba à genoux, loin de la boîte et de la carte qui avait voltigé sur le plancher et sur laquelle on avait simplement griffonné ces quelques mots :

Cavern Hall. À la nouvelle lune.

Chapitre 30

Sensible, meurtrie et au bord de l'épuisement, Miranda s'étira voluptueusement sur le canapé de la chambre d'Archer en soupirant. Elle ne s'était jamais sentie mieux. Sa peau pétillait, sa poitrine était à la fois comprimée et dilatée assez largement pour accueillir l'univers entier. Elle gloussa comme une gamine et tourna la tête vers le dossier de cuir pour sentir sa douce fraîcheur.

Archer était sorti en compagnie du nouveau spécialiste de la sécurité qu'il venait d'engager. Ils devaient, avait-il déclaré, inspecter la propriété en quête de failles. Ce qui, de l'avis de Miranda, était quelque peu inutile étant donné qu'elle-même et Archer représentaient une mesure de dissuasion beaucoup plus efficace que n'importe quelle palissade. Pour la première fois de sa vie, elle apprécia à sa juste valeur son pouvoir — son don, comme le disait Archer. Sa force les protégerait, quant au reste, ils le résoudraient ensemble.

— Je ne serai pas parti très longtemps, avait-il promis en l'embrassant.

— Eh bien, qu'est-ce qui se passe ici ?, s'écria une voix stridente et familière.

Miranda pivota et trouva Eula qui lui faisait les gros yeux.

— Regardez-vous, vous vous étirez comme une chatte qui vient de boire de la crème, et Sa Majesté déambule dans la maison sans son masque en *sifflant* comme une bouilloire.

Elle pinça les lèvres comme si elle venait de mordre dans un citron.

— Quelle suite de métaphores éloquentes, Eula, rétorqua Miranda, trop heureuse de croiser le fer même si c'était avec Eula. Vous en avez d'autres à me lancer au visage ? Ou puis-je vous aider en quoi que ce soit ?

La figure ridée d'Eula devint betterave.

— J'ai pris soin de lui toute ma vie. *Toute* ma vie. J'ai vu de mes yeux l'abominable souffrance que lui causait sa malédiction. Et vous deux croyez qu'une nuit de passion réussira à tout résoudre.

Miranda s'assit, à la fois surprise et outragée, mais Eula lui décocha un grand sourire et s'adressa à elle sans tenir compte de ses balbutiements de protestation.

— Un colis pour vous, *madame*.

Un paquet rectangulaire quitta la main d'Eula et atterrit avec un petit claquement sur les genoux de Miranda. Le regard entendu que lui lança Eula en sortant atteignit Miranda au cœur, puis elle croisa les jambes et ouvrit le colis.

Une carte de visite s'en échappa. Elle la reconnut avec irritation. De son écriture inclinée, il avait ajouté une note au verso.

Toute femme mérite de s'engager dans le mariage en toute connaissance de cause. Un jour, Archer m'en sera reconnaissant. Même s'il ne le reconnaîtra jamais.

I.

Que Mckinnon semble curieusement se soucier du bien-être d'Archer glaça Miranda et sema la confusion dans son esprit. Elle écarta la carte d'une main tremblante et fouilla l'intérieur de la boîte. Un cadre doré glissa sur sa paume. Elle repoussa le mouchoir et ses oreilles se mirent à bourdonner. Sous ses yeux, peinte avec précision et talent, se trouvait une figure chérie et reconnaissable entre toutes. Les mêmes sourcils au pli ironique, le bout doucement arrondi du nez, les beaux yeux gris pleins d'humour. Archer. Miranda hoqueta à la vue du petit point sombre au-dessus du sourcil gauche. Le grain de beauté d'Archer — un lentigo, plutôt. Les hommes, avait-il insisté, n'ont pas de grain de beauté. Nonobstant cette idée discutable, c'était bien lui. Indubitablement. Vêtu d'un frac croisé queue de pie et d'un haut col empesé. Un homme d'une autre époque.

Si elle pouvait imaginer une explication à cet accoutrement démodé, elle ne pouvait toutefois ignorer la date figurant sur le portrait : 1810. Ni la plaque sur laquelle était gravé Lord Benjamin Archer, troisième baron d'Archer d'Umberslade. Il pouvait s'agir d'un trucage. Mais, au fond d'elle-même, elle savait qu'il n'en était rien. Elle s'était laissé leurrer. Parce que c'était plus facile ainsi.

D'autres papiers s'échappèrent de la boîte, et elle saisit du regard les détails pertinents comme s'ils avaient été soulignés de points lumineux : Benjamin Archer, frère de Rachel, Karina, Claire et Elizabeth. Fils de Katorina et de William. Lord Benjamin Archer rentre d'Italie. Lord Benjamin Archer assiste aux obsèques d'Elizabeth. Et le clou final : Lord Benjamin part pour l'Amérique, 20 octobre 1815.

La famille d'Archer. Le deuil d'Archer. Le mensonge d'Archer. Bien entendu.

Hébétée, elle prit les papiers et les rangea. Une pensée tourbillonnait follement dans sa tête. Benjamin Archer avait traversé l'existence, sans vieillir d'un jour depuis 1815. Elle le connaissait trop bien pour ne pas savoir qu'il avait cherché une cure durant toutes ces années — et qu'il avait échoué. Plus troublant encore — que deviendrait Archer, sur le plan physique, si jamais il trouvait un remède ?

Il rentra peu après quinze heures. Elle l'entendit saluer Gilroy dans le vestibule, puis le martèlement rapide de ses bottes dans l'escalier. Son cœur battait à tout rompre à l'idée de le confronter. Elle était demeurée assise toute la journée, à peine capable de réfléchir ou de respirer, tout juste d'attendre. Et voici qu'il était là.

Glissant jusqu'au pied du lit, elle posa les pieds par terre. Résolue à lui dire sa façon de penser, elle se raidit. La porte communicante de leurs chambres s'ouvrit presque aussitôt. Ses yeux se portèrent immédiatement sur elle, un sourire éclaira son visage.

— Cela, dit-il en refermant la porte derrière lui, a été beaucoup trop long.

Il arracha le masque de soie tout en s'approchant. À la vue de son regard joyeux, Miranda sentit sa détermination faiblir. C'était la première fois qu'il retirait son masque en sa présence. Ses yeux étaient cernés de khôl noir, et les lèvres de Miranda frémirent.

— Vous avez l'air d'un bandit, dit-elle alors qu'il se penchait pour l'embrasser.

Archer marqua une pause, mi-grimaçant, mi-souriant.

— En effet.

Il effleura son nez d'un baiser, puis se dirigea à grands pas vers la salle de bain de Miranda tout en retirant sa veste. Elle le regarda, le cœur coincé dans la gorge.

Il ressortit à peine une minute plus tard, fraîchement étrillé et vêtu uniquement de son caleçon et de sa chemise.

— Estimeriez-vous que je suis peu viril si je vous dis que je préfère votre lotion pour le visage à la mienne? demanda-t-il tout en déboutonnant sa chemise avec une dextérité et une célérité qui enchanta Miranda.

—Non.

Il n'y avait rien d'inhumain en lui. Elle l'imagina encore une fois tel qu'il était avant, c'est-à-dire entier et inaltéré. Avec une peau dorée. Des cheveux non pas drus, mais bouclés et lustrés. *Ben.*

Il jeta sa chemise sur le sol, et le souffle de Miranda s'accéléra. Il était tout simplement magnifique. Depuis les muscles puissants de ses épaules et de ses bras, jusqu'au petit creux entre ses clavicules, en passant par son torse plat aux pectoraux bien découpés, tout en lui était magnifique, assez pour lui couper toute envie de parler.

Voyant son expression, il sourit si largement que des petites fossettes lui creusèrent les joues.

— Salut, murmura-t-il avant de la prendre dans ses bras.

Elle n'arrivait plus à réfléchir. Lorsqu'ils s'embrassaient, elle avait l'impression d'être sous l'emprise d'une drogue. Elle se blottit contre lui, les lèvres palpitantes sous ses caresses. Pouvait-on devenir dépendante d'un homme comme d'une drogue ?

Les doigts d'Archer vinrent rapidement à bout des lacets. Le corsage tomba et il passa son pouce sous le galbe de ses seins. Miranda sentit de longs frissons parcourir son ventre. Posant fermement les mains sur ses épaules, elle le repoussa.

— Non, dit-elle. Arrêtez.

Le ton de sa voix le saisit. Il glissa lentement au bas du lit et s'assit sur les talons. Ses yeux gris étudièrent son visage et, comprenant ce qu'il exprimait si clairement, il releva résolument le menton — d'un air coupable que Miranda ne lui avait jamais vu.

— Aviez-vous l'intention de me le dire ? demanda-t-elle.

— Je ne sais pas.

Il la regardait, la gorge palpitante et le corps aussi immobile qu'un bloc de pierre, et, dans la poitrine de Miranda, le serrement se transforma en douleur.

— Eh bien, c'est réconfortant, lança-t-elle sèchement en griffant les couvertures. L'honnêteté avant tout, n'est-ce pas ?

— Qui ? dit-il, toujours de glace. Eula ? Mckinnon ?

Sa joue gauche s'empourpra et il bondit sur ses pieds.

— Salopard.

Miranda se leva d'un bond à son tour.

— Quelle importance qui me l'a dit ? Cela aurait dû être vous !

— Vous le dire? rétorqua-t-il sèchement, de plus en plus rouge. À vous, qui m'aviez laissé entendre que cette idée était un cauchemar?

Elle tressaillit à ces mots, mais sa colère l'emporta.

— Bon sang! Ce que j'ai pu être stupide.

Prise de fureur, elle se mit à faire les cent pas.

— Je vous ai carrément posé la question. Et que m'avez-vous répondu? «Lord Benjamin Archer est mort en 1815!», s'écria-t-elle en élevant la voix et en brandissant le poing. Alors que c'était vous! Lord Benjamin Aldo Fitzwilliam Wallace Archer, troisième baron Archer d'Umberslade.

Les bras croisés, la mâchoire contractée, Ben la regardait fulminer.

— Oui, je suis le troisième baron Archer d'Umberslade, dit-il entre ses dents. Cela fait-il de moi un autre homme?

— Évidemment! s'écria-t-elle en pivotant vivement. Cela fait de vous un menteur. Alors que moi, je vous ai révélé tous mes secrets.

Il fit un pas en avant, les muscles plats de son abdomen crispés.

— Avec parcimonie, dit-il en écartant les bras. Une pièce à la fois, comme on distribue des friandises. Et je le comprenais. C'est ce que nous faisons tous.

— Ce n'est pas du tout pareil! Il y a une différence entre le fait de s'abstenir de divulguer la vérité et celui de mentir carrément.

Archer renifla avec dédain.

— Encore faut-il savoir quelles questions poser.

Elle serra les poings pour se retenir de bondir.

— Vous auriez dû croire en moi. Croire en nous. Et ces hommes, ces pauvres vieillards. Vous êtes aussi âgé qu'eux!

Elle pressa les mains sur ses joues, prête à hurler, mais incapable de le faire.

— Seigneur.

— Et qu'aurais-je dû vous dire ? demanda-t-il en haussant un sourcil interrogateur. «Désolé, chérie, mais si par hasard je trouve une cure, je risque fort de me transformer en vieillard flétri et de mourir d'ici quelque mois» ? Cela aurait été plus simple ?

L'entendre le dire la frappa comme une gifle. Le sol tangua sous Miranda. Elle ne pouvait pas rester à ses côtés et assister à sa destruction.

— Je pars, dit-elle entre ses lèvres engourdies.

Elle se tourna vers la porte.

Il s'élança aussitôt devant elle, et referma la porte du poing.

— Non.

Il l'attrapa par les épaules, la fit pivoter et la cloua dos au mur.

— Non, répéta-t-il d'une voix brisée.

Il lui écrasa les lèvres sous les siennes, lui mordit la chair de ses doigts durs.

Elle céda sous son insistance, le laissa plonger la langue entre ses lèvres. Miranda l'aspira, emportée par le besoin de le goûter, et il grogna. Il lui enfonça le poing dans le dos, l'étreignit si fort qu'elle en perdit le souffle.

— Vous ne pouvez pas me quitter, dit-il en lui mordillant la lèvre inférieure. Je ne vous laisserai pas partir.

Elle le mordilla à son tour, serra sa cuisse dure entre ses jambes. D'une main tremblante, il saisit la chemise de Miranda et la déchira.

— Non.

Elle détourna la tête, fuyant sa bouche avide.

— Non!

— Miri.

C'était un gémissement de douleur.

Soudain, elle se mit à le frapper, à marteler sa poitrine dure de ses poings.

— Vous auriez dû me le dire!

Il subit son assaut sans broncher, et Miranda laissa retomber les poings. Lui faire du mal ne réussissait qu'à aviver sa propre douleur.

Il lui lança un regard peiné sans toutefois tenter de la toucher.

— Ma seule excuse est la peur, murmura-t-il d'une voix rauque.

— Piètre excuse, sanglota-t-elle, encore essoufflée par son accès de colère. N'avez-vous jamais eu peur? L'intrépide Lord Archer. Quand je repense à votre réaction en voyant le corps de Cheltenham... vous n'avez même pas tressailli. Comme si vous n'aviez rien ressenti.

— Rien ressenti? cracha-t-il en plissant le front et en reculant d'un pas. Rien ressenti?

Il réagit vivement et frappa du poing le côté de la penderie. Le bois épais se déchira aussi facilement que du papier sous l'impact.

Il pivota de nouveau, cette fois pour lui faire face. Les muscles déliés de ses épaules et de sa poitrine se tendirent et une lueur laiteuse se mit à palpiter sous sa chair transformée — vision qui alarma davantage Miranda que sa fureur.

— C'est tout ce que j'ai pu faire pour ne pas hurler lorsque nous avons découvert Chelt.

Il saisit ses cheveux courts à pleines mains comme s'il avait voulu les arracher. Les mots se bousculèrent sur ses lèvres en un torrent libérateur.

— Cheltenham et moi, nous nous fréquentions alors que nous n'étions que des bébés. Merryweather et moi avons partagé la même chambre à Cambridge. Et Leland... Leland était mon meilleur ami. Il m'a fait connaître le West Moon Club, et m'a aidé, avec les autres, à quitter Londres.

Son grand corps se mit à trembler comme s'il était sur le point de s'effondrer. Miranda s'avança vers lui, la douleur de le voir souffrir l'emportant sur sa colère, mais il lui jeta un regard noir.

— Avez-vous la moindre idée... haleta-t-il. Je les ai vus vieillir, grisonner. Je ne pouvais le supporter. Je devais m'éloigner. C'est la raison pour laquelle je suis parti, et non pas parce qu'ils me l'ont ordonné. Et lorsque je suis revenu, ils étaient vieux, flétris. Un rappel de ce que j'aurais dû être.

Il prit une inspiration tremblante, et ses épaules s'affaissèrent.

— Je *vous* ai regardée vieillir, vous transformer. D'une jeune fille ravissante en une femme belle à faire pleurer... Bon sang !

Il écarta largement les bras dans un geste de supplication avant de les laisser retomber.

— J'ai menti. J'ai menti en déclarant que votre beauté m'indifférait. Je vous regarde, et votre beauté me fait perdre le souffle, tourner la tête. J'ai envie de me jeter à vos pieds et de vous adorer. En même temps, l'animal en moi a envie de retrousser vos jupes et d'enfoncer sa queue en vous jusqu'à ce que nous en oublions nos noms.

Il la fusilla du regard, les narines dilatées, les yeux emplis à la fois de reproche et de douleur.

— Mais peu importe, dit-il en tremblant de tous ses membres, parce que chaque jour passé à vos côtés me convainc davantage que Dieu vous a créée juste pour moi. Car en quatre-vingt-dix ans, je n'ai jamais éprouvé, pour personne, ce que j'éprouve pour vous, eu l'impression que chaque jour était une aventure. Vous me faites rire. Et je ne ris jamais. Je me promène partout avec un grand sourire niais accroché aux oreilles. Alors, oui, je vous l'ai caché, parce de je vous aimais si désespérément que l'idée que vous puissiez m'aimer également un jour était trop tentante. Et j'avais peur de tout détruire en retirant mon masque.

Une plainte lui déchira la gorge, et il se détourna et s'appuya sur la penderie, les bras au-dessus de la tête. Les lignes argentées de son corps luisaient dans le soleil de l'après-midi qui entrait dans la chambre par les rideaux de dentelle.

— Comment aurais-je pu résister à la seule chose dont j'ai jamais rêvé?

Son front frappa le bois avec un bruit sourd.

— Je suis navré, Miri, conclut-il d'une voix faible.

Les yeux de Miranda se voilèrent. Il y avait mensonges et mensonges. Elle marcha vers lui, se glissa entre son corps robuste et la penderie. En dépit de sa détresse, il allongea le bras et la blottit contre lui, le souffle rauque.

— Je suis navré, Miri…, souffla-t-il, les lèvres dans ses cheveux. Je suis navré…

Elle lui caressa le dos.

— Chut…

Elle lui embrassa doucement le creux de l'épaule. Elle le regarda à travers ses larmes et vit qu'il avait les yeux rougis, que ses cils épais étaient mouillés.

— Croyez-vous vraiment que je ne ressens pas la même chose ? Je vous désire tant que cela me fait mal.

Il gémit et posa les lèvres sur sa tempe. Il la couvrit de baisers légers destinés à apaiser ses larmes, mais le cœur de Miranda se glaça. Elle était en train de le perdre. Il se retirait. Derrière un épais rempart, à l'abri de ses sentiments. Elle le sentait aussi vivement qu'elle sentait ses lèvres sur son front. Miranda avait passé la majeure partie de sa vie dans ce donjon froid et obscur.

Elle se tourna vers lui et lui caressa le menton de la joue.

— J'ai besoin d'entendre votre voix chaque jour, sinon je sombre. Vous êtes la lumière de mon âme. Je ne peux pas vous perdre, Ben. Je n'y survivrais pas.

À cette seule idée, elle fondit en larmes, et il saisit ses lèvres entre les siennes.

— Ne pleurez pas, chuchota-t-il contre sa bouche en mettant sa grande main en coupe sur sa joue. Cela m'est intolérable.

Il but ses larmes, et elle embrassa ses joues, ses paupières et l'os de cette mâchoire qu'elle aimait tant.

Elle ferma les yeux et appuya le front contre le sien en respirant à la même cadence que lui. Un effroi innommable envahit son ventre. Elle pouvait sentir le violent désespoir qui l'habitait. Le désespoir qui l'arracherait à elle.

— Nous allons trouver une solution ensemble, dit-elle en l'embrassant doucement, tristement, et le goûter suffit à lui briser de nouveau le cœur. Nous allons trouver un remède. Quant au meurtrier... Il me suffit d'une pensée pour l'exterminer. Comprenez-vous ?

Il devint soudainement très froid.

— Oui.

Il ferma les yeux et laissa échapper un profond soupir. Le combat qui se livrait en lui sembla cesser.

— Je vous comprends parfaitement.

Lorsqu'elle ébaucha le geste de l'embrasser, il lui entoura le visage de ses mains, le scrutant de ses yeux gris comme pour le graver à jamais dans sa mémoire.

— Sachez bien ceci, il n'y a qu'une seule chose de vraie pour moi, dit-il en suivant le contour de sa joue d'un doigt tremblant. C'est que je vous aime.

Il le répéta, d'une voix brisée, en l'étreignant de toutes ses forces.

— Je vous aime. Le reste n'est que ténèbres.

Les doigts de Miranda se refermèrent sur ses biceps arrondis.

— Dans ce cas, laissez-moi être votre lumière.

Archer frémit et fit glisser sa bouche entrouverte sur sa joue, en quête de ses lèvres.

— Pour toujours, Miri.

Il se tendit, se refroidit entre ses bras.

— Tout ce que je suis, tout ce que je deviendrai, t'appartiens.

Chapitre 31

— **N**on! Miranda sursauta violemment dans le lit, le cœur battant à tout rompre. Tremblante, elle enfouit son visage dans ses mains jusqu'à ce qu'elle retrouve ses esprits. Elle se retourna vivement, consciente d'être seule, mais ressentant le besoin de s'en assurer. À côté d'elle, les couvertures étaient chiffonnées et le lit était désert. *Archer.* La rose argentée et une note reposaient sur son oreiller. Sous l'effet de la douleur qui lui poignarda le ventre, elle se plia en deux, puis elle s'empara de la note sur laquelle elle reconnut la grande écriture d'Archer, encore plus penchée que d'ordinaire.

Pardonne-moi.

Ses genoux s'entrechoquèrent lorsqu'elle se laissa tomber du lit et se précipita vers le petit coin. Elle vomit jusqu'à ce que son estomac soit vide, puis s'affaissa sur le plancher lisse et dur. *Pourquoi ? Pourquoi, Ben ?*

Manifestement, il avait décidé d'affronter le meurtrier tout seul. Le fait qu'il implore son pardon ne signifiait qu'une chose — il ne prévoyait pas survivre à la confrontation.

Miranda se roula en boule, les genoux pressés contre sa poitrine en feu. Mais la douleur ne se dissipa pas. Elle se releva en pestant, se lava la figure et se rinça la bouche. S'apitoyer sur elle-même ne servirait à rien. *Foutue tête de mule.*

Tout en continuant à fulminer contre son époux, elle extirpa brutalement de la penderie sa tenue d'escrime, tenue qu'elle n'avait pas enfilée depuis un bon bout de temps, mais dont elle ne s'était jamais départie. Si Archer s'imaginait qu'elle resterait bien sagement à la maison pendant qu'il courait au-devant de la mort, il se trompait lourdement.

— Eula! Gilroy!

Ses appels stridents éclatèrent dans le vestibule surplombant l'escalier dans lequel elle s'engouffra moins de deux minutes plus tard. Miranda ravala sa panique. Elle devait réfléchir. Le chignon sur sa nuque était assez serré pour lui tirer la peau du crâne, et son cœur battait follement.

Le vestibule était vide. Elle dévala l'escalier au pas de course dans un martèlement de bottes.

— Eula!

L'impertinente arriva enfin en se traînant à une allure digne de Mathusalem.

— Vous essayez de réveiller les morts? Qu'est-ce qui ne va pas? Vous et Lord Euphorique avez besoin de draps frais?

— Il est parti, Eula, dit Miranda en mordant ses lèvres tremblantes. Pour de bon.

Eula se redressa, soudain énergique.

— Où ?

— Je… je l'ignore. Je croyais que vous le sauriez.

Que le diable m'emporte. Je ne pleurerai pas.

Eula, bouche bée, considéra Miranda. De voir Eula ainsi à court de mots faillit anéantir Miranda. Elle se détourna de la gouvernante et s'élança vers la bibliothèque, manquant entrer en collision avec Gilroy. Le majordome, toujours aussi solennel bien que s'étant visiblement vêtu à la hâte, trébucha vers l'arrière et se massa la nuque dans une manifestation de malaise des plus inhabituelles.

— Veuillez m'excuser, milady, dit-il en s'efforçant de se redresser. J'étais au lit lorsque vous m'avez appelé. J'ignore ce qui m'a pris.

Miranda l'examina soigneusement, notant au passage son regard vide.

— Lord Archer est parti. Savez-vous où il est allé ? demanda-t-elle, convaincue toutefois qu'il l'ignorait.

— Non, milady, répondit-il en cillant à maintes reprises. Je ne l'ai pas vu depuis qu'il m'a donné à boire hier soir une tisane censée soulager mes douleurs arthritiques.

Miranda serra les dents pour retenir un hurlement. Le pauvre Gilroy ne méritait pas son courroux.

— Une tisane, cracha-t-elle au bout d'un moment. Le salaud vous a fait avaler un somnifère afin que vous ne vous l'entendiez pas partir.

Gilroy devint livide.

— Voulez-vous dire qu'il est parti affronter ce scélérat ?

En dépit de sa volonté de demeurer calme, Miranda agrippa son bras frêle.

— Savez-vous de qui il s'agit ? Où il est allé ?

Il secoua vigoureusement la tête.

— Sur mon honneur, je l'ignore.

Elle ferma brièvement les yeux.

— Merci, Gilroy. Veuillez faire seller mon cheval. Assurez-vous de dire que je monterai à califourchon. Et trouvez-moi une cape de cavalier.

À un autre moment, sa mine scandalisée l'aurait amusée.

— Mais, milady...

— Bon sang, Gilroy ! Je ne vais tout de même pas revêtir une cape de soie, dit-elle en montrant d'un geste son pantalon et sa chemise de lin. Contentez-vous de m'apporter une foutue cape qui m'ira, et faites vite. Peu importe à qui elle appartient, lança-t-elle en direction du majordome, qui déjà s'éloignait en hâte.

Les yeux d'Eula étincelaient.

— Eh bien, à vous voir vociférer ainsi comme une harpie, j'en déduis que vous avez assez de tempérament pour le ramener.

Miranda avait un goût de sang dans la bouche.

— Trouvez-moi une épée. Archer en a sûrement une quelque part.

Ses entrailles frémirent. Elle n'avait pas touché à une épée depuis des années, mais l'envie folle couplée au besoin pressant d'en brandir une faisait bouillir son sang, frémir ses muscles.

— Et Archer doit également posséder un pistolet. Chargé, Eula, lança-t-elle par-dessus l'épaule avant de s'enfermer dans la bibliothèque.

La pièce était silencieuse et froide. On aurait dit qu'elle attendait Archer. Miranda gagna la table de travail. Son désordre habituel ne semblait pas avoir été bouleversé. Elle fouilla partout, en quête d'un indice, de n'importe quoi. En vain.

Vaincue, elle posa le front sur le bureau. Quoique terriblement dépitée, elle n'arrivait pas à pleurer. Elle resta assise un long moment, à se contenter de respirer. L'identité du meurtrier lui échappait, aussi fugace que la fumée dans le vent. Elle écarta d'emblée Mckinnon. À son avis, il avait flirté avec elle uniquement dans le but d'embêter Archer. Désagréable, mais inoffensif. Ces meurtres ne les concernaient pas, elle et Archer, mais bien le West Moon Club et Archer. Il fallait également tenir compte du fait qu'Archer connaissait l'identité du meurtrier. Certes, Archer s'opposait à ce qu'elle fréquente Mckinnon, mais c'était par jalousie et non de peur qu'elle s'expose ainsi au danger. Lord Rossberry alors ? Mais ces meurtres avaient été calculés et exécutés froidement. Avec violence, certes, mais le meurtrier les avait soigneusement planifiés. Rossberry lui semblait plutôt emporté et impulsif. Qui alors ?

Elle se remémora chacune de ses conversations, de ses prises de bec avec Archer, jusqu'à ce que le tableau de leur vie commune lui apparaisse dans un tourbillon de couleurs semblable à celui d'un kaléidoscope.

Une chose qui se nourrit de la lumière des âmes... Je ne suis pas facile à éliminer... Que diriez-vous si je vous affirmais que ce qu'il cache est extraordinaire et très beau... Immortel.

Miranda releva brusquement la tête, le cœur battant dans la gorge. Le manège cessa de tourner. Ce qui jusque-là n'avait été qu'un vague soupçon se précisa soudain très nettement. Archer s'inclinant sur Victoria. *Pourquoi êtes-vous ici ?*

Elle s'écarta lentement de la table de travail. Pour chaque père, il y a une mère. Pour chaque créature, un créateur. *Tenez-vous loin d'elle, Miranda.* Victoria, avec ses yeux argentés et ses dents d'un blanc étincelant. Le fard dissimulant une peau sans doute aussi miroitante qu'une pierre de lune. *Archer m'a brisé le cœur autrefois. Et j'ai bien peur de ne jamais lui pardonner.* Il n'y a rien de plus terrible que l'amour qui s'est transformé en haine, et une femme dédaignée est plus à craindre que toutes les furies vomies par l'enfer.

Un rire dément s'échappa des lèvres de Miranda. Il savait. Il avait toujours su. Une seule créature était capable d'échapper à un homme aussi puissant qu'Archer : un autre immortel.

Ce que j'ai reconnu, c'est moi-même.

Et maintenant, il s'en était allé retrouver Victoria. Mais celle-ci s'était entièrement métamorphosée alors que lui demeurait partiellement humain. Un combat dont il ne pouvait sortir gagnant. Sauf…

— Salaud !

Chapitre 32

Fichtrement trop long. Elle avait mis fichtrement beaucoup trop longtemps à trouver l'adresse de Lord Maurus
Robert Lea, fichu septième comte de Leland. Leland n'était-il
pas le meilleur ami d'Archer ? Ne l'avait-il pas embarqué
dans cette folle aventure ? Il avait donc foutrement intérêt à
savoir où se trouvait Archer.

Elle mania assez bruyamment le heurtoir de la porte
pour s'attirer les regards réprobateurs d'un couple élégam-
ment vêtu qui passait par là. Dans Belgravia, on ne frappe
aux portes de cette façon. Miranda fusilla le couple du
regard et tambourina de nouveau contre la porte de Leland.

Elle s'ouvrit brusquement sur un majordome à la mine
offensée, tremblant d'irritation contenue.

— Lady Archer demande à être reçue par Lord Leland,
lança-t-elle sèchement. Sur-le-champ, s'il vous plaît.

Il plissa les paupières, ne tenant manifestement compte
que de son accoutrement masculin.

— Il n'est pas là. Non, non.

Faisant fi de ses protestations, elle passa devant lui.

— Veuillez m'excuser d'aller m'en assurer moi-même.
Lord Leland !

Le majordome balbutiant lui emboîta aussitôt le pas, mais s'arrêta net en voyant Lord Leland sortir précipitamment de la bibliothèque. Leland s'approcha tout en s'inclinant avec courtoisie.

— Lady Archer…

Miranda tira l'épée du fourreau pendu à sa taille et cloua Leland au mur.

— Veuillez m'excuser, milord, mais j'irai droit au but.

Elle lui taquina la cravate de son épée non mouchetée.

— Dites-moi, où est mon mari ?

À côté d'elle, le majordome esquissa le geste de lui saisir le bras. Elle tira le pistolet de son gilet et le lui pointa sur le cœur. Le déclic du chien se répercuta dans le vestibule caverneux.

— Je tire également très bien, dit-elle sans lâcher Leland du regard. Votre maître risquerait de récolter une blessure dans la bagarre.

Leland déglutit péniblement, mais garda les yeux fixés sur Miranda.

— Laissez-nous, Wilkinson, parvint-il enfin à articuler. Lady Archer et moi avons à discuter privément.

Le majordome détala, vraisemblablement pour aller chercher des renforts, et Miranda rangea le pistolet dans sa poche.

Le regard de Leland glissa sur son nez crochu jusqu'à l'épée toujours pointée vers lui.

— Si vous le permettez, Lady Archer. Ma gorge me sera indispensable pour m'entretenir avec vous.

Elle abaissa l'épée et recula d'un pas.

— Vous auriez pu tout simplement demander, vous savez, dit-il avec un petit sourire.

Elle éclata d'un rire sans joie et remit son épée au fourreau.

— J'aurais pu, dit-elle. Mais j'étais fichtrement en colère. Et j'en ai fichtrement assez de l'autorité masculine en ce moment.

Il inclina légèrement la tête.

— Entendu.

— Savez-vous où il est ?

Maintenant qu'elle était là, la peur l'envahissait de nouveau, la faisait trembler.

— Oui, dit-il en soupirant, faisant soudain son âge. J'ai bien peur que vous n'aimiez pas cela.

Les lèvres de Miranda tremblèrent, puis elle se ressaisit.

— Quand il est question d'Archer et de révélations, je n'aime jamais cela.

— C'est donc que vous le connaissez bien, dit-il en montrant de la main la porte ouverte de la bibliothèque. Entrez. Nous avons encore un peu de temps. Et beaucoup à discuter.

Elle arpentait la pièce comme une lionne enragée, le casque doré de ses cheveux sévèrement tirés en arrière brillant dans le soleil qui entrait par les fenêtres ouvertes. Leland l'observa tout en se dirigeant vers la desserte d'alcools. Dans le pantalon de chamois, ses jambes étaient longues et souples, ses cuisses fermes et musclées, mais néanmoins féminines. Il avait été témoin de la façon experte dont elle savait brandir l'épée. Puissance, grâce, un corps d'escrimeur. Il détourna vivement le regard du galbe de ses fesses. Bon sang, il avait l'âge d'être son grand-père, voire de son arrière-grand-père dans certaines familles. Pourtant, cela n'avait pas freiné Archer.

— Puis-je vous offrir un verre? s'enquit-il, les yeux résolument fixés sur sa figure, le plus loin possible de son joli petit derrière.

Elle lui décocha un sourire reconnaissant et son vieux cœur frémit légèrement. Ses traits n'avaient pas la délicatesse et la douceur qui était à la mode. Ils étaient de cette beauté précise, immatérielle, dont rêvent les sculpteurs. Elle était Néfertiti, Hélène de Troie. Une beauté comme la sienne était stupéfiante. Il cligna vigoureusement des yeux. Comment se faisait-il qu'il ne l'ait pas remarquée avant?

— Auriez-vous du bourbon?

— Vous aussi? s'écria-t-il en secouant la tête. Je devrais peut-être m'en procurer un tonneau.

Elle s'esclaffa, d'un rire chaud et voilé. Et Leland comprit pourquoi Archer avait perdu la tête.

— Peut-être, en effet, dit-elle. C'est plutôt bon, en fait. Mais puisque vous n'en avez pas, je prendrai donc un whisky. Sec, s'il vous plaît.

Il lui versa un verre et la regarda, le souffle légèrement haletant, venir le chercher d'un pas glissant. Avec ses hanches galbées, sa taille incurvée, elle était comparable à un stradivarius. Maudits soient ses yeux, voilà qu'il avait l'impression d'avoir de nouveau trente ans. Une petite pointe de jalousie à l'endroit d'Archer le traversa, mais il se ressaisit aussitôt, honteux. Il s'inclina avec correction et lui tendit le verre.

— Vous avez beaucoup en commun, Archer et vous.

Le front lisse de Miranda se plissa d'étonnement.

— En matière d'alcools?

— Entre autres. Et en matière de tempérament, également.

Il lui adressa un sourire contraint. Il avait trop mal pour en faire davantage. Son plus vieil ami s'en était allé à sa perte. Et lui avait laissé le soin de faire face aux conséquences.

— Lui aussi, dans un accès de colère, se serait rué chez moi et m'aurait tenu à la pointe de l'épée.

Des yeux de cette teinte céladon propre à la porcelaine chinoise le jaugèrent.

— Je vous soupçonne d'être également un homme d'action, milord. Bien que vous préfériez sans doute embrocher les gens avec des mots plutôt qu'avec une épée, n'est-ce pas ?

Il éclata de rire.

— Vous avez tout à fait raison, madame. *Touché*[14].

Les joues ciselées de Miranda s'arrondirent brièvement, mais se dégonflèrent aussitôt. Ses yeux se voilèrent.

— Où est-il, Lord Leland ?

Leland posa son verre.

— Je vous en prie, asseyez-vous, Lady Archer, je vais tout vous raconter.

Elle obtempéra, pliant gracieusement son corps menu dans le fauteuil même qu'Archer avait occupé il n'y avait pas si longtemps.

— Promettez-moi d'abord une chose, dit-il en prenant place en face d'elle. Laissez-moi dire tout ce que j'ai à dire, après quoi vous agirez comme bon vous semblera.

Les lèvres bien dessinées de Miranda s'incurvèrent dans un sourire en coin.

---

14. N.d.T. : En français dans le texte original.

— Je n'ai pas la réputation de tenir de telles promesses, milord. Mais je vais m'y efforcer.

Si semblable à Archer, d'une nature tout aussi directe.

— Que vous a dit Archer de cette histoire? demanda-t-il.

Et Leland l'écouta, sidéré qu'elle eût été capable de découvrir ces horreurs et de continuer à aimer Archer. Tel qu'il était.

— C'est donc Victoria, conclut-elle, qui l'a créé?

— Oui, dit-il en caressant le pied de son verre. Maintenant, je vais tout vous raconter, sans mettre de gants. Car vous devez comprendre ce qu'elle était pour nous. Nous, du West Moon Club, étions tous des chercheurs, des érudits. En unissant nos efforts, nous avions beaucoup appris sur les cultures anciennes. Archer et moi étions allés en Égypte où nous avions mis au jour d'antiques tombeaux; nous nous étions immergés dans l'univers des pharaons. Sans résultat. Bien entendu, nous avions trouvé quelques indices, des allusions à la vie éternelle. Notre propre Bible, la Bible chrétienne, ne mentionne-t-elle pas des hommes ayant vécu au-delà des limites acceptables? Ne dit-on pas que Noé lui-même aurait vécu plus de neuf cents ans?

Il serra le poing au souvenir de ces longues années de frustration.

— Nous n'arrivions pas à résoudre l'énigme. Jusqu'à son arrivée.

Pendant un moment, il s'absorba dans le souvenir de ce jour où Victoria était apparue à l'une de leurs réunions, comme si le club n'avait pas été une société secrète. Une déesse, toute d'argent et de lumière. D'une beauté exquise.

— Vous vous imaginez sans peine l'effet qu'a produit sur nous son apparence, dit-il à Lady Archer. Vous avez vu Archer. Et elle était entièrement métamorphosée. Nous n'avons pas mis en doute une seule de ses paroles. Ni le fait qu'elle affirmait être un ange de lumière.

Il eut un rire amer.

— Elle n'était pas un ange. Loin de là mais, hélas, nous ne l'avons découvert que trop tard.

Il n'arrivait pas à savoir ce que Lady Archer pensait. Elle se maîtrisait parfaitement.

— Toutefois, nous ne devions pas tous recevoir le don. Elle allait choisir ceux qu'elle en jugerait dignes, poursuivit-il avant de s'agiter avec malaise dans son fauteuil. Son choix s'est porté sur Archer et sur moi. Nous sommes devenus ses amants.

Les joues de Lady Archer rosirent légèrement, mais elle garda le silence. Leland ne pouvait lui reprocher de rougir. Encore aujourd'hui, il pouvait voir Victoria, son corps nubile ondulant sous le sien. Ses seins fermes. Ses mamelons trans-lucides comme du verre, mais pourtant délicieux, qui le rendaient fou. *Prends-moi, Maurus.* La chaleur de son corps. Les petites pulsations qui le parcouraient lorsqu'il lui faisait l'amour. Il se sentait invincible. Et, plus tard, elle avait exigé davantage.

Je désire qu'Archer et toi partagiez tous deux mon lit. Venez à moi, hommes barbares.

Bon sang, il avait accepté. Quelle honte. Mais c'était un fait. Elle exerçait sur lui une emprise qui tenait de la folie. Et l'expression courroucée d'Archer. Ses sourcils sombres froncés. Il s'était rué dehors, s'éloignant du lit avec une mine dégoûtée, alors même que Leland y grimpait déjà, arrachant presque ses vêtements tant il brûlait de désir. Le rire moqueur de Victoria résonnait encore à son oreille.

— C'était une épreuve, dit-il à l'adresse du visage impassible de Lady Archer, en se rendant compte qu'il lui avait confessé cet épisode regrettable à voix haute. Archer était plus fort. Était doté de cette force de caractère qu'elle cherchait. Je n'étais pour elle qu'un divertissement de second ordre.

— Vous en avez voulu Archer pour cette raison, dit doucement Lady Archer.

— Oui.

Le visage sculptural de Lady Archer demeura impassible.

— Vous lui en avez tous voulu, car il était son favori.

— Je ne puis prétendre le contraire, dit-il gravement. Aucun d'entre nous n'a compris quelle chance il avait de ne pas être l'élu. Jusqu'à cette nuit. Une cérémonie s'est déroulée à Cavern Hall, un endroit qui selon ses dires détenait un grand pouvoir. Nous avons tous bu à un calice en argent, empli d'un liquide argenté. Une seule gorgée pour chacun des autres membres du club. Une dose suffisant à les envoûter et à les plier à sa volonté. Archer et moi … devions avaler tout le contenu de la coupe. Le liquide n'agissait pas sur-le-champ. Nous devions boire, après quoi elle nous accorderait son baiser. Le Baiser de Lumière. Elle nous infuserait son énergie et achèverait ainsi la métamorphose. Nous sombrerions ensuite dans un profond sommeil pendant un jour et une nuit. À l'aube de cette nuit, nous nous serions totalement métamorphosés en Anges de Lumière, corps et âme.

» La nuit de la cérémonie, Rossberry est venu nous trouver. Il était dans tous ses états. Il avait mis la main sur un texte ancien. Nous ne deviendrions pas des Anges de Lumière, des créatures bienveillantes vivant à jamais dans la lumière du soleil, mais des démons tirant leur puissance de la lumière des âmes. Et, ce faisant, nous perdrions notre âme.

Leland avala une gorgée afin de reprendre son sang-froid.

— Nous nous sommes conduits comme des imbéciles. Trop aveuglés par la fascination qu'elle exerçait sur nous pour prêter foi aux dires de Rossberry. Moi, du moins. Archer nourrissait quelques doutes, mais la suite des événements ne relevait plus de notre volonté.

» Chaque veine de son corps s'est teintée d'argent sous sa peau lorsqu'il a bu cette infusion, murmura Leland. Puis ses yeux. Ils se sont remplis d'un liquide argenté visqueux, il a cligné et ses prunelles grises sont devenues semblables à du mercure. Victoria a éclaté de rire. *L'heure des comptes a sonné*, a-t-elle dit.

» Archer a retrouvé ses forces et il s'est mis à courir. Non pas pour se jeter dans ses bras comme elle s'y attendait. Mais pour la fuir. Il s'est précipité en dehors de la maudite caverne. Victoria s'est contentée de sourire.

— N'était-elle pas furieuse ?

Leland jeta un coup d'œil à Lady Archer.

— Irritée, peut-être. Elle était convaincue qu'il reviendrait. Il lui était destiné a-t-elle déclaré. J'ai compris alors qu'elle était amoureuse de lui. Je ne comptais pas. J'ai donc fui à mon tour. Je n'en ai avalé qu'une seule gorgée.

— Cela ne vous a pas affecté ?

— Ma chère, dit Leland avec un sourire ironique, j'ai quatre-vingt-douze ans. Un âge que la plupart des hommes n'atteignent pas. Et ceux qui l'atteignent ne se portent pas très bien. Pour ma part, je suis encore capable de monter à cheval, de lire mes livres, de marcher jusqu'à mon club et d'en revenir à pied. Je ne suis pas immortel, mais mon existence a été déviée de son cours humain normal. Je vieillis lentement.

— Lorsque j'ai fait votre connaissance, j'ai cru que vous étiez dans la soixantaine.

— En effet, dit-il avant de poursuivre les lèvres tremblantes. J'ai survécu à ma femme, à trois de mes enfants et à l'un de mes petits-enfants.

Dans l'âtre, les charbons s'affaissèrent avec un sifflement. Leland plongea le regard dans son verre et fit tournoyer le liquide couleur de miel.

— C'est la raison pour laquelle j'ai évité Archer pendant toutes ces années. La culpabilité. Ce soir-là, nous avons tous obtenu ce que nous voulions, c'est-à-dire la chance de vivre plus longtemps, sans crainte de tomber malades ou de mourir prématurément. Tous, sauf Archer. Et Rossberry.

— Qu'est-il arrivé à Rossberry ?

— Victoria. Elle a découvert ce qu'il avait dit à Archer et y a mis le feu. Elle l'a abandonné à la mort. Mais il a miraculeusement survécu.

Lady Archer frissonna.

— C'est horrible. Mais il est étonnant qu'elle ne l'ait pas tout bonnement tué.

— Elle aurait pu en effet le réduire en pièces ou s'emparer de son âme. Quoi qu'il en soit, quelque chose ayant trait au feu perturbait Victoria — elle reculait devant lui.

J'imagine donc qu'elle estimait qu'il n'y avait pas de châtiment plus abominable. Je ne peux qu'être d'accord. Rossberry a horriblement souffert.

— Pourquoi hait-il Archer ?

— Rossberry croit qu'Archer l'a dénoncé à Victoria. Archer n'est pourtant pas homme à trahir la confiance d'autrui. La faute en incombe à Lord Percival.

Il avala une petite gorgée de whisky et accueillit la brûlure avec gratitude.

— Il n'y a pas moyen de faire entendre raison à Rossberry. Il n'est pas... Il y a quelque chose d'anormal en lui. En chacun des membres de sa famille, à vrai dire. Il serait dans votre intérêt de demeurer loin de lui — et de Lord Mckinnon également. On a rapporté au fil des ans plusieurs disparitions mystérieuses en lien avec leur clan.

— Mckinnon connaît fort bien Archer, n'est-ce pas ? demanda-t-elle.

— Ils ont étudié la médecine ensemble. Et ils s'entendaient bien. Dans un premier temps, c'est auprès de lui qu'Archer a quémandé de l'aide. Mais Rossberry a vite monté son fils contre lui.

Miranda plongea ses yeux verts lumineux dans les siens.

— Alors, Mckinnon est...

— Aussi âgé que nous, pourtant il n'a pas bu une seule goutte de l'élixir. Comment cela se fait-il qu'il ne vieillisse pas, je l'ignore. Ainsi que Rossberry, qui doit bien avoir cent trente ans maintenant.

Leland leva la main en la voyant se pencher en avant, la mine attentive.

— Je ne connais pas leurs secrets. Nous n'avons compris que beaucoup plus tard que Rossberry et son fils n'étaient pas tout à fait humains. À vrai dire, je crois que Rossberry ne recherchait pas l'immortalité, mais bien une cure contre le mal, quel qu'il soit, qui afflige sa famille.

Miranda fit la moue de ses lèvres pleines, mais elle opina néanmoins.

— Et les autres? Est-ce uniquement par jalousie qu'ils ont pris Archer en grippe? Ou à cause de l'incident avec Marvel?

Il éprouva un petit choc.

— Vous êtes au courant?

— Uniquement du fait qu'Archer et Marvel se sont disputés au sujet de Victoria.

Leland renifla avec mépris.

— Archer s'efforçait de sauver Marvel. Victoria était revenue et avait séduit Marvel. Elle le pressait de consentir à la métamorphose. Archer était furieux. Il était bien placé pour savoir ce qui attendait le jeune homme.

Leland avala une autre gorgée.

— Marvel n'était qu'un pion de plus. À mon avis, Victoria croyait qu'en ravivant la passion d'Archer, en provoquant sa jalousie, il se rendrait compte qu'il l'aimait follement et lui reviendrait. Au lieu de quoi, Archer, en manquant battre Marvel à mort, a eu un avant-goût du monstre qu'il deviendrait. Il a alors accepté cette idée ridicule qu'avaient eue les membres, soit le bannir afin d'assurer leur protection, et celle d'autrui.

— Toujours le protecteur, murmura-t-elle, le front plissé, avant de le froncer davantage. Je ne vois toujours pas pourquoi Victoria a attendu si longtemps avant de remettre cela. Pourquoi ne s'est-elle pas immédiatement lancée à la poursuite d'Archer?

— Elle a plus de trois cents ans. Que représente une soixantaine d'années quand on est immortel? L'équivalent de quelques mois peut-être?

Il haussa les épaules, appréciant pleinement la sensation que lui procurait ce geste grossier.

— Je crois qu'elle pensait vraiment qu'il lui reviendrait, qu'Archer était uniquement de mauvais poil. Malheureusement pour nous tous, Archer s'est révélé être excessivement insensible à ses charmes.

— En m'épousant.

— Non, ma chère, dit-il doucement. En tombant amoureux de vous.

Elle prit une inspiration tremblante.

— Une femme dédaignée est plus à craindre...

— En effet.

Lady Archer se leva de son fauteuil d'un mouvement fluide.

— Il doit donc se métamorphoser s'il veut réussir à l'arrêter.

— Vous n'avez pas la moindre idée de sa puissance.

— Croyez-moi, Lord Leland, j'en ai une bonne idée.

Ses hanches se balançaient tandis qu'elle faisait les cent pas.

— Si Archer ne possède que le dixième de sa force, je me l'imagine fort bien, dit-elle avec un rire amer avant de se tourner vers lui. Vous avez dit qu'il perdrait son âme...

Elle devint livide, car elle venait d'entrevoir l'inévitable conclusion.

— Oui, dit-il lentement. Lorsqu'il se sera métamorphosé, il aura autant besoin d'absorber la lumière de l'âme d'autrui que vous et moi avons besoin de respirer. La première vie qu'il dérobera le damnera pour l'éternité. Et chaque fois qu'il dérobera une âme, il perdra une parcelle de son humanité.

Elle vacilla et se rattrapa au manteau de la cheminée.

— C'est la raison pour laquelle il a tout investi dans sa lutte contre cette malédiction, dit-il. Le baiser est l'acte de reddition. Sans lui, l'élixir agit seul, lentement. Pendant une courte période, Archer a pensé avoir trouvé un remède. Il y avait un anneau.

Les yeux verts de Miranda se firent perçants.

— Un anneau ?

— L'anneau renfermait un message de son ancien valet, Daoud. Victoria l'a tué il y a longtemps déjà, mais il avait toutefois réussi à transmettre à Archer un message expliquant la véritable nature de sa malédiction.

— Et il a trouvé l'anneau ? demanda-t-elle d'une voix si pleine d'espoir qu'il en fut bouleversé.

— Oui. Tout récemment. Il n'y a pas de cure, ma chère. Uniquement une façon d'en finir.

Il se contraignit à se lever et se rendit à son bureau, conscient qu'elle avait les lèvres tremblantes et les yeux brillants.

— Voici l'Épée de Lumière, dit-il en tirant l'arme antique d'un tiroir. La seule chose qui puisse transpercer la peau d'un démon lumineux. Archer doit l'enfoncer dans le cœur de Victoria s'il veut enfin la détruire.

— Et ensuite ? demanda-t-elle dans un souffle.

Leland sentit sa détermination l'abandonner.

— Et ensuite, il devra retourner l'épée contre lui-même.

Il la vit craquer, se prendre le ventre, se replier sur elle-même, sans pourtant s'effondrer. Une douleur atroce lui déforma les traits. Mais elle ne pleura pas. Elle inspira profondément, mais finit par flancher. Une plainte aiguë franchit ses lèvres. Il se dirigea vers elle, mais elle leva une main dissuasive. Elle se ressaisit et se redressa.

— Pourquoi… pourquoi avez-vous l'épée ?

— Nous ne pouvions courir le risque qu'elle la découvre avant que la métamorphose d'Archer soit achevée. Je dois la lui apporter ce soir. La déposer à l'extérieur de la caverne où ils se trouvent.

Elle recommença à faire les cent pas, tout en continuant à se tenir le ventre comme si sa raison en dépendait.

— Tout n'est pas perdu, dit-il d'une voix cependant empreinte de désespoir. Archer ne perdra pas son âme…

— Uniquement la vie ! Pardonnez-moi de me montrer égoïste, mais c'est pour moi une piètre consolation.

Elle pivota et se dirigea vers la cheminée.

— Comment ?

— S'il meurt avant de s'être emparé d'une vie, son âme demeurera intacte.

— Et de quelle manière au juste pourra-t-il l'éviter ? lança-t-elle sèchement. Étant donné qu'il doit d'abord détruire Victoria ?

Leland blêmit.

— Je…

Elle renifla avec dédain.

— Vous n'y avez pas pensé, n'est-ce pas ? Ni l'un ni l'autre.

Il se passa une main tremblante dans les cheveux, ramenant du coup quelques poils ternes sur son front.

— Selon la légende, il n'y a pas de doute ; ceux qui s'emparent de la lumière sans agir par cupidité personnelle trouveront la rédemption. Seul un sauveur au cœur pur peut brandir l'Épée de Lumière, et alors le feu engendré non pas par l'homme, mais par les dieux, enflammera la lame qui pourra ainsi accomplir sa destinée.

Lady Archer cessa de faire les cent pas et le regarda avec intensité.

— Le feu ?

— Oui. Ce genre d'objet sacré est souvent entouré de mythes plus ou moins étranges. Il s'agit la plupart du temps d'allégorie. Quoi qu'il en soit, les Égyptiens ayant façonné cette épée croyaient que le bassin de feu dans lequel elle a été forgée détenait un pouvoir tant purificateur que destructeur. L'innocent serait racheté par le feu tandis que le coupable serait anéanti. Il est possible qu'en transperçant Victoria, la lame la détruise par le feu, avança-t-il en réfléchissant à voix haute.

— Vous venez d'y penser, n'est-ce pas ? Pardonnez-moi, soupira-t-elle. Je suis bouleversée.

— Cela se comprend, ma chère.

Elle inspira profondément, puis redressa le dos.

— Il n'y a qu'une solution, dit-elle avec une flamme émeraude dans les yeux. Je vais devoir détruire Victoria. Et… — ses lèvres tremblèrent violemment — de même qu'Archer.

— C'est hors de question !

Le cri de Lord Leland retentit comme un coup de canon.

— Je ne vous demandais pas la permission, milord.

Miranda eut l'impression que son cœur était sur le point d'éclater tant il lui faisait mal, toutefois elle considéra le vieillard d'un air résolu.

— Nous n'avons guère le choix. Archer ne peut pas la tuer, sinon il perdra son âme. Vous ne pouvez pas le faire, car vous êtes trop frêle.

Il ouvrit la bouche, offensé, mais il ne pouvait nier qu'elle eut raison.

— Archer a renoncé à sa vie, accepté de se métamorphoser, dit-il avec flamme. Car c'est la seule façon de la vaincre. Elle est trop forte !

— C'est ce que vous, les hommes, n'avez pas compris, dit-elle. Si vous vous étiez donné la peine de réfléchir correctement, vous vous seriez rendu compte de votre erreur. Archer croit qu'il doit se battre physiquement avec elle. Il n'a pris en considération que ses précédents affrontements avec elle. Comme tout homme, il a choisi de résoudre le problème par la force.

Si Archer s'était trouvé devant elle, Miranda l'aurait frappé avec quelque chose de très gros et de très dur. *Homme maudit. Pourquoi m'avez-vous tenue à l'écart ?* Les griffes sombres de la panique oblitérèrent sa vision. Elle inspira de nouveau profondément.

— Et, dans son empressement aveugle, il a oublié quelle était sa meilleure arme. L'épée.

Elle se rendit au bureau de Leland. L'épée qui se trouvait dessus ressemblait fort à une épée ordinaire. Rien dans son apparence ne signalait qu'elle seule avait le pouvoir de détruire un démon immortel. Miranda referma la main sur la poignée de bronze, et le pouvoir de l'épée grésilla contre sa peau. Elle faillit l'échapper, puis raffermit sa prise. Un courant puissant la traversa de nouveau et, au plus profond d'elle-même, elle sentit le feu qui l'habitait réagir, crépiter brièvement dans ses veines. Elle tira l'épée de son fourreau.

— Doucement, lança inutilement Leland.

L'objet était effrayant. Sa lame en forme de feuille était d'un noir absolu et faite d'un métal que Miranda ne pouvait identifier. La lumière entrant par la fenêtre se posa sur son arête qui étincela aussitôt. D'un éclat terrible. La main de Miranda vacilla. Elle devrait enfoncer cette chose dans la poitrine d'Archer. *Je ne peux pas.*

Victoria. Pense à Victoria.

— Il doit la surprendre, dit-elle.

— Chère Lady Archer, vous n'envisagez tout de même pas de surprendre Victoria, dit-il en haussant très haut ses sourcils blancs. C'est de la folie. Je ne vous le permettrai pas.

Miranda remit l'épée dans son fourreau et accrocha celui-ci à sa ceinture.

— Comme je viens de le dire, Lord Leland, je ne vous demande pas la permission. Je vais le faire.

Il fit mine de la retenir et elle éclata.

— Si quelqu'un doit mettre une fin à l'existence d'Archer, ce sera moi. Si je ne puis le sauver, je peux néanmoins sauver son âme, et vous ne m'en empêcherez pas.

Il battit en retraite.

— Je comprends votre chagrin…

— Oh que non ! Ni non plus ma force. Vous ne voyez en moi qu'une femme sans défense. Pourquoi, à votre avis, Archer m'a-t-il caché ceci ?

— Pour vous épargner la douleur de le savoir à l'avance, dit-il d'une voix égale.

— Pas du tout. Il me l'a caché parce qu'il savait que j'étais fort capable d'affronter Victoria et qu'en apprenant qui elle était, j'allais tenter de la tuer moi-même.

— Il a donc eu raison de se montrer prudent. Cette perspective me terrifie. S'il le faut, je vous garderai de vous-même, dit Leland en se redressant.

— Je n'ai que faire de votre protection. En fait, c'est vous qui devriez vous garder de moi.

Et sur ces mots, elle donna libre cours au feu.

Les flammes des bougies et des lampes éclairant la pièce jaillirent de leurs globes de verre en sifflant furieusement. Leland laissa échapper un cri étranglé semblable à celui d'un homme avalant sa soupe de travers.

— Impossible.

Avec un rire amer, elle attrapa sa cape.

— Vous davantage que quiconque devriez savoir que tout est possible.

Elle enfila la cape et se dirigea vers la porte.

— Partons, maintenant.

Chapitre 33

La nuit tomba rapidement, apportant avec elle un vent glacial qui mordait la peau. Leland oscilla, sa charpente frêle secouée par les rafales. Miranda guida son cheval près du sien et lui tendit la petite lanterne qu'elle avait apportée. La lueur qu'elle jetait faisait penser à un trou d'épingle jaune dans une cape noire.

— Permettez-moi…

Elle lui prit les mains, dont elle sentit la froideur à travers ses gants de cavalier de cuir fin. Surpris, il sursauta, mais elle les serra fermement entre les siennes. *Chaleur.* Et la chaleur afflua de son ventre jusqu'à ses paumes. Leland hoqueta en la sentant le gagner. Miranda se pencha et posa la main sur le cou de Leland. Elle lui souffla doucement au visage. *Chaleur.* Une vapeur chaude et vigoureuse s'éleva dans l'air, et Leland ferma les yeux avec un soupir d'aise.

Dès qu'il eut repris ses forces, Miranda le lâcha et lança son cheval au trot.

— Que faites-vous au juste ? demanda Leland au bout d'un moment.

Ils n'avaient pas échangé un seul mot depuis qu'il lui avait exposé le plan d'Archer. Si Archer ne réussissait pas à tuer Victoria, ou à se tuer lui-même, il serait torturé par le besoin de dévorer des âmes. Étant donné son profond amour pour Miranda, il désirerait la sienne plus qu'aucune autre. Dans ce cas, Leland devait veiller à ce que Miranda fuie et se réfugie dans un endroit où Archer ne pourrait pas la retrouver. La façon cavalière dont Archer l'avait dupée avait fait fulminer Miranda une bonne heure durant, mais la faute n'en incombait toutefois pas à Leland.

— Je suis capable de créer le feu, dit-elle.

Son cheval attaqua une montée fortement escarpée. Elle ne pouvait pas le guider. Elle ne voyait rien. Ils étaient sortis de Londres et chevauchaient dans une vieille forêt de chênes et de hêtres.

— Et de le maîtriser à mon gré. Du moment qu'il y a quelque chose à brûler.

— Ce que vous venez de faire, ce n'était pas du feu.

Sa remarque frappa Miranda. Il avait raison. Ce qu'elle venait de lui accorder était nouveau. Pourtant, elle l'avait fait sans réfléchir. Elle *savait* simplement qu'elle pouvait le réchauffer.

— Le principe est le même, dit-elle avec hésitation.

L'était-ce ?

— J'ai pensé à la chaleur, et elle s'est manifestée.

— Fascinant.

Le silence de la forêt s'épaissit, uniquement troublé par le bruit de leurs chevaux escaladant une petite colline. Une obscurité insondable s'étendait dans toutes les directions. Si elle avait été seule, cette impression de vide l'aurait perturbée. Mais elle n'était pas seule.

— Tous les autres le considéraient comme un monstre, dit-elle, la gorge sciée par l'air froid. Pourquoi ne l'avez-vous pas rejeté lorsqu'il est revenu ? Vous et Cheltenham ?

Leland garda le regard fixé sur la route devant lui. Sa figure pâle vacillait comme celle d'un spectre dans la lueur de la lanterne suspendue au pommeau de sa selle.

— Parce que nous savions qu'il n'était qu'un homme, aussi faible et fragile qu'un autre. Qui désirait ce que nous désirons tous — aimer et être aimé.

Il baissa les yeux sur les rênes qu'il tenait, puis regarda au loin.

— Qu'il avait le droit de goûter à ce bonheur au bout de toutes ces années, avant de devoir y renoncer à jamais. Le soutenir, dit-il en secouant lentement la tête, était la moindre des choses.

Ils se turent et continuèrent à s'enfoncer dans la nuit froide.

Lorsque Leland lui signala à voix basse qu'ils étaient arrivés, les mains de Miranda n'étaient plus que des serres rigides sur les rênes.

— Laissons les chevaux ici.

Il baissa la flamme de la lanterne et descendit péniblement de cheval en grognant.

— Je n'insisterai jamais assez sur les dangers auxquels nous nous exposons.

Les yeux de Leland ressemblaient à deux globes lumineux sous la faible lueur des étoiles parvenant à traverser la voûte des arbres séculaires.

— Ses sens sont extrêmement aiguisés. Son ouïe est des plus fines…

— Dans ce cas, le coupa-t-elle doucement, je propose que nous cessions de parler.

Avec une grimace, Leland opina sèchement, à la suite de quoi il lui prit le coude. Ils avancèrent sur une distance de presque un kilomètre, fouillant du pied les feuilles mortes à la recherche de la terre ferme pour faire le moins de bruit possible. Le dos de Miranda dégoulinait de sueur ; ses cuisses brûlaient à force de devoir progresser aussi lentement.

Ils prirent vers l'ouest, s'enfoncèrent dans la forêt qui n'était rien de plus qu'un amalgame de formes noires et grises. Une butte noire devant eux se révéla être une colline abrupte. La lueur ténue d'une flamme orangée leur indiqua l'entrée d'une caverne.

Les lèvres douces de Leland tremblèrent contre l'oreille de Miranda.

— Les torches sont allumées. Elle dort sans doute, tout comme Archer. Nous devons atteindre Cavern Hall. C'est là qu'il se trouve.

Un parfum d'encens, aussi étouffant que de la fumée, flottait dans l'air, lui irritait la gorge. Archer était ici. Elle le sentait. Cette sensation lui écorchait la peau, faisait battre follement son cœur. Dans un premier temps, elle avança à la même allure que Leland, mais finit par le laisser derrière elle. Elle savait où aller. Archer l'attirait vers lui. Dans le passage obscur, sinueux, vers la lueur orangée du feu.

Après un tournant serré, une grande caverne s'ouvrit devant elle. Au centre, baigné par la lueur vacillante des torches, Archer était allongé sur le flanc, les membres en désordre, la tête rejetée en arrière, le cou tordu, la figure détournée du regard de Miranda. Son corps magnifique, désormais entièrement argenté et étincelant, reposait, inerte, pareil à celui d'un Icare de glace tombé du ciel.

Miranda se dégagea de la poigne soudaine de Leland et s'élança vers lui, faisant fi du danger. Elle se jeta sur lui et se cogna durement le genou contre l'épaule gelée d'Archer.

Une chair de pierre de lune. Elle laissa échapper un sanglot qui alla se répercuter sur les parois rugueuses.

Si froid. Elle se brûla les doigts en soulevant sa tête pesante pour la poser sur ses genoux. La teinte argentée du profil régulier d'Archer se découpait de façon saisissante sur l'étoffe noire de sa cape, composant un tableau à la fois sublime et abominable.

— Ben.

Elle passa ses mains tremblantes sur sa joue, dans ses cheveux argentés et cassants. Totalement métamorphosé. Perdu à jamais. La douleur lui serra la gorge. Le doux renflement de sa poitrine pareille à de la pierre de lune sous ses doigts. *Je ne peux pas faire cela.*

— Ben, qu'as-tu fait ?

— Il m'a choisie, lui répondit une voix de fillette.

Pareille à un ange d'argent, Victoria se dressait dans l'ouverture sombre d'un passage. Dépourvue de ses fards et de sa perruque, elle exhibait sa peau brillante, palpitante de lumière. Sa chevelure argentée ruisselait tels des rayons de lune sur son dos et sa robe. Une apparence si exquise pour une créature si horrible.

— Ben, avez-vous dit ? Comme c'est charmant.

Ses dents blanches, presque éblouissantes, étincelèrent.

— L'idée de l'avoir perdu vous bouleverse-t-elle ? Quelle tristesse. J'ai toujours su qu'il m'appartenait.

Pour toute réponse, Miranda referma les doigts sur la nuque d'Archer et l'attira d'un geste protecteur contre son ventre.

— Vous ne savez rien du tout, espèce de putain glacée.

Victoria éclata de rire. Le tintement des glaçons dans un verre de cristal.

— Ma foi, vous vous exprimez très grossièrement. Si nous nous étions connues en d'autres circonstances, comme il aurait été tentant de vous transformer.

Son sourire s'évanouit, mais ses joues s'affaissèrent à peine.

— En l'occurrence, toutefois, j'éprouverai un grand plaisir à le regarder vous dévorer.

Les bottes de Leland raclèrent le sol lorsqu'il s'avança derrière Miranda. Les yeux d'un gris argenté étrange de Victoria se posèrent sur lui et leur éclat se ternit.

— Vous, par contre, je vous réserve à mon usage.

Sa bouche large et mince s'incurva dans une grimace de mépris.

— Vous méritez une leçon.

— Leland, dit Miranda sans quitter Victoria des yeux. Veuillez nous laisser. Victoria et moi en avons long à nous dire.

— Oui, acquiesça Victoria. Laissez-nous entre femmes.

Elle se lécha les lèvres.

— Je vous rejoindrai plus tard. Mon dernier repas est loin de m'avoir rassasiée.

Elle fit un pas de côté et Miranda sentit la bile affluer dans sa gorge en apercevant par terre la coquille grise d'un corps inerte.

— Seigneur Dieu, hoqueta Leland. C'est Rossberry.

— Oui, dit Victoria. Il commençait à importuner mon Benji. Je l'ai gardé pour le dessert afin de l'effrayer davantage. Et je dois dire que son âme était fort nutritive, bien que son cœur se soit révélé coriace et d'un goût amer.

Les doigts de Miranda s'enfoncèrent dans la nuque froide d'Archer. Combien de temps encore avant qu'Archer devienne comme elle ? Le soleil était-il sur le point de se lever ? Il lui semblait qu'une éternité s'était écoulée depuis le début de leur course épuisante.

— Leland, jeta-t-elle sans oser le regarder, partez maintenant. Je m'en occupe.

Il recula de quelques pas, se rappelant sans doute la promesse qu'il lui avait faite, et Victoria éclata de nouveau de rire, applaudissant avec ravissement.

— Quelle autorité, Miranda. Je vous aime vraiment beaucoup.

— J'aimerais pouvoir en dire autant.

Victoria haussa ses sourcils argentés en se contentant toutefois de lisser les plis de sa robe de satin argenté. Elle avait opté pour une robe de style Empire, très populaire durant la jeunesse d'Archer. Peut-être l'avait-elle choisie pour lui. Cette idée laissa un goût amer dans la bouche de Miranda.

— Ah, c'est par pure jalousie féminine que nous nous querellons ainsi, dit la sorcière avec un petit soupir. N'est-ce pas mesquin ?

Son charmant sourire se transforma en rictus.

— Il m'a toujours appartenu. Il m'a prêté serment. Il l'a peut-être oublié pendant un moment, dit-elle en haussant les épaules. Mais il s'en est finalement souvenu. Il est venu de son plein gré.

— Le libre arbitre n'a rien à voir dans cette histoire, lança sèchement Miranda. Vous n'avez jamais cessé de vous jouer de lui.

Victoria lui décocha un regard ennuyé, pareil à celui d'une enfant rêvant de friandises alors qu'on la réprimandait.

— Comment m'amuserais-je, sinon ? Du reste, ils devaient tous payer. Je les ai tous aimés. Et ils m'ont vénérée. Pendant un moment.

Sous l'effet de la colère, sa bouche se contracta en un petit bouton serré.

— Après quoi, ils se sont détournés de moi, ont banni mon Benji, et je l'ai perdu.

Sa colère froide s'enfla brièvement, mais retomba presque aussitôt.

— Pour cette raison, ils devaient payer. Mais il me fallait attendre le bon moment. Il était préférable que j'attende le retour de Benji pour les tuer.

— Vous avez agi ainsi afin d'acculer Archer au pied du mur, dit Miranda. Afin de les retourner tous contre lui encore une fois, et ainsi lui enlever toute possibilité de s'intégrer à la société.

— *Exactement*[15] !

Victoria frappa ses mains l'une contre l'autre en souriant.

— Ah, quel bonheur de rencontrer une femme intelligente.

— Vous auriez pu tout bonnement me tuer, se surprit à dire Miranda.

Elle voulait se battre à l'instant. Voulait pousser Victoria à s'en prendre à elle afin de pouvoir la tuer.

— Après tout, je suis votre principale ennemie.

Victoria arqua délicatement ses sourcils argentés.

— J'aurais pu, reconnut-elle doucement, avant de regarder Archer. Mais les hommes sont de grands enfants, non ? Si vous leur enlevez trop vite leur jouet préféré, ils vous piquent une crise.

---

15. N.d.T. : En français dans le texte original.

Elle reporta vivement le regard sur Miranda.

— C'est ce que vous êtes. Un jouet. Un jouet qui a perdu son attrait.

Victoria s'avança d'un petit pas nonchalant dans la grande caverne, et sa peau étincela sous les flammes tel un diamant sous le soleil.

— Parlant de jouets. Avez-vous aimé le cadeau que je vous ai offert?

John Coachman. Quelque chose comme un grognement s'échappa des lèvres de Miranda.

Un éclair de triomphe traversa les yeux de Victoria.

— Je me suis bien amusée. Un jeune homme bien charpenté. Ah, sa mine étonnée lorsque, masquée et vêtue de votre cape, je suis venue le retrouver dans l'étable et l'ai supplié de me prendre. Il a résisté. Jusqu'à ce que je m'agenouille et lui fasse une gâterie.

Les doigts de Miranda se crispèrent sur la peau d'Archer. Voyant qu'elle se taisait, Victoria, contrariée, fronça les sourcils.

— Ce garçon était amoureux de vous. Le saviez-vous? Il me l'a chuchoté à l'oreille juste avant de me prendre.

La grande bouche de Victoria s'incurva.

— Je dois avouer qu'il s'est révélé être un excellent amant, un peu rustre, mais très puissant. Le fait de devoir le tuer m'a presque chagrinée.

Le coin de ses yeux félins se plissa, leurs prunelles argentées pareilles à un miroir, dépourvues d'âme. Comment Miranda avait-elle pu les comparer à celles d'Archer?

— Toutefois, il a cru que c'était vous qui le tuiez. Je m'en suis rendu compte, j'ai vu la douleur et le choc dans ses gros yeux d'abruti…

— Assez !

Le cri de Miranda se répercuta sur les parois froides.

— Je vais vous tuer. Pour John Coachman, pour Cheltenham. Et pour Archer. Je vais vous expédier en enfer pour Archer.

— Quelle assurance ! dit Victoria avec un rire ravi. La nuit s'annonce très divertissante.

Elle redressa vivement la tête, le regard mauvais.

— Il n'est pas nécessaire que vous soyez entière pour servir de pâture à mon Benji. Dites-moi, que pourrais-je vous arracher en premier ? Un bras ? Les yeux ?

Miranda reposa lentement la tête d'Archer sur le sol. Le fait de ne plus être en contact avec lui rompit un lien au fond d'elle-même. *Ben.* Elle refusait de le perdre. La vue des yeux argentés, triomphants et étincelants de Victoria la transperça. *Elle est responsable de l'état d'Archer.* La chaleur tourbillonna dans le ventre de Miranda comme un vortex.

Elle se leva, et une chaleur comparable à un courant électrique déferla dans ses membres. *Le feu est votre force.* Elle rejeta les pans de sa cape sur ses épaules, exposant l'épée pendue à sa ceinture. Elle contourna lentement Archer, étendu sur le ventre. Victoria la regarda approcher, un sourire condescendant sur ses lèvres glacées. Les entrailles de Miranda se nouèrent d'effroi. Il y avait long-temps qu'elle avait manié l'épée. Et jamais encore dans l'in-tention de tuer. Des gouttes de sueur coulèrent dans son dos, lui trempèrent les paumes. Elle avança jusqu'à ce qu'elles ne fussent plus qu'à une vingtaine de pas l'une de l'autre dans la vaste caverne.

Miranda ignora les battements frénétiques de son cœur qui la suppliait de fuir. *Vous savez de quelle manière employer ce don.* Elle écarta les pieds.

— Vous devriez fuir, dit-elle en tirant résolument l'épée dans un tintement d'acier.

Autour d'elles, les torches flamboyèrent comme si elles étaient sensibles au pouvoir de l'arme.

Victoria rejeta la tête en arrière et s'esclaffa, mais ses yeux transpercèrent Miranda comme des éclats de verre.

— Jeune idiote. Il me suffit de vous toucher pour vous tuer. Vous devriez me supplier.

Une chaleur liquide et palpitante se répandit depuis le bras de Miranda dans la poignée de bronze de l'épée antique. *Brûle.* Une chaleur fulgurante jaillit de sa paume, transformant l'épée en tison ardent. La terrible lame noire siffla dans l'air froid.

Les couteaux, les épées, les projectiles sont impuissants à transpercer cette chair. Le combat serait de courte durée. Il le fallait. Miranda l'avait compris dès que Leland lui avait décrit ce qu'elle devrait affronter. La première frappe de Victoria viendrait à bout de Miranda. Son souffle s'accéléra violemment, son ventre se contracta, et elle tressaillit. Un battement de cœur la séparait de l'échec. La cape pesait lourdement sur ses épaules, entrave indéniable pendant un combat à l'épée. Sa main tremblait ; le fait de contenir le feu en elle lui causait une douleur presque intolérable.

Miranda laissa son adversaire l'observer, prendre la juste mesure de sa vulnérabilité et de sa faiblesse comparativement à la force et à la vélocité de Victoria.

Miranda serra plus fortement la poignée pour contrer le fait que sa paume était glissante de sueur.

— Viens donc me prendre, salope.

Victoria grogna et se jeta en avant, plus rapide que le vent. Miranda fit prestement un pas sur la gauche tout en abattant l'épée. Un terrible cri à la fois de rage et de douleur se répercuta dans la caverne. La pièce tournoya, et Miranda sentit son cœur lui monter à la gorge, ses oreilles bourdonner de terreur. Un bras, rompu comme du verre fragile, gisait par terre. Miranda le regarda en cillant, puis piétina de ses bottes les doigts argentés, l'épée brûlante dans sa main tremblante.

Les yeux de Victoria jaillirent à la vue de son membre sectionné.

— *Petite pute*[16] ! Je vais te réduire en miettes.

Victoria s'élança et un éclat de lumière argentée traversa le champ de vision de Miranda. Celle-ci recula d'un bond. Pas assez vite. Le coup lui frappa l'épaule avec une force telle qu'elle bascula. Sa tête et ses épaules heurtèrent violemment la terre compacte ; un tourbillon de poussière et l'éclat des torches l'aveuglèrent. Miranda se cramponna à l'épée comme à une bouée tout en roulant sur elle-même sur le sol. *Ne la rate pas.* Étourdie et haletante, elle bondit sur ses pieds et prit appui sur la paroi rocheuse.

Miranda entendit un cri jaillir et Victoria s'élancer. Elle porta prestement la main à son col. Victoria allait l'atteindre, la tuer. Miranda arracha sa cape et pivota de côté à l'instant où Victoria se jetait sur elle. Avec un cri guttural, Miranda lança sa cape sur Victoria. *Brûle !*

Des flammes incandescentes enveloppèrent Victoria. Celle-ci, consumée par la cape en feu qui la recouvrait, poussa un cri perçant. *Brûle.* De son bras translucide, elle déchira la cape alors même que sa peau argentée se fendillait et cloquait.

Miranda rugit, brandit très haut l'épée chauffée à blanc et la plongea dans la poitrine de Victoria. Le coup porta

---

16. N.d.T. : En français dans le texte original.

dans un bruit de chair perforée, et Miranda grogna sous l'effet de la douleur remontant dans son bras. Victoria recula, tenta de se libérer, mais la magie de l'épée opéra et celle-ci tint ferme.

La cape de laine épaisse se détacha de la figure de Victoria. Hurlant de douleur, Victoria vacilla vers Miranda. Miranda ancra les talons dans la terre peu profonde, contracta les cuisses et freina la progression de Victoria en faisant appel à la puissance de l'épée et du feu. *Brûle.* L'épée s'enfonça plus profondément, et les os de Victoria craquèrent.

Les genoux de Miranda se dérobèrent. Victoria était trop forte. Les pieds de Miranda dérapèrent sur le sol. Victoria se laissa tomber en avant, s'empalant sur l'épée en dépit de l'atroce douleur. Une pierre froide mordit le dos de Miranda, et Victoria la cloua au mur, se rapprocha. Sous la morsure des flammes, la peau de son visage se recroquevilla, et ses yeux s'emplirent de larmes.

Un cri déchira la gorge de Miranda lorsqu'elle vit les griffes de Victoria, noircies par le feu, labourer l'air devant son visage. Des ongles acérés comme des couteaux lui déchirèrent le sourcil. La douleur et le sang envahirent son œil, l'aveuglant à demi. Affaiblie, elle battit des bras, et une expression victorieuse se répandit sur la figure diabolique de Victoria.

C'est alors que Miranda l'aperçut, à quelques pas derrière les flammes qui enveloppaient Victoria. Un long corps argenté, d'une beauté sculpturale, allongé par terre. *Archer.* Le feu à l'intérieur de Miranda gronda, refusant de s'incliner. Sa puissance déferla dans son bras, parcourut l'épée et atteignit Victoria au cœur.

Sa bouche noircie s'arrondit, béante. L'épiderme argenté de Victoria commença à dégouliner comme de la peinture gouttant d'un pinceau ou le sang ruisselant d'une plaie. Au centre de cette chair carbonisée, des prunelles d'un bleu clair jetèrent à Miranda un regard rempli d'horreur et d'impuissance, après quoi le corps dur sous la cape se tordit et, tel un morceau de bois se consumant de l'intérieur, devint gris, s'effrita et se répandit au pied de Miranda sous forme de gros tisons noirs et orangés.

Miranda siffla entre ses dents et s'écarta des débris en reculant d'un bond. L'épée échappa à sa main et tomba par terre, où elle vola en mille éclats acérés. L'épée en soi n'existait plus : elle avait été détruite en même temps que Victoria. Miranda s'autorisa enfin à souffler, haletante à la fois d'euphorie et d'horreur. Elle venait de tuer encore une fois, et cela lui donnait envie de crier.

— Lady Archer ?

Miranda sursauta violemment en entendant l'appel pourtant lancé à voix basse. Elle pivota et se retrouva devant Leland, qui se tenait à quelques pas d'elle. Sa longue figure pâle traduisait l'horreur dont il venait d'être témoin, mais ses yeux exprimaient un sentiment ressemblant fort à de la fierté.

— Ça va ? demanda-t-il, tout en gardant ses distances, mais néanmoins inquiet.

Du sang coulait du front de Miranda sur sa joue. Elle appuya la main sur sa tête et grimaça. La peau de sa paume était rouge vif et couverte de cloques — les symboles étranges ornant la poignée de l'épée s'étaient imprimés dans sa chair. Elle laissa retomber le bras.

— C'est fait.

L'épuisement alourdissait ses membres comme des chaînes. Leland hésita. Elle passa devant lui et se rendit auprès d'Archer. Terriblement immobile. Sa figure était détendue, sa bouche sensuelle était décontractée. Son bel amour. Si seulement elle pouvait se résigner à le laisser partir.

Les genoux de Leland craquèrent lorsqu'il s'agenouilla à côté d'elle.

— L'épée est détruite.

Une terreur glaciale se répandit comme de l'eau polaire dans les veines de Miranda.

— Oui.

Et non. Non. Il n'y avait plus moyen de le sauver.

Leland passa sa main noueuse sur son visage, brossant du coup sa moustache vers le bas.

— Nous devons vous faire sortir d'ici, dit Leland en regardant Archer et en fronçant les sourcils. Archer va bientôt sortir de sa torpeur.

Miranda agrippa la main de Leland, dont la peau était aussi fragile que du lin usé à la corde.

— Cher Leland, ne comprenez-vous pas...

Elle mordit impitoyablement ses lèvres tremblantes.

— Je n'ai jamais eu l'intention de partir. Du reste, sans Archer, je n'ai plus d'âme. Il est préférable qu'il l'emporte avec lui. C'est la place qui lui revient — avec lui.

Il la saisit violemment.

— Non! Vous serez damnée. Et Archer de même, postillonna-t-il entre ses lèvres sèches. Je lui ai donné ma parole et, bon sang, je vais la tenir.

— Que m'importe d'être damnée? répliqua Miranda, la gorge serrée. Je ne sais même pas si je crois...

— En Dieu ? acheva Leland en lui pressant la main. Après ce que vous avez vu cette nuit ? N'avez-vous pas vu la justice divine à l'œuvre ?

Il devint livide.

— Par pitié, même si vous n'avez pas la foi, vous devez néanmoins vous soucier de l'âme qu'Archer a tant cherché à protéger.

— S'il y a une vie après la mort, Archer et moi y accéderons ensemble. Maintenant, dit-elle avec un faible sourire, ne m'obligez pas à vous contraindre à partir.

Il tressaillit au souvenir du feu, encore très vif dans son esprit.

Dans celui de Miranda également. Son cœur vacilla. *Le feu n'est pas toujours destructeur.* Elle baissa les yeux sur son bien-aimé. Nul pouls ne battait à son cou à la courbe gracieuse. Mais cela viendrait bientôt. Bientôt, le soleil se lèverait et Archer s'éveillerait. Il ne serait plus qu'un démon sans âme. *L'innocent serait racheté par le feu tandis que le coupable serait anéanti.* Le souvenir de ce qu'elle avait infligé à Victoria lui pesait lourdement sur le cœur, et elle se rendit compte qu'elle avait la foi. Elle baissa les yeux sur son mari. Elle le sauverait. Et du coup, elle se sauverait elle-même. Doucement, elle le souleva autant qu'elle le pouvait et se glissa derrière lui, lui enlaçant le torse de ses jambes. La tête lourde de Ben retomba contre ses seins.

— Laissez-nous, dit-elle à Leland.

— Lady Archer...

— Partez, maintenant.

Elle gardait les yeux sur son époux, sur les longs cils argentés ombrageant ses joues. Seigneur, elle aurait tant voulu revoir son sourire et entendre encore une fois sa voix grave.

— Partez, dit-elle en voyant que Leland ne bronchait pas. Sinon, vous brûlerez avec nous.

Leland hésita un moment, peut-être davantage. Elle se blottit contre Archer.

— C'est bon, chuchota-t-elle contre son oreille froide. Je suis ici. Vous n'êtes plus seul.

Ses larmes coulèrent sur la joue ciselée d'Archer, roulèrent sur ses paupières closes. Miranda cilla vigoureusement.

— Je ne vous l'ai jamais dit mais, ce jour-là, quand vous m'avez demandé pourquoi je vous suivais... Vous vous rappelez ?

Elle s'essuya le nez du revers de la manche et serra Archer plus fort.

— Je me croyais maline, capable de découvrir vos secrets, mais vous n'avez pas été dupe. Vous m'avez percée à jour.

Elle rit faiblement.

— Et, à un moment... vous m'avez regardée, nos yeux se sont croisés, et j'ai pensé... j'ai pensé « J'aime cet homme »...

Un sanglot lui déchira la gorge. Elle appuya la joue sur le sommet de son crâne. Nul souffle ne s'échappait de ses lèvres.

— Le fait que je n'aie pas vu votre visage n'avait aucune importance. Je savais... je savais que je vous aimerais jusqu'à mon dernier souffle. Mais j'avais peur. Et j'ai préféré l'oublier. Trop longtemps. C'était vraiment stupide de ma part. Parce que je vous ai attendu, Archer. Toute ma vie.

Une plainte aiguë lui échappa. Elle ravala la suivante, se cramponna à Archer comme à une bouée au cœur de la tempête.

Les lèvres d'Archer frôlaient les siennes, inertes, mais douces.

— La douleur ne durera pas très longtemps, murmura-t-elle contre ces lèvres. Ensuite, nous serons libres.

La lueur des torches lécha son long corps argenté tels les rayons du soleil couchant. Miranda inspira profondément, puis lui entrouvrit les lèvres sous les siennes. *Que l'on nous juge.* Elle expira en lui un souffle de feu. *Mon âme et la sienne.*

Une fois de plus, le feu jaillit de ses entrailles, l'enveloppa, et enveloppa Archer. *Purifie-nous.*

La douleur. Elle poignarda Miranda. Le feu et la douleur. Elle tint bon, visualisa la flamme. *Mon âme et la sienne. Et tout ce que je suis.*

Ses lèvres tremblèrent contre celles d'Archer, le feu lui écorcha la gorge avec une force presque intolérable.

Au loin, elle entendit un sifflement, semblable à celui d'une poêle à frire. La chaleur s'accrut. Elle releva vivement les paupières, aveuglée par la douleur. Des langues de feu incandescentes dansèrent devant ses yeux. Des flammes d'un bleu étrange, d'une intensité presque froide. Elle ne pouvait que les regarder, impuissante ; il était trop tard. Elle ne pouvait plus reculer. Sa chemise de lin se consuma. Des flocons d'étoffe brunâtres tournoyèrent dans les airs, en feu.

Elle s'obligea à faire de nouveau jaillir le feu. *Purifie-nous.*

Un grondement profond déchira Archer, et elle faillit l'échapper. Son corps sinueux se convulsa, s'arc-bouta sur les cuisses douloureuses de Miranda. Elle s'enroula autour de lui, noua ses chevilles sur ses jambes, l'immobilisa. *Pardonne-moi.*

Des flammes incandescentes se jetèrent sur eux, défirent le chignon de Miranda. Des mèches de cheveux mordorées en jaillirent, fouettèrent l'air autour de la figure de Miranda. Depuis l'extérieur d'elle-même, elle entendit ses cris pitoyables. Si semblables à ceux de Victoria. *Plus.* Archer s'affaissa entre ses bras, grognant, les lèvres entrouvertes sur un hoquet. Ils se trouvaient au cœur d'un maelstrom; le feu et le vent écorchaient la peau de Miranda. Pourtant, elle ne se consumait pas. Elle le constatait, mais ne savait pas pourquoi. La douleur était trop atroce.

Soudain, Archer se cabra, se tendit comme un arc, s'arracha à ses bras avant de s'y affaisser de nouveau. Sa peau lisse se couvrit de sueur, puis commença à larmoyer comme une fleur dans la rosée du matin. De petits ruisseaux d'argent semblables à du mercure roulèrent sur ses muscles gonflés. Des langues de feu bleutées les aspirèrent tandis qu'Archer se tordait de douleur contre elle, les paupières étroitement serrées comme pour repousser l'abominable souffrance. Un sentiment semblable à de la joie envahit le cœur de Miranda en voyant le poison le déserter, révélant une peau dorée. Mais, alors, la terrible substance argentée ruissela sur sa propre peau, et elle hurla.

Des éclats incandescents lui voilèrent la vue. Les traînées de matière argentée suintant d'Archer glissèrent sur sa peau, la lacérant comme autant de lames de rasoir. Elle s'inclina sur Archer, les seins pressés sur ses épaules. Ils se convulsèrent, liés l'un à l'autre, jusqu'à ce qu'un puissant jet de chaleur s'échappe dans une forte poussée de la poitrine d'Archer. Miranda tomba à la renverse, et son crâne frappa durement le sol. La chaleur déserta la caverne dans un grand appel d'air.

L'obscurité retomba et lui voila la vue.

Ben. Elle aspira une bouffée d'air et se contraignit à se redresser.

Il était de nouveau allongé sur le flan, un bras reposant mollement sur sa large poitrine. Les ombres jouaient sur sa peau, aussi dorée que le miel, et son bras se soulevait et retombait doucement au rythme de sa respiration. Autour d'eux, de la vapeur s'élevait du sol, une vapeur argentée qui se dissipait dans l'air froid. Archer grogna légèrement et roula sur le dos, exposant ce faisant la toison noire recouvrant son torse ciselé. *Ben*.

Elle rampa jusqu'à lui, tremblant avec une telle violence qu'elle arriva à peine à lui saisir les épaules. Chaude. Sa peau était chaude. Ses cheveux drus et noirs balayèrent doucement les cuisses nues de Miranda lorsqu'il tourna la tête vers elle. Ses joues hautes étaient roses.

— *Ben*, croassa-t-elle.

La figure d'Archer se détendit, mais il ne s'éveillait toujours pas. Elle posa des baisers frénétiques sur son front.

— Ben. Par pitié.

Sa longue chevelure retomba sur eux comme un voile, ruissela sur la poitrine nue d'Archer et sur ses épaules.

— Je t'aime, Benjamin Archer, chuchota-t-elle contre son oreille. Je t'aime plus que ma vie.

Un frémissement le parcourut, et il ouvrit enfin les yeux, des yeux d'un gris doux, frangés de cils couverts de suie. Des yeux qui se posèrent sur elle et dont la vue lui coupa le souffle.

— Miri...

Chapitre 34

L'obscurité. Le froid. Ils l'enveloppaient, sans fin, lourds. Une matrice glaciale dont il ne pouvait s'échapper. Au fond de lui, il entendait des cris terrifiés comme ceux d'un enfant. *Par pitié, faites que cela cesse. Libérez-moi.* L'effroi lui griffait le cœur. S'il l'avait pu, il se serait enfui en courant. Des mains douces étaient posées sur son cou. Apaisantes. Il se tendit vers elles. En vain. Il était incapable de bouger. Les mains se détachèrent de lui, l'abandonnèrent.

Puis, la douleur. Un tison ardent s'enfonça dans sa gorge. *Seigneur, aidez-moi.* Des éclats de couleur — rouges, blancs, orangés — explosèrent devant lui. Des griffes acérées comme des rasoirs le lacérèrent au-dedans et au-dehors. Il n'en pouvait plus. *Arrêtez. Par pitié.*

Ensuite, la chaleur. Il se laissa retomber avec un soupir. Une chaleur exquise, aussi vaporeuse qu'un rêve. Le parfum des roses. Des cheveux soyeux caressant sa joue meurtrie.

— Je t'aime, Benjamin Archer.

Les ailes d'un ange contre son oreille.

— Je t'aime plus que ma vie.

L'amour. Miranda. *Miri.* Son souvenir déferla en lui comme une vague de fraîcheur. Il ouvrit les yeux sur la lumière. Sur une cascade de cheveux flamboyants et des yeux d'un vert fruité brillants de larmes.

— Miri.

Elle pleurait. Son amour. Sa peau d'un blanc crémeux était marbrée de rouge, ses yeux et son nez enflés et larmoyants, son sourcil délicat barré d'une profonde entaille. Elle n'avait jamais été aussi belle.

— Ben.

Elle enroula ses bras élancés autour de son cou, et il s'appuya sur elle avec un soupir. Ses seins nus et gonflés se pressaient contre son épaule. Miranda, nue? Elle se blottit contre lui, et il sentit la chaleur de ses cuisses satinées contre sa peau meurtrie.

Il souleva le bras et l'attira contre lui, le corps aussi lourd que s'il se mouvait dans une boue épaisse. Autour d'eux, le monde était sombre, presque granuleux, comme une photographie.

— Oh, Dieu, Ben.

Miri sanglota plus violemment, et son corps délicat frissonna contre lui.

— Je suis là.

Sa gorge brûlait, des lames de rasoir écorchaient ses chairs à vif. Où était-il? Des parois de pierre rugueuse. Un sol de terre battue sous lui. Des souvenirs l'assaillirent.

Une cape noire se posa doucement sur les épaules de Miranda. Elle ne parut pas le remarquer. Archer leva les yeux. Son meilleur ami se tenait derrière elle. Leland. Les traits ravagés par l'âge. Ses yeux profondément enfoncés.

— Bonjour, Archer. Heureux de vous revoir.

Soudainement étourdi, Archer ferma vivement les yeux. Il ne pouvait voir Leland sans penser aussitôt à du sang, à des os, à Cheltenham... aux autres. Les yeux couleur de mercure de Victoria plongeant dans les siens, ses lèvres mortes écartant les siennes, son baiser aux relents de tombeau. *Je savais que tu me reviendrais, Archer. Brûle en enfer, Victoria.* Une lumière grisâtre l'avait envahi. Glaciale et définitive. Il s'était métamorphosé.

La panique se saisit de lui, le broya de ses mains odieuses. Il s'assit brusquement, déséquilibrant Miri. *Victoria. Où était-elle ? Il devait faire fuir Miranda.*

Miranda se redressa et enfila la cape dont elle s'enveloppa étroitement.

— Elle est partie.

Il devait avoir prononcé son nom à voix haute. Il tourna la tête vers sa femme. Elle avait le regard vide.

— Elle est détruite.

Impossible. Hagard, il cligna des yeux et vit... ses jambes, leur peau dorée, leurs poils frisés et noirs. Le souffle haletant, il glissa le regard plus haut. Son pénis rougeâtre reposait sur sa cuisse, sa bourse sombre sur sa toison noire. *Seigneur. Inchangé.* De nouveau lui-même.

La main chaude de Miri se referma sur son épaule. Il pivota. Ses belles lèvres tremblaient, ses magnifiques yeux verts brillaient.

— Archer, souffla-t-elle. Le maléfice est rompu.

Il remua, la prit entre ses bras, serra son corps mince contre lui. Elle se remit aussitôt à pleurer, à longs sanglots déchirants qui traduisaient la profondeur de sa détresse. Son nom s'échappa de ses lèvres comme une plainte. Il enfouit les doigts dans sa chevelure fraîche et soyeuse. *Plus que ma vie.* Un sentiment de gratitude semblable à une bénédiction déferla en lui.

— Je suis là, murmura-t-il dans ses cheveux au parfum de rose.

Là était son foyer. Il l'attira vers lui.

— Tu es là.

Et il ne la laisserait pas s'en aller. Jamais.

Épilogue

La guérison miraculeuse de Lord Benjamin Archer, cinquième baron Archer d'Umberslade, ferait beaucoup
jaser pendant des mois, voire des années. En fait, la plupart
des gens n'y trouveraient pas d'explication. D'aussi loin qu'on
s'en souvenait, l'homme s'était dissimulé sous un masque et
voici que, soudain, il était arrivé au bal très sélect de Lord
Leland et s'était tranquillement dirigé vers le plancher de
danse au bras de sa charmante épouse, Lady Miranda
Archer.

Un bruissement de stupéfaction se répandit lorsque les
invités identifièrent l'homme séduisant valsant avec Lady
Archer. D'aucuns allèrent jusqu'à prétendre, plutôt méchamment, que Lord Archer n'avait jamais été défiguré, qu'il portait un masque dans l'unique but d'attirer l'attention, un
stratagème certes plutôt déplorable. Mais on estima très vite
cette hypothèse illogique. Un homme aussi séduisant et
fringant que Lord Archer n'avait aucune raison de dissimuler une apparence aussi remarquable pendant aussi
longtemps. Non. Sa guérison tenait manifestement du
miracle. Et on ne pouvait que se réjouir de sa bonne fortune
en le voyant glisser, mine d'être sur un petit nuage, en

compagnie de sa femme sur le plancher de danse. Plusieurs ladies de la haute décidèrent sur le champ que *leur* invitation serait la première que recevraient Lord et Lady Archer le lendemain matin.

Quant au couple en question, il se rendit vaguement compte de l'émoi qu'il créait, mais cela ne le toucha guère.

— On nous regarde, dit Miranda sans chercher à cacher un petit sourire satisfait.

Les yeux gris d'Archer ne se détournèrent pas des siens, mais leurs coins se plissèrent un peu.

— C'est que je suis très séduisant, dit-il en l'attirant très légèrement vers lui. Et on se demande comment vous avez réussi à me convaincre de vous épouser.

Elle gloussa, le souffle court, tandis qu'il la faisait tournoyer avec grâce.

— Je n'en doute pas. Je soupçonne qu'ils sont également stupéfaits de constater que j'ai mis la main sur le meilleur danseur du bal. Je savais bien que vous dansiez comme un dieu, ajouta-t-elle en le fusillant du regard sans grande conviction, étant donné qu'elle souriait toujours.

Il lui effleura l'oreille de ses lèvres douces et glissa la main vers sa taille afin de la serrer de plus près.

— Certes, mais il faut être deux pour danser, ma chère.

Le bout de ses seins frôla la chemise de lin empesée, et un frémissement d'indignation se propagea dans la pièce bondée.

— Je ne danserais pas aussi bien si vous n'étiez pas entre mes bras.

Elle laissa deux de ses doigts gantés s'aventurer au-delà de la limite des larges revers de soie — au mépris des convenances — et il lui répondit d'un sourire.

— Dans ce cas, je n'en bougerai, murmura-t-elle. Sauf si cela vous embarrasse.

Une bonne idée, en fin de compte. Leur bonheur se révéla contagieux, et il incita plus d'un couple à danser d'un peu trop près pour le respect des convenances. À la fin de la soirée, tous leur souhaitaient bien du bonheur. Tous, sauf un homme qui, debout dans un angle retiré de la pièce, les observait, le cœur douloureux. *Son* rêve à lui ne s'était pas réalisé, et il se demandait s'il trouverait un jour le bonheur. Désenchanté, il tourna le dos à la salle de bal. Il n'y avait plus rien pour lui ici.

Enfin libérée de son mariage
contraignant, Daisy Craigmore est
prête à se lancer dans l'aventure.
Mais ce qui l'attend, ce sont des
heures de terreur dans les rues
de Londres… et un séduisant
loup solitaire.

Tournez la page pour lire
un extrait de

Clair de lune

Clair de lune

—〜〜—

Les hommes se massaient déjà dans la ruelle lorsque Ian plongea tête baissée dans la mêlée. Quelqu'un poussa un cri de frayeur. Une femme s'évanouit. Un frémissement de terreur se propagea dans la foule de badauds, accentuant l'odeur aigre de la peur. Les hommes reculèrent, horrifiés, puis s'avancèrent, fascinés. On éloigna rapidement les femmes.

Ian repoussa de l'épaule un type rondelet. L'odeur du loup submergeait ses sens. Du loup et du sang. *Jésus.*

Un autre homme lui bloqua le chemin, et il éleva la voix.

— Laissez passer ! Je suis médecin.

Quoique, étant donné la quantité de sang qu'il flairait, il était peu probable que ses services soient requis.

La foule s'écarta, et Ian aperçut la scène. La bile reflua dans sa gorge. Il y avait du sang partout ; il maculait les murs de la maison bourgeoise, formait une flaque sur le sol, ruisselait entre les pavés. Un homme — du moins ce qu'il en restait — était affaissé en une masse informe contre le mur, son visage méconnaissable réduit en bouillie par une multi-tude de coups de griffes, le ventre ouvert, les viscères arrachés. Un peu plus loin, une femme avait subi le même sort, sauf que son visage était indemne. Elle était morte la première. Il en aurait parié sa meilleure canne. Déjà, la puanteur de la mort flottait sur elle. Le cadavre était raide et livide sous le clair de lune.

Ian s'accroupit très bas et inspira. Mille odeurs l'assaillirent. Il les laissa venir à lui, puis il les tria. Sous l'odeur de pourriture, de terreur et de sang stagnait celle du loup, toutefois teintée de quelque chose d'étrange, d'une senteur douce-amère. Une maladie. Laquelle, il l'ignorait, mais elle était bien avancée. C'était étrange, car les loups-garous n'étaient habituellement pas sensibles à la maladie.

— Il n'a plus besoin d'aide, dit l'homme qui était à ses côtés.

Ian lui intima de se taire en levant la main, puis il inspira plus profondément.

Sous les émanations fétides s'élevait un parfum imperceptible — rose, jasmin, vanille et soleil. Ces notes accaparèrent cruellement son attention pendant un moment ; les muscles de son plexus solaire se contractèrent et s'emplirent simultanément d'une chaleur étrange. Le parfum frais, fugace, réveillait la bête en lui, l'incitait à relever la tête, à prendre des notes.

Un grognement ténu rompit le charme. Quelqu'un poussa un cri d'alarme. L'homme mort remua, roula légèrement sur le flan, et la foule sursauta comme un seul homme. Le pouls d'Ian s'accéléra, puis il entrevit, entre les jambes tordues du cadavre, un pan de soie bleue.

— Bon sang.

Il repoussa promptement le cadavre. Celui-ci atterrit sur le sol avec un bruit mat, révélant ce faisant la silhouette recroquevillée d'une femme couverte de sang et, étrangement, de vignes qui descendaient du mur pour la recouvrir.

— Reculez, lança-t-il d'un ton vif en voyant un homme s'avancer sans réfléchir.

— Seigneur! Elle est vivante?

Ian écarta rapidement les vignes, sortant juste assez les griffes pour les couper. Il saisit délicatement le poignet de la femme, chercha le pouls. Lent, régulier et fort. Le parfum floral émanait d'elle. Ses traits étaient dissimulés sous un masque macabre de sang vermillon. Ian jura dans sa barbe et l'attira vers lui tout en la palpant, en quête de blessures. En dépit du sang, elle était indemne. Le sang était celui de l'homme, pas le sien. Elle avait cependant assisté à toute la scène. De cela, il était certain. C'était elle qui avait crié. Suivie de l'homme.

Il balaya la ruelle du regard. Le couple avait vu la première victime. Ils avaient crié, puis ils avaient été attaqués. Ian reporta son attention sur la femme.

Elle était bien en chair, voluptueuse, avait la taille fine. Il la prit dans ses bras, sans tenir compte des protestations des gens qui l'entouraient. La tête de la femme roula sur son épaule, et une nouvelle bouffée de parfum s'en éleva. Une longue boucle rougie de sang retomba sur la poitrine d'Ian lorsque celui-ci, la soulevant plus haut, se releva.

— Elle a besoin de soins.

Il esquissa le geste de s'éloigner, mais un gentilhomme s'interposa.

— Un instant, dit l'homme, dont la moustache cirée frémissait. Vous n'avez pas l'air d'un médecin.

Dans la foule, les hommes s'agitèrent, remarquant enfin l'accoutrement d'Ian.

Ian resserra son étreinte, et la femme poussa un petit gémissement de détresse. La plainte atteignit Ian en plein cœur. Les femmes devaient être protégées et chéries. Toujours. Il considéra la foule.

— Ni d'un marquis. Pourtant, je suis l'un et l'autre.

Il fit un pas en avant, repoussant sans effort l'homme de l'épaule.

— Je suis un Northrup. Je vous conseille de vous écarter de mon chemin.

Un nouveau murmure se propagea parmi les hommes. Toutefois, ils s'écartèrent ; peu d'entre eux étaient disposés à s'en prendre à Lord Ian Ranulf, marquis de Northrup. Quant aux autres, aux moins peureux, il les repoussa sans ménagement. Il était prêt à les combattre tous s'il le fallait. Il n'était pas question de quitter cette femme du regard. Pas avant de l'avoir interrogée. Ni de la laisser clamer dans tout Londres qu'elle avait survécu à l'attaque d'un loup-garou.